DAS DOPPELLEBEN DES
CHARLES A. LINDBERGH

Dyrk Hesshaimer
Astrid Bouteuil
David Hesshaimer
mit

RUDOLF SCHRÖCK

DAS DOPPELLEBEN DES CHARLES A. LINDBERGH

DER BERÜHMTESTE FLUGPIONIER ALLER ZEITEN – SEINE WAHRE GESCHICHTE

HEYNE ‹

Zitiert wird aus folgenden Werken:

A. Scott Berg. Charles Lindbergh, Ein Idol des 20. Jahrhunderts.
Aus dem Amerikanischen von Andrea Ott.
Deutschsprachige Ausgabe 1999 Karl Blessing Verlag, München,
einem Unternehmen der Verlagsgruppe Random House GmbH.

Anne Morrow Lindbergh. Welt ohne Frieden.
Tagebücher und Briefe (1939–1944).
Aus dem Amerikanischen von Elisabeth Piper.
Deutschsprachige Ausgabe 1986 Piper Verlag, München – Zürich.

Umwelthinweis:
Dieses Buch wurde auf chlor- und
säurefreiem Papier gedruckt.

Redaktion: Johann Lankes
Lektorat: Anke Drescher
Umschlagkonzept und -gestaltung:
Hauptmann und Kompanie Werbeagentur, München – Zürich
Umschlagfotos: © picture-alliance/dpa (oben)
© Astrid Bouteuil, Dyrk Hesshaimer und David Hesshaimer (unten)
Satz und Lithos: C. Schaber Datentechnik, Wels
Druck und Bindung: GGP Media GmbH, Pößneck
Printed in Germany 2005

ISBN 3-453-12010-8

Inhalt

Vorwort

Als Charles Lindbergh am 26. August 1974 in Maui auf Hawaii den Folgen einer Krebserkrankung erlag, ahnten weder seine Frau Anne Morrow noch die amerikanische Öffentlichkeit, dass der bereits zu Lebzeiten legendäre Flieger ein Geheimnis mit ins Grab nahm, das erst knapp dreißig Jahre nach seinem Tod gelüftet werden sollte.

Lindbergh hatte seit Mitte der 1950er-Jahre bis 1974 ein nahezu perfekt getarntes Doppelleben in Europa geführt. Der amerikanische Nationalheld hatte sich in München in die Hutmacherin Brigitte Hesshaimer verliebt und mit ihr drei Kinder in die Welt gesetzt. Als Astrid, Dyrk und David diese Geschichte ihrer Mutter und ihres Vaters, von dessen wahrer Identität sie erst nach seinem Tode erfahren hatten, im Sommer des Jahres 2003 publik machten, reagierten vor allem die Medien der USA mit Skepsis und ungläubigem Staunen.

Ausgerechnet Lindbergh, der akkurate Pilot mit seiner amerikanischen Vorzeigefamilie, sollte eine heimliche Parallelfamilie in Deutschland haben?

Viele hielten das für ausgeschlossen. In 14 bisher erschienenen Biografien war Lindberghs Doppelleben mit keiner Zeile erwähnt. Es gab nicht einmal die Andeutung des leisesten Verdachts.

Mit dieser Biografie wird die Geschichte des »anderen Lindbergh« erstmals einer breiten Öffentlichkeit vorgestellt. Und es ist nicht nur die Lovestory von Brigitte und Charles Lindbergh mit ihren gemeinsamen Kindern Astrid, Dyrk und David.

Aus den intensiven Recherchen, den Gesprächen mit den drei Münchner Lindbergh-Kindern und der Auswertung von über

150 heimlichen Liebesbriefen, die Charles an Brigitte schrieb, ging auch hervor: Lindbergh hatte neben seiner Liaison mit der Münchner Hutmacherin gleichzeitig noch zwei weitere Liebesverhältnisse – mit Brigittes Schwester Marietta und mit seiner deutschen Privatsekretärin Valeska, die altem preußischem Adel entstammte.

Mit diesen beiden Frauen hatte Lindbergh jeweils zwei weitere Kinder. Das Doppelleben des Charles Lindbergh in Deutschland und der Schweiz führte zur Gründung von drei heimlichen Familien mit sieben unehelichen Kindern.

Das vorliegende Buch ist deshalb eine Premiere: Erstmals wird das bekannte offizielle Leben des »amerikanischen Lindbergh«, seiner Ehefrau Anne Morrow und ihrer gemeinsamen Großfamilie (mit sechs Kindern) mit dem bisher völlig unbekannten Leben des »europäischen Lindbergh«, seinen drei Geliebten und ihren sieben Kindern verbunden.

Neu ist auch der Versuch, die bisher weitgehend unbekannte Tätigkeit Lindberghs in Europa nach Ende des Zweiten Weltkriegs für die amerikanische Regierung und den US-Geheimdienst darzustellen.

Dies geht einher mit einer kritischen Würdigung jener Vorkriegskampagne der Roosevelt-Administration und des britischen Geheimdienstes, die aus dem patriotischen Isolationisten Lindbergh einen »Nazi-Sympathisanten« machen wollten.

Charles Lindbergh, der nach seinem Atlantikflug im Mai 1927 der meistfotografierte und berühmteste Amerikaner war, hat sich nach dem Krieg systematisch aus der Öffentlichkeit zurückgezogen. Auch dies ist ein Grund, wie und warum er zeitlebens seine drei heimlichen Familien in Deutschland und der Schweiz so gut tarnen konnte.

Zehn Tage vor seinem Tod im August 1974 schrieb Lindbergh aus dem Krankenhaus drei Briefe an seine Geliebten und bat sie um *secrecy* – um absolute Verschwiegenheit. Marietta und Valeska, die jetzt 80 Jahre alt sind, haben sich bis heute daran gehalten und keinerlei Interviews gegeben.

Die drei Kinder von Brigitte (sie starb im Jahr 2001) haben dagegen die Mauer des Schweigens gebrochen und die Wahrheit über ihren Vater, die auch Teil ihrer eigenen Geschichte ist, enthüllt.

Dafür möchte ich mich als Autor bei Astrid, Dyrk und David an dieser Stelle persönlich bedanken. Auch dass sie mir Zugang zum Familienarchiv und den rund 400 Seiten der heimlichen Korrespondenz von Lindbergh an ihre Mutter Brigitte gewährten, war Grundvoraussetzung für das Erscheinen dieses Buches.

Mein Dank gilt auch jenen Menschen, die mir bei der Recherche und der Produktion mit Rat und Tat zur Seite standen: Toni Schwenk, Michael Meller und Rechtsanwalt Walter Lechner, Anke Drescher und Johann Lankes, Gore Vidal und Stefan Dornuf, A. Scott Berg und Professor Bruno Reichart.

Special thanks to Bettina Ullrich.

Besonders danke ich meiner Frau Ulrike und meiner Tochter Christina für ihre liebevolle Unterstützung.

München, im März 2005   *Rudolf Schröck*

Prolog: Wie alles begann

Wie lange hat er nicht mehr geschlafen? 40 Stunden? 45 Stunden? Der Kopf des Fliegers wird schwer und schwerer. Sein Kinn sackt immer wieder auf die Brust. Die Augen brennen. Der Flieger sehnt sich nach Schlaf. In dem engen Cockpit seiner kleinen Maschine ist es stockdunkel. Die Instrumente auf dem Armaturenbrett nimmt er nicht mehr wahr. Auch nicht, dass der Höhenmesser in schneller Fahrt nach unten geht. Der Flieger ist eingenickt. Um ihn herum ist finstere Nacht und unter ihm tost der Atlantische Ozean. Das führerlose Flugzeug senkt sich immer weiter zur Wasseroberfläche hinab. Gleich wird es aufschlagen und mit dem Flieger in den Fluten des Meeres für immer untergehen. Es sind nur noch wenige Meter. 30. 20. Zehn. Plötzlich spritzt die Gischt einer hohen Welle durch das geöffnete Fenster des Flugzeugs. In Sekundenschnelle ist der Flieger wach. Kaltes Salzwasser läuft ihm über das Gesicht. Er reißt seine Maschine mit einer Reflexbewegung nach oben. Das kleine Flugzeug gewinnt schnell an Höhe. Er ist gerettet. Vorerst. Doch der Abenteuer-Flug durch die Nacht und über das Meer geht weiter.

Brigitte Hesshaimer (Kosename: Bitusch) macht eine kurze Pause. Ihr Enkel Charlie hat sich im Bett aufgerichtet und drückt fest ihre Hand. Die Geschichten über den tollkühnen Flieger in seiner kleinen Maschine gefallen ihm. Es sind keine gewöhnlichen Einschlafgeschichten über einen verwegenen Piloten, der allein bei Nacht und Sturm über das Meer fliegt. Es sind Geschichten über seinen Großvater, den er selbst nie kennen gelernt hat. Es sind die Abenteuer von Charles Lindbergh, nach dem er benannt wurde. Er, der kleine Charlie.

»Bitusch, weiter! Erzähl doch weiter«, bettelt er. »Wie geht die Geschichte vom Flieger aus?«

Der Flieger ist jetzt seit über 17 Stunden in der Luft. Ganz allein. Ohne einen Kopiloten. In einer kleinen Propellermaschine, die den Namen »Spirit of St. Louis« trägt. Der Flieger, dein Großvater, hat sie nach eigenen Plänen in nur zwei Monaten anfertigen lassen. Sie ist ganz aus Holz gebaut und mit Kunststoff bespannt. Die Mechaniker am Flugplatz in New York haben sie die »fliegende Apfelsinenkiste« genannt. Und andere haben sie als »fliegende Benzinbombe« bezeichnet, weil dein Großvater in seiner Maschine umgeben ist von lauter Benzintanks mit über 1700 Liter Treibstoff. Das sind über 40 Mal so viel, wie in unseren Volkswagen reinpassen. Aber die Menge braucht er, um von New York nach Paris zu fliegen. Dafür hat er auf alles Gewicht verzichtet, was das Flugzeug überladen hätte. Nicht mal einen Koffer mit Kleidung und Zahnbürste hat er an Bord, und als Verpflegung nur eine Flasche Wasser und fünf Sandwiches.

Noch nie zuvor hat ein Mensch im Alleinflug die Strecke von New York nach Paris bewältigt. 5800 Kilometer ist die Strecke lang. Und wie gefährlich das ist, Charlie, kannst du daran sehen, dass es vor deinem Großvater schon fünf Piloten versucht hatten, den Atlantischen Ozean zu überfliegen – alle mit einem Kopiloten oder einer kleinen Crew an Bord. Aber alle fünf Flugzeuge stürzten ab. Kurz nach dem Start oder draußen über dem Meer. Sechs Menschen sind dabei gestorben. Und jetzt versucht es dein Großvater in seiner fliegenden Apfelsinenkiste.

Sein größtes Problem ist nicht das Flugzeug, sondern der Schlaf. Er ist vor dem Start nicht zur Ruhe gekommen und immer wieder geweckt worden. Als er in New York auf die Reise nach Paris geht, ist er bereits 24 Stunden ohne Schlaf – und der Flug, so hat er es berechnet, wird über 30 Stunden dauern. Irgendwann ist dein Großvater so müde, dass er Gespenster sieht.

Gespenster? Charlie kann es nicht glauben. Was erzählt ihm denn da die Großmutter? »Gespenster gibt es doch nur im Märchen, aber Charles Lindbergh war doch ein richtiger Flieger«, unterbricht er seine Großmutter. Brigitte Hesshaimer muss lachen.

»So hat er es mir selbst erzählt, dein Großvater. Ich habe es erst auch nicht geglaubt. Aber hör dir die Geschichte an, Charlie.«

Der Flieger ist jetzt seit 22 Stunden in der Luft. Ganz allein über dem stürmischen Meer. Fast 50 Stunden ist er jetzt ohne Schlaf. Wieder fallen ihm die Augen zu, und er schlägt mit der Faust gegen seine Stirn, um wach zu bleiben. Plötzlich füllt sich die kleine Pilotenkabine mit Geistern. Mit durchsichtigen Wesen, die ihn umschweben und die mit ihm sprechen. Sie reden mit deinem Großvater über den Flug, über das Wetter, über die Navigation. Und der Flieger unterhält sich mit ihnen, um wach zu bleiben. Und er bleibt wach. Irgendwann sind die Gespenster verschwunden, und der Flieger sieht unter sich einen Punkt, der sich bewegt. Mitten im Meer. Die Nacht ist vorbei, und die Sonne ist aufgegangen. Der Flieger zieht die Maschine nach unten und fliegt über die Wellen des Ozeans. Und da sieht er den Punkt ganz groß: Es ist kein Gespenst, es ist ein Delphin.

Plötzlich ist der Flieger wieder hellwach. Seine Müdigkeit ist wie weggeblasen. Nach mehreren Stunden sieht er als Nächstes ein paar Möwen, dann ein Fischerboot – und dann Land. Grünes Land.

Es ist die Küste von Irland. Er hat mit seiner fliegenden Apfelsinenkiste den Atlantischen Ozean bezwungen. Er ganz allein!

Charlie könnte seiner Großmutter stundenlang zuhören, wenn sie von ihrem »Flieger« erzählt, von Charles Lindbergh, diesem tollkühnen Piloten, der sein Großvater war. »Weiter, Bitusch, bitte weiter! Wie ist er gelandet? Wie geht die Geschichte aus?«

Dein Großvater hat jetzt zwar sein größtes Ziel erreicht, die Überquerung des Atlantischen Ozeans, aber sein Ziel liegt noch vor ihm: Paris. Er überfliegt Irland und die englische Südküste, dann den Ärmelkanal. Am Abend sieht er unter sich ein riesiges Lichtermeer: Er hat die Hauptstadt von Frankreich erreicht. Er dreht eine Ehrenrunde über dem Eiffelturm und dann bereitet er sich auf die Landung vor – auf dem Flugplatz von Le Bourget im Norden von Paris. Dort ist mittlerweile die Hölle los. Bereits seit Stunden hat sich in ganz Frankreich die Meldung verbreitet, dass Charles Lindbergh den Atlantik überflogen hat und am Abend in

*Charles Lindbergh im Flieger-Overall vor seinem Flugzeug
»Spirit of St. Louis«, mit dem er am 20./21. Mai 1927 im Alleinflug
den Atlantik überquerte.*

Paris landen wird. Ungefähr 150000 Menschen machen sich mit dem Auto, in Bussen oder sogar zu Fuß auf, um ihn in Le Bourget zu begrüßen. In Paris bricht der Verkehr zusammen, so groß ist der Andrang.

Und dann ist es so weit: Um kurz vor halb elf Uhr abends setzt dein Großvater seine Maschine auf dem Flugfeld auf und rollt aus, denn seine kleine Maschine hatte nicht einmal Bremsen.

Die Begeisterung ist so groß, dass die Menschen die Absperrungen der Polizei durchbrechen. »Vive l'Américain!«, rufen sie. Und: »Vive Lindbergh!«

Genau dreiunddreißigeinhalb Stunden hat der Flug gedauert – und jetzt hat die Welt einen neuen Helden: deinen Großvater, Charlie.

Brigitte Hesshaimer macht eine kleine Pause, bevor sie fortfährt.

Das alles hat sich vor 70 Jahren zugetragen, am 21. Mai 1927. Dein Großvater hat damals ein Preisgeld von 25000 Dollar für seinen Alleinflug bekommen, und danach wurde er zum wichtigsten Flugzeugpionier der USA, vielleicht sogar der ganzen Welt. Am Flugplatz von Le Bourget steht heute noch ein Denkmal von deinem Großvater, das an seinen großen Atlantikflug erinnert. Das war die Geschichte. Aber jetzt schlaf schön. Gute Nacht, Charlie.

Doch Charlie schüttelt den Kopf. Er hat sich in seinem Bett aufgerichtet und greift nach der Hand von Brigitte Hesshaimer. »Nein, Bitusch, das ist noch nicht die ganze Geschichte. Ich muss dir noch was erzählen vom Flughafen in Le Bourget.«

Brigitte Hesshaimer horcht auf an diesem Sommerabend im Juli des Jahres 1998 in ihrem Haus an der Rotkreuz-Straße in Utting am Ammersee. Sie liebte ihre Enkelkinder über alles. Der kleine Charlie und seine zwei Jahre ältere Schwester Isabelle sind die Kinder ihrer Tochter Astrid, die seit Jahren in der Nähe von Paris lebt und in den Sommerferien zu Besuch in ihre alte Heimat an den Ammersee in Oberbayern kommt – natürlich mit den Kindern, damit sie die Großmutter regelmäßig sehen. Und Charlie, der Sechsjährige, erzählt ihr jetzt von einem

Besuch mit seiner Vorschulklasse in Le Bourget, wo Charles Lindbergh vor 70 Jahren so begeistert empfangen worden war. An jenem Denkmal, das dort steht und an den großen Atlantikflieger erinnert, hatte Charlie einigen Klassenkameraden erzählt, dass dieser Fliegerheld sein Großvater sei.

Und das hätten sie ihm nicht geglaubt.

Brigitte Hesshaimer streichelt ihm über den Kopf. »Das musst du nicht so ernst nehmen, Charlie. Wichtig ist, dass du ganz allein weißt, wer dein Großvater ist und was er geleistet hat. Du kannst stolz auf ihn sein, aber das geht deine Schulkameraden nichts an.« Sie gibt ihm einen Kuss und löscht das Licht.

Am selben Abend erzählt Brigitte Hesshaimer ihrem Sohn Dyrk von Charlies Neugier auf die Abenteuer seines Großvaters und was er ihr über den Ausflug nach Le Bourget erzählt hat.

Dyrk Hesshaimer ist der älteste Sohn von Brigitte, am 14. August 1958 in München geboren. Zwei Jahre später, am 29. November 1960, kam Astrid in München zur Welt, das zweite Kind von Brigitte. Und am 29. Mai 1967 wurde David Hesshaimer geboren, das dritte und jüngste Kind von Brigitte.

Alle drei Hesshaimer-Kinder, mittlerweile längst erwachsen und berufstätig, haben in ihren Geburtsurkunden denselben Eintrag: »Vater unbekannt«. Und alle drei Hesshaimer-Kinder wissen seit Mitte der 1980-er Jahre, wer ihr angeblich unbekannter Vater wirklich war: der Atlantikflieger Charles Lindbergh (1902 bis 1974).

17 Jahre lang hatte ihre Mutter Brigitte, die von ihren Kindern und Verwandten immer nur mit dem Kosenamen »Bitusch« angeredet wurde, eine heimliche Liebesbeziehung mit Lindbergh unterhalten, von der kein Wort in die Öffentlichkeit gedrungen war. Ihre drei Kinder hatten Brigitte Hesshaimer versprechen müssen, das Familiengeheimnis über den »unbekannten Vater« zu wahren. Aber konnte man so auch mit den Enkeln umgehen?

Dyrk, der jetzt 38 Jahre alt ist und noch nie die Öffentlichkeit wegen seiner Lindbergh-Abstammung gesucht hatte, sagt an jenem Sommerabend 1998 zu seiner Mutter: »Was dir Charlie erzählt hat, habe ich auch von Isabelle gehört, die in der Schule schon mal von Klassenkameraden gehänselt wurde. Isabelle ist mein Patenkind. Auf Dauer können wir nicht zulassen, dass jetzt auch noch die nächste Generation unserer Familie unter diesem Geheimnis leiden muss. Irgendwann muss es raus, Bitusch, und irgendwann kommt es auch raus.«

Die 72 Jahre alte Mutter blickt Dyrk, mit dem sie wie mit Astrid und David ein tiefes Vertrauensverhältnis verbindet, lange an, bevor sie leise erwidert: »Ich weiß, dass das kommen wird. Aber nicht, solange ich lebe. Das habe ich deinem Vater versprochen, und das will ich halten. Wenn Astrid, David und du der Meinung seid, die Welt müsse erfahren, dass Charles Lindbergh euer Vater ist, dann tut das – aber bitte erst nach meinem Tod.«

Dyrk nickt und schweigt. Und doch beschleicht ihn an diesem Abend im Juli 1998 der Gedanke, dass die Wahrheit über seinen Vater Charles Lindbergh auf Dauer nicht mehr zu verheimlichen sein wird ...

An einem Winterabend im Januar 1999 klingelt bei David Hesshaimer das Telefon. Der mittlerweile 31-jährige jüngste Sohn von Bitusch und Charles Lindbergh hat sich in der Immobilienbranche selbstständig gemacht und arbeitet in Jestetten an der Grenze zum schweizerischen Schaffhausen, dem Ort des berühmten Rheinfalls.

Am Ende der Leitung ist seine völlig aufgelöste Mutter Brigitte, die ihn aus Utting anruft. Sie weint. »Meine Briefe sind weg«, sagt sie stockend. »Alle meine Briefe sind weg.«

David versucht sie zu beruhigen. »Bitusch, welche Briefe denn? Um was geht es? Wie kann ich dir helfen?« Unter Tränen berichtet Brigitte Hesshaimer, dass ihre Tochter Astrid bei ihrem letzten Winterurlaub am Ammersee einen Plastiksack gefunden habe, in dem Bitusch ihre heimliche Liebespost mit Charles Lindbergh aufbewahrte. Rund 150 Luftpostbriefe von ihrem ersten Kennenlernen im Jahre 1957 bis kurz vor Lindberghs Tod im August 1974. Beim Aufräumen des Hauses in Utting hatte Astrid die geheime Korrespondenz gefunden und sie heimlich in ihre Reisetasche gesteckt und mit nach Paris genommen.

Erst Wochen später war Brigitte Hesshaimer der Verlust der Lindbergh-Briefe aufgefallen, worauf sie bei Astrid in Paris angerufen habe, ob sie beim Aufräumen vielleicht versehentlich einen Plastiksack mit alten Briefen weggeworfen habe. Doch Astrid hatte ihrer Mutter am Telefon erklärt, dass sie die Briefe mitgenommen habe, um sie vor einer möglichen Vernichtung zu schützen. Brigitte Hesshaimer ist außer sich. Sie will, dass Astrid die Briefe sofort zurückbringt. Doch Astrid weigert sich. Jetzt soll ihr David helfen.

David ist überrascht. Er weiß zwar von der Existenz einer Korrespondenz zwischen Bitusch und seinem Vater, Charles Lindbergh, doch der Inhalt hat ihn nie interessiert. David hatte sich in der Vergangenheit nie besondere Gedanken wegen seiner heimlich-prominenten Abstammung gemacht. Obwohl er nach seinem 18. Geburtstag von Bitusch erfahren hatte, wer sein Vater war, hatte ihn diese Nachricht wenig beeindruckt. Er ist der Auffassung, dass die Wahrheit über seinen Vater, der auch der »unbekannte Vater« seiner beiden Geschwister Dyrk und Astrid war, irgendwann herauskommen werde. Irgendwann.

David ahnt jetzt zum ersten Mal, dass sich die Situation zugespitzt hat. Irgendwann ist bald. David beschließt, am nächsten Wochenende zu seiner Mutter an den Ammersee zu fahren, um mit ihr über die Lindbergh-Briefe zu reden.

Als David in Utting eintrifft, ist seine Mutter immer noch in heller Aufregung und zugleich sehr deprimiert. »Ich will unter keinen Umständen, dass die Briefe in falsche Hände kommen oder veröffentlicht werden. Sie sind mein ganz persönliches Eigentum«, sagt sie zu David. Zum ersten Mal in seinem Leben fragt David seine Mutter nach Einzelheiten ihrer Beziehung zu Charles Lindbergh – und nach dem Inhalt der Briefe.

Unter Tränen berichtet ihm Bitusch, dass sie und Charles sich siebzehn Jahre lang regelmäßig geschrieben haben: Sie an ein heimliches Lindbergh-Postfach in Connecticut/USA und er an ihre offizielle Heimatadresse. »Jeden seiner Briefe habe ich aufbewahrt – als Erinnerung an den großartigsten Mann, den ich in meinem Leben kennen gelernt habe. Die Briefe sind ein Teil meines Lebens und meiner Liebe.«

David verspricht, über Verwandte auf Astrid Einfluss zu nehmen, die Briefe an die Mutter zurückzugeben. Doch intuitiv spürt er, dass das Geheimnis seiner Mutter, das sie jetzt 40 Jahre gehütet hat, nicht geheim bleiben würde. Die Briefe waren ein Teil dieses Geheimnisses, das vor der Aufklärung stand.

Der Kampf um die Wahrheit hatte begonnen ...

1   Eine Liebe in München – Teil 1

ES WAR EIN KÜHLER VORFRÜHLINGSABEND IM MÄRZ des Jahres 1957 in Schwabing, jenem Stadtteil von München, der bis heute verklärend als »Künstlerviertel« bezeichnet wird. In einer Altbauwohnung saß eine Runde von Freunden und deren Begleitern um den Tisch. Bei Wein und belegten Broten, lachend und diskutierend. Unter ihnen auch zwei hübsche dunkelhaarige Schwestern, 30 und 32 Jahre alt: Brigitte und Marietta Hesshaimer. Brigitte, mit Kosenamen »Bitusch« genannt, lernte Hutmacherin. Oder Modistin, wie ihr Beruf damals genannt wurde.

Man (oder frau) trug damals gerne Hut. Ob im Alltag oder zu gesellschaftlichen Anlässen: Hut war Pflicht. Er gehörte zum modischen Accessoire, zum guten Ton der 1950er-Jahre. Eine Hutmacherin war mehr als nur eine Handwerkerin. Heute würde man sie Modedesignerin nennen.

Brigitte Hesshaimer war am 22. Juli 1926 im rumänischen Kronstadt als Tochter einer wohlhabenden deutsch-siebenbürgischen Familie geboren worden. Ihr Vater, Adolf Hesshaimer, war der Besitzer der größten Schokoladen- und Pralinenfabrik des Landes gewesen, Hoflieferant für das rumänische Königshaus, Mitglied im Aufsichtsrat der wichtigsten Regionalbank.

Die Hesshaimers waren in Siebenbürgen, das viele Menschen im Ausland aus Literatur und Sagenwelt bevorzugt als das gruselige Reich Transsylvanien des grausamen Vampir-Fürsten Dracula kannten, eine seit über hundert Jahren hoch angesehene, vermögende und verzweigte Großfamilie, ein Clan im besten Sinne des Wortes. Doch das Schicksal meinte es schlecht mit der Familie Hesshaimer, deren Reichtum auf der Produktion von Süßigkeiten basierte. Der Familienpatriarch Adolf Hesshaimer starb 1937 mit 44 Jahren und hinterließ seiner Ehefrau Edith Marianne vier Kinder.

Zwei von ihnen, Brigitte und Marietta, hatten sich noch im Vorschulalter von einem Tbc-kranken Kindermädchen mit der damals lebensbedrohlichen Tuberkelbakterie infiziert und waren an Coxitis tuberculosa, einer Gelenktuberkulose des Hüftgelenks, erkrankt. Beide Mädchen waren von nun an am rechten Bein schwer behindert und mussten den Großteil ihrer Kindheit in Spezialkliniken verbringen.

Danach kam der Zweite Weltkrieg, die Flucht der Mädchen nach Westen, der Zusammenbruch des Königreichs Rumänien, der Vormarsch der Roten Armee, die Enteignung der Hesshaimers. Eine materiell zerstörte Existenz. Doch der ideelle Wille der vom Schicksal und der Kriegsgeschichte so schwer getroffenen Hesshaimer-Töchter war ungebrochen.

Brigitte war nach einem langen Flucht- und Leidensweg quer durch Ostdeutschland, Berlin und Baden-Württemberg schließ-

Brigitte Hesshaimer in ihrem Münchner Hutmacher-Atelier.

lich in München gelandet, wo sie – wie es damals hieß – als »Alt-Lehrling« bei der Firma »Damenputz Anna Reismüller« in der Herzog-Rudolf-Straße zur Hut- und Putzmacherin ausgebildet wurde.

Ihre zwei Jahre ältere Schwester Marietta studierte Architektur und Malerei, hatte ein Auslandsstipendium an der Villa Massimo in Rom in Aussicht und wollte Kunstmalerin werden. Bis dahin wohnten die beiden behinderten, aber durchaus attraktiven Schwestern unter einem Dach: in einer günstigen Zweizimmerwohnung mit Küche, Bad und Balkon im vierten Stock eines neu gebauten Hinterhauses an der Agnesstraße 44 in München-Schwabing.

Durch Zuwendungen aus der Großfamilie und dem Freundeskreis, durch Zahlungen aus dem staatlichen Lastenausgleich für Flüchtlinge und mit ihrem kleinen Gehalt als Hutmacherin konnte sich Brigitte in sehr bescheidenem Rahmen über Wasser halten. Auch Marietta verdiente nicht viel.

Man konnte es auch anders ausdrücken: Die beiden Schwestern hatten wenig Geld, aber große Zuversicht. Sie waren gehbehindert, aber hatten einen riesigen Optimismus. Brigitte und Marietta waren zwei junge Frauen ihrer Zeit. Die Aufbruchstimmung der 1950er-Jahre, jenes trotzige »Trotz alledem«, der Wille zum Überleben nach der Apokalypse des Nazi-Faschismus, des Krieges, der Bombennächte und der Vertreibung – all das hatte sie geprägt.

Aber sie wollten endlich leben. Als Überlebende eines unmenschlichen Krieges, als junge Frauen in einer neuen Heimat. Und sie nahmen sich den Mut dazu.

Brigitte und Marietta saßen an jenem Frühlingsabend im März 1957 in einer Altbauwohnung von Bekannten in Schwabing mit ihrer gemeinsamen Freundin Elisabeth. Sie war eine Verwandte aus dem Hesshaimer-Clan, der auch nach der Vertreibung aus Siebenbürgen eine enge familiäre Beziehung pflegte. Elisabeth gab ihren Beruf als »Sekretärin« an, doch nur Eingeweihte wussten, dass sie für den amerikanischen Auslandsgeheimdienst arbeitete.

In einem Büro, ausgerechnet an der Dachauer Straße, die vielen Amerikanern als horribile dictu erschien, ein fast unaussprechliches Wort angesichts der Gräuel, die sich im »Tausendjährigen Reich« der Hitler-Diktatur im Konzentrationslager Dachau vor den Toren Münchens ereignet hatten. Zehntausende von Nazi-Gegnern waren dort unter unmenschlichen Bedingungen zu Tode gekommen. Viele der letzten Überlebenden waren noch 1945 kurz vor dem Einmarsch der US-Army in München in »Todesmärschen« aus dem Lager getrieben, liquidiert oder schlichtweg dem Hungertod überlassen worden.

Elisabeth hatte ihre Freundin mitgebracht, die bestens mit Brigitte und Marietta bekannt war: die aus dem Hochadel stammende Valeska, eine äußerst attraktive Blondine, deren Vater im Ersten Weltkrieg als Hauptmann im preußischen Generalstab diente.

In Begleitung von Valeska befand sich ein blonder, schlanker, 1,88 Meter großer Amerikaner, der vor 30 Jahren Weltgeschichte geschrieben hatte: Charles Augustus Lindbergh. Damals im Mai 1927 hatte er die rund 5800 Kilometer von New York nach Paris im Alleinflug zurückgelegt und war zum ersten Medienstar des 20. Jahrhunderts aufgestiegen.

Und jetzt saß dieser weltberühmte Mann mit dem schüchternen Lächeln am Tisch in einer Schwabinger Wohnung und hörte der Diskussion, die in Deutsch und Englisch geführt wurde, zu.

Ab und an warf er ein paar Sätze in Englisch ein. Unaufdringlich in seiner bescheidenen Art, aber bestechend in der Argumentation. Brigitte und Marietta Hesshaimer waren fasziniert von diesem attraktiven Mann, der jünger aussah als 55 Jahre, wie er jetzt war. Besonders Brigitte war angetan von der sympathischen Präsenz Lindberghs und seiner männlichen Ausstrahlung. Sie wusste von ihrer Freundin Elisabeth, dass er zu Valeska eine Liebesbeziehung unterhielt und dass er zu Hause in den USA eine Ehefrau und fünf Kinder hatte. Das störte Brigitte nicht. Die Aura dieses Mannes, seine Art zu sprechen, seine schönen Hände, sein Lächeln, sein charakteristisches Grübchen im Kinn gefielen ihr.

Lindbergh war zusammen mit der 22 Jahre jüngeren Valeska gekommen, die offiziell als seine Privatsekretärin und Übersetzerin vorgestellt wurde. Die Wege dieses ungewöhnlichen Paares hatten sich vor drei Jahren zum ersten Mal in München gekreuzt. In einer chiffrierten Annonce in der *Süddeutschen Zeitung* suchte ein nicht näher bezeichneter amerikanischer Geschäftsmann eine Übersetzerin, die seine Korrespondenzen in Deutsch und Englisch erledigen sollte.

Valeska lebte damals im fränkischen Selb im Fichtelgebirge an der Grenze zur Tschechoslowakei, also dicht vor dem so genannten Eisernen Vorhang, der die sowjetisch dominierten Staaten Osteuropas vom Westen hermetisch abschloss. Selb war eine abgelegene Kleinstadt und doch eine Metropole – die Hauptstadt des »weißen Goldes«. Hier war das Zentrum der Porzellanproduktion mit den weltbekannten Firmen Hutschenreuther und Rosenthal. Und bei Philip Rosenthal, dem späteren Chef des gleichnamigen Porzellankonzerns, arbeitete Valeska als Privatsekretärin.

Philip Rosenthal, der wegen seiner SPD-Mitgliedschaft als »roter Unternehmer« in die deutsche Nachkriegsgeschichte einging, war eine in jeder Hinsicht spektakuläre Persönlichkeit. Der vielsprachige Antifaschist hatte Nazi-Deutschland verlassen und sich als Freiwilliger der französischen Fremdenlegion in Nordafrika angeschlossen. Nach der militärischen Niederlage Frankreichs wurde er interniert und entging der Auslieferung an Deutschland durch mehrere abenteuerliche Fluchtversuche, die ihm schließlich die Freiheit brachten.

Er schlug sich als Straßenarbeiter, Schweinehirt, Bäckerlehrling und Journalist durch, bis er schließlich in den Diensten Englands eine Anstellung im Foreign Office erhielt. Nach dem Krieg kehrte Rosenthal nach Deutschland zurück, wo er mit seiner Mutter die von den Nazis enteigneten Porzellanbetriebe in Selb schrittweise übernahm. Privat war Rosenthal ein begeisterter Hobbyflieger, Bergsteiger und Schwimmer, ein Draufgänger und Frauenheld. Es war in Selb kein Geheimnis, dass die junge, bildhübsche Valeska für ihn mehr war als nur seine Privatsekretärin.

Doch irgendwann hatte Valeska genug vom wilden Rosenthal und vom Leben in der tiefsten Provinz des abgelegenen Fichtelgebirges. Sie wollte weg – und da kam ihr die Stellenanzeige

Charles Lindbergh im Alter von 55 Jahren mit seiner typischen Baskenmütze auf der Terrasse seiner römischen Geheimdienst-Wohnung an der Via Polvese im Sommer 1957.

in der *Süddeutschen Zeitung*, die ihre Freundin Elisabeth für sie ausgeschnitten hatte, genau recht. Sie bewarb sich bei der anonymisierten Chiffre-Adresse – und traf auf Charles Lindbergh.

Lindbergh war in jeder Hinsicht sehr angetan von der perfekt Englisch sprechenden, damals 30 Jahre alten Frau. Ihre direkte, charmante und bisweilen resolute Art gefiel ihm. Jetzt war sie

25

seine Privatsekretärin, wobei das Wort »privat« wörtlich zu nehmen war. Und Valeska hatte einen neuen Abenteurer gefunden.

An jenem Märzabend 1957 trafen sich so zufällig wie schicksalhaft drei junge deutsche Frauen und ein verheirateter Amerikaner, deren Wege sich in den nächsten 17 Jahren nachhaltig kreuzen sollten.

Ein wesentliches Thema, das die gesellige Runde damals diskutierte, waren die politische Lage und das Kinderkriegen. Denn Kinderkriegen war in jenen Tagen das beherrschende Thema in der Münchner Öffentlichkeit.

Die bayerische Landeshauptstadt hatte die Zahl von 999 000 Einwohnern längst überschritten, und die Zeitungen überboten sich fast wöchentlich in Spekulationen, ob die magische Zahl von einer Million noch im Jahre 1957 erreicht werden würde. Berichte aus den Geburts- und Babystationen Münchner Krankenhäuser, besonders der zentralen Universitäts-Frauenklinik in der Maistraße, waren gängige journalistische Reporterpflicht.

Der Vollständigkeit halber sei an dieser Stelle erwähnt, dass der »Kampf um die Million« am 15. Dezember 1957 erfolgreich abgeschlossen wurde, als der Pasinger Kaminkehrersohn Thomas Seehaus geboren wurde, der als einmillionster Einwohner Münchens mit Ehrungen und Jubiläumsartikeln überhäuft wurde, obwohl er als kleiner Säugling davon mit Sicherheit nichts mitbekommen hatte.

Historisch betrachtet war die Entwicklung Münchens zur Millionenstadt eine fast unvorstellbare Geschichte. Zwölf Jahre zuvor, im Mai 1945, am Ende des Zweiten Weltkriegs, war diese Stadt noch ein Ort des Grauens und der Zerstörung gewesen. In insgesamt 73 Luftangriffen auf die Stadt hatte die angloamerikanische Fliegerflotte dreieinhalb Millionen Bomben abgeworfen, die München in Schutt und Asche gelegt hatten. Schwabing und die Altstadt waren zu 70 Prozent zerstört, ganze 2,5 Prozent aller Gebäude und Wohnungen Münchens waren verschont geblieben. Über 6000 Menschen verloren ihr Leben, die knappe Hälfte aller Einwohner Münchens musste evakuiert werden. In der Stadt lebten, hausten oder vegetierten nur noch 470 000 Einwohner.

Der Schriftsteller Wilhelm Hausenstein notierte fassungslos: »Der Zustand der Stadt ist so grauenhaft, dass sich das Einzelne nicht mehr aussagen lässt, der Versuch verbietet sich von selbst.« Die Härte der alliierten Vernichtungsschläge gegen die Stadt hing damit zusammen, dass von München aus der Nationalsozialismus seinen Siegeszug angetreten hatte.

Hier war die Partei Adolf Hitlers gegründet worden, der nach der »Machtergreifung« 1933 der Stadt den zweifelhaften Ehrentitel »Hauptstadt der Bewegung« verlieh, der fortan auf allen Ortsschildern der Stadt prangte und auch den Poststempel zierte. In München an der Brienner Straße stand das »Braune Haus«, die Reichsleitung der NSDAP. »Für immer und ewig«, wie Hitler anordnete, »denn München ist unser Mythos.« Ein Mythos, der zur Apokalypse wurde.

Am 17. Mai 1945 war Charles Lindbergh unmittelbar nach Kriegsende im Auftrag der amerikanischen Regierung und der US-Marine nach München geflogen. In geheimer Mission, um Erkenntnisse über den Stand der deutschen Luftfahrt- und Raketentechnik zu gewinnen und deren Wissenschaftler und Ingenieure aufzuspüren. Nach einer Fahrt im Jeep durch die zerstörte Stadt schrieb Lindbergh in sein Kriegstagebuch: »Ganz München schien in Trümmern zu liegen. Wir fuhren durch Straßen, wo der Schutt beiseite geräumt worden war, um Platz für den Verkehr zu schaffen, er türmte sich auf den Gehsteigen und stieg stellenweise hoch über unseren Jeep auf. Ganze Häuserblocks weit sahen wir kein Haus, in dem wir hätten wohnen können – eingestürzte Wände, verbrannte Innere, gesprungene und vortretende Mauern, heruntergefallene Decken. Die wenigen Häuser mit unbeschädigten Fassaden waren, wenn man genauer hinsah, voller Schutt, wo Zwischenböden und das Dach in den Keller gestürzt waren. München ist eine zerstörte Stadt …«

Aber diese Stadt war, was damals auch für Lindbergh unvorstellbar schien, aus den Ruinen wieder auferstanden. München lebte und blühte – und wuchs.

Doch genau dieses Wachstum erregte die Gemüter in der Schwabinger Abendrunde. Der optimistischen Gesinnung des Wiederaufbaus stand bei jüngeren Menschen und Intellektuellen eine pessimistische Sicht der Zukunft fast antagonistisch gegenüber. Mit dem amerikanischen Vernichtungskrieg gegen Hiroshima und Nagasaki war die Welt in das Zeitalter der Atombombe eingetreten, die Sowjetunion verfügte ebenfalls über diese Massenvernichtungswaffe und baute bereits an einer neuen Superwaffe, der Interkontinentalrakete mit einer Reichweite von über 5000 Kilometern.

Quer durch Deutschland verlief die verminte und schwer bewachte Grenze der beiden verfeindeten Blöcke, der westlichen Nato und des sowjetisch dominierten Warschauer Pakts. Der Kalte Krieg zwischen der UdSSR und den USA, zwischen Ost und West, der Kampf der Systeme von Staatskommunismus und Kapitalismus konnte jederzeit in einen finalen Dritten Weltkrieg umschlagen. Erst vor einem Jahr hatte die Sowjetunion in Ungarn militärisch interveniert und den Volksaufstand in Budapest mit brutaler Panzergewalt niedergewalzt.

Und Deutschland war wieder einmal der Frontstaat ...

»Nach Hiroshima und vor einem neuen Weltkrieg kann man keine Kinder mehr in die Welt setzen. Das ist unverantwortlich«, sagte eine der Freundinnen der Hesshaimer-Schwestern. Und sie war mit dieser Meinung nicht allein.

Da meldete sich Brigitte zu Wort. Ruhig wie immer und doch sprühend vor positiver Energie. Sie, die gehbehindert war und eine schreckliche Kindheit und Jugend in Kliniken und Gipsbetten hinter sich hatte, die ihre Heimat verloren hatte und sich jetzt mühsam eine Existenz aufbaute. »Natürlich soll man noch Kinder bekommen, möglichst viele sogar«, sagte sie. »Lasst sie doch alles erfinden an Waffen und Bomben, was sie wollen. Wir werden es nicht verhindern können. Aber das Wunder des Lebens kann einem keiner nehmen!«

Valeska hatte diese Sätze für Charles Lindbergh übersetzt, die ihn beeindruckten, die ihn bewegten. Er, der im Zweiten Weltkrieg selbst rund 50 Einsätze als Bomberpilot gegen die Japaner geflogen hatte und der heute die amerikanische Regierung in Fragen der Raketenrüstung und der Weltraumforschung beriet, nickte ihr zu und lächelte sie an. »Wunderbar, was Sie da gesagt haben. Und wie Sie es gesagt haben. Sie haben völlig Recht.«

Brigitte wusste nicht, was sie Lindbergh antworten sollte. Sie war verlegen. Aber sie willigte ein, als er sie fragte, ob sie ihm in den nächsten Tagen vielleicht München zeigen könnte. »Als *tourist guide*, als Fremdenführerin«, wie er lächelnd hinzufügte.

Zwei Tage später – es war Brigittes freier Tag – klingelte es an ihrer Wohnungstür in der Agnesstraße 44. Es war Charles Lindbergh.

»Wollen wir ein bisschen bummeln?«, fragte er.

Und Brigitte wollte. Sehr gerne sogar.

Er wusste, dass Brigitte eine Gehbehinderung hatte, und bot ihr den Arm, damit sie sich unterhaken konnte. Ein Stück fuhren sie mit der Trambahn, dann gingen sie über die Ludwigstraße zum Odeonsplatz im Zentrum Münchens. Der Platz wurde beherrscht von der leuchtend gelben, spätbarocken Theatinerkirche, die im Krieg schwer getroffen worden, aber jetzt wieder restauriert war, und von der Feldherrnhalle, die im 19. Jahrhundert der große Münchner Stadtarchitekt Friedrich von Gärtner nach dem Vorbild der Loggia dei Lanzi in Florenz gebaut hatte.

Denn im Abkupfern von anderen Vorbildern war München schon immer Weltmeister gewesen. Auch das berühmte Siegestor am entgegengesetzten Ende der Ludwigstraße war nur eine schlichte Kopie des römischen Konstantinbogens. Wahrscheinlich machte das den eigenwilligen Charme der Stadt aus.

Lindbergh störte sich auch nicht an dem monumentalen Charme der Feldherrnhalle, in der nur zwei Feldherrn in Siegerpose standen, von denen der eine – Graf Tilly – gar kein Bayer und der andere – Fürst Wrede – kein Feldherr, sondern nur ein Staatsbeamter und Offizier ohne jede militärische Fortune gewesen war.

Doch das war an diesem Tag Mitte März 1957 kein Thema für Lindbergh. Ihn faszinierten die beiden großen steinernen Löwen am Fuße der Feldherrnhalle. Er zog Brigitte ganz nah an sich ran und sagte: »Warum brüllen die Löwen nicht?« Und nach einer kurzen Pause fügte er hinzu: »Mir hat mal jemand erzählt, dass man die steinernen Löwen brüllen hört, wenn man verliebt ist.« Wieder hielt er kurz inne, dann umarmte er Brigitte und flüsterte ihr ins Ohr:»And I fell in love with you.« Ich habe mich in dich verliebt.

Brigitte schloss die Augen – vor Überraschung und vor Glück. Dann küssten sie sich. Lange und intensiv.

Der Atlantikflieger und die Hutmacherin. Der amerikanische Nationalheld und die junge Frau aus Schwabing, die sich erst vor wenigen Tagen zum ersten Mal gesehen hatten und jetzt schon so glücklich miteinander waren.

Brigitte sprach zwar fließend Französisch, aber nicht sehr gut Englisch, doch sie verstand mit dem Herzen, was Charles bewegte. Sie lächelte ihn nur an, dann gingen sie zu ihr nach Hause in die Agnesstraße, wo sie ungestört waren.

Dieser ersten intimen Begegnung in der kleinen Hinterhauswohnung in Schwabing folgte eine 17-jährige Liebesbeziehung, die nur durch Charles Lindberghs Tod geschieden werden sollte.

2   Drei Frauen in Rom

ZWEI TAGE NACH IHREM ERSTEN RENDEZVOUS VERAB-
redeten sich Charles Lindbergh und Brigitte Hesshaimer erneut.
Es war am Donnerstag, dem 21. März 1957, und fast symbolisch
traf sich das neue Liebespaar wieder vor den beiden steinernen
Löwen und den beiden ungleichen Feldherrn am Odeonsplatz.
Charles Lindbergh trug ein schwarzes Barett, das er wie eine
Schirmmütze tief über die Stirn gezogen hatte. Es war nicht nur
ein Schutz gegen den kühlen Wind, der über den weiten Platz
vor dem Hofgarten und der Residenz, dem früheren Sitz der
bayerischen Könige, wehte, sondern auch eine Vorsichtsmaß-
nahme.

Lindbergh legte größten Wert darauf, nicht in der Öffentlichkeit erkannt zu werden. Er hatte eine fast paranoide Abneigung
gegen Journalisten und Bildberichterstatter, die ihn vor 50 Jahren nach seinem Jahrhundertflug über den Atlantik über Jahre
zum meistfotografierten Mann Amerikas gemacht hatten. Doch
nach dem Krieg gab es kaum mehr Fotos von Charles Lindbergh,
der wie ein Geheimagent jegliche Öffentlichkeit und mediale
Auftritte scheute.

Brigitte umarmte ihn. Dann schlenderte das verliebte Paar in
enger Umarmung an der Residenz vorbei zum Max-Joseph-
Platz, benannt nach jenem Wittelsbacher-Regenten, der vor über
150 Jahren von Napoleon zum ersten bayerischen König ernannt
worden war. Obwohl viele Spuren des Krieges längst beseitigt
waren, war hier die Zeit der schrecklichen Vergangenheit noch
nicht vernarbt. Das einstige Glanzstück des Platzes, das Natio-
naltheater – mit seiner neoklassizistischen Säulenfassade einst-

mals eines der schönsten Opernhäuser der Welt –, war am Ende des Weltkriegs nach schwerem Bombardement zerstört und noch nicht wieder aufgebaut worden. Erst sechs Jahre später (im November 1963) sollte sich hier wieder der Vorhang für die Welt Wagners, Verdis, Mozarts oder Puccinis und ihrer musikalischen Liebesdramen öffnen.

Am Spätnachmittag jenes Donnerstags im März 1957 aber stand ein Stück Romantik auf dem Spielplan. Nicht im Theater, sondern in der Realität. Charles Lindbergh, der sich in München offensichtlich weit besser auskannte, als dass er der Dienste einer »Fremdenführerin« wie noch vor zwei Tagen bedurft hätte, blieb vor den Auslagen eines Geschäfts an der Ecke zur Perusastraße stehen und lächelte Brigitte an. Das Geschäft, vor dem Lindbergh stoppte, war das älteste und berühmteste Uhrengeschäft Münchens: Andreas Huber, gegründet 1856, versehen mit der weißblauen bayerischen Raute im Namensschild und den historischen Zusätzen »Königlicher Uhrmacherfabrikant« und »Königlich-Bayerischer Hoflieferant«.

Eine Uhr von »Uhren-Huber« war seit hundert Jahren ein Gütesiegel in München – und ist es heute noch. Brigitte schaute Charles etwas ratlos an und fragte in ihrem gebrochenen Englisch: »Was willst du denn hier? Brauchst du eine Uhr?«

Lindbergh lächelte nur. Dann sagte er: »Jetzt beginnt unsere Zeit, Bitusch.« Er hatte sie dabei mit ihrem Kosenamen angesprochen. »Ich möchte dir etwas schenken, was dazu passt und was lange hält.«

Brigittes Einwand, das sei doch viel zu teuer, überging er schlicht damit, indem er die Eingangstür des Geschäftes an der Residenzstraße 11 energisch aufstieß und Bitusch an der Hand mit hineinzog.

Auf die Frage des Verkäufers, was es denn sein dürfe, sagte Lindbergh höflich und in langsam gesprochenem Englisch: »Bitte eine schöne Uhr für diese Lady, in Gold und aus der Schweiz.«

Brigitte wusste nicht, wie ihr geschah. Sie war eine selbstbewusste Frau. Aber war eine goldene Schweizer Designer-Uhr, damals ein absoluter Luxusartikel, nicht doch ein viel zu teures Geschenk für sie?

Andererseits wollte sie Charles, ihre neue große Liebe, nicht brüskieren. Sie ahnte, dass ein Flieger, Abenteurer und Weltbürger wie Lindbergh nur das tun würde, was er sich in den Kopf gesetzt hatte. In diesem Fall: eine goldene Armbanduhr als Geschenk seiner Liebe.

Der Verkäufer legte Brigitte mehrere Modelle vor. Das vornehmste Design für eine Damenuhr war damals eine viereckige, äußerst kleine, dezente Golduhr mit einem schmalen Lederarmband.

Brigitte deutete auf eine Uhr dieser Art, die ihr der Verkäufer um das Handgelenk legte. Es war ein schweizerischer Tissot-Chronometer aus Gold.

Lindbergh nickte. Er hatte sich schon entschieden. »We take this one.«

Der Verkäufer packte die Golduhr in eine mit Samt ausgelegte Schatulle und schrieb mit Kugelschreiber unter dem Tagesdatum eine kurze Rechnung über 390 Mark auf einen Quittungsblock mit Durchschlag. »Dieser Beleg ist auch der Garantieschein«, sagte er, während Lindbergh bar bezahlte. Charles reichte Brigitte die Schatulle zusammen mit der Quittung. »Verliere sie nicht, vielleicht brauchst du sie noch«, sagte er leise, aber bestimmt.

Ein typischer Lindbergh-Satz. Auch bei einem teuren Geschenk wie dieser Golduhr der Schweizer Nobelmarke Tissot für Bitusch achtete er strikt auf den langfristigen Gebrauchswert. Die Quittung in ihren Händen war für ihn wichtig. Es war für ihn unvorstellbar, dass Bitusch bei einer etwaigen Reparatur ohne Garantieschein dastand und diese eventuell noch extra bezahlen müsste. Dass er ihr hierzu den profanen Kassenzettel über 390 Mark in die Hand drückte, war vielleicht nicht die Art eines Kavaliers. Dafür entsprach sie dem praktischen und pragmatischen Stil Lindberghs.

Für Brigitte war das goldene Geschenk von Charles ein Liebesbeweis allererster Güte. Sie umarmte und küsste ihn nach dem Verlassen des Geschäfts. Brigitte hat die Uhr übrigens bis an ihr Lebensende getragen und wie ein Erbstück gehütet. Sogar die alte Quittung von »Uhren-Huber« über 390 Mark vom 21. März

1957 fand ihr ältester Sohn Dyrk nach dem Tod der Mutter in ihrem Nachlass.

Als sich das Paar am Abend verabschiedete und Brigitte wieder in ihrer kleinen Wohnung in der Agnesstraße 44 war, legte sie die Uhr an.

Die goldene Tissot war für sie wie ein Verlobungsring. Nur der Preis ging ihr nicht aus dem Kopf. 390 Mark waren in den 1950er-Jahren sehr viel Geld. Für ihre Zweizimmerwohnung von gut 60 Quadratmetern mit Küche, Bad, überdachtem Balkon und Zentralheizung zahlte sie ein Drittel: 114,30 Mark plus 30 Mark Nebenkosten und 3,50 Mark Treppenreinigung. Dafür war die Wohnung, in der sie seit April 1955 als Mieterin lebte, ein kündigungssicheres Domizil, da sie sich an der Finanzierung des neu gebauten Hinterhauses an der Agnesstraße, auch Gartenhaus genannt, mit einem Betrag von 3450 Mark beteiligt hatte. Das Geld hatte sie aus dem staatlichen Lastenausgleichsfonds für Heimatvertriebene bekommen.

Brigitte und ihre zwei Jahre ältere Schwester Marietta hatten ein sehr enges, fast inniges Verhältnis zueinander. Die gemeinsame Krankheit der chronischen Knochentuberkulose hatte die Schwestern seit früher Kindheit wie in einer Schicksalsgemeinschaft zusammengeschweißt. Sie teilten nicht nur die Wohnung miteinander, sie besprachen auch ihre beruflichen Probleme und privaten Angelegenheiten. Marietta und Brigitte waren Schwestern und Vertraute zugleich.

Nach jenem Abend, als ihnen ihre gemeinsame Freundin Valeska den attraktiven blonden Amerikaner vorgestellt hatte, von dessen intimem Verhältnis zu Valeska sie bereits wussten, gestanden sich Brigitte und Marietta gegenseitig, welche Anziehung Charles Lindbergh auf sie ausgeübt hatte.

Auch am 21. März 1957, als Marietta nach Hause kam und ihre strahlende Schwester mit einer neuen goldenen Uhr am Handgelenk sah, brauchte sie nicht lange zu fragen: »Hat er sie dir geschenkt?« Brigitte lachte nur und nickte, aber an der überraschten Reaktion Mariettas erkannte sie schnell, was los war.

Marietta hatte sich ebenfalls in den großen blonden Flieger verliebt. Sie glaubte zwar nicht, dass sich Marietta mit ihm heimlich schon getroffen hatte, aber sie spürte, dass ihre Schwester unterschwellig eifersüchtig war.

Die Situation war in der Tat mehr als nur kompliziert. Sie war grotesk. Kein Drehbuchautor eines Kinofilms, kein Verfasser von wöchentlichen Liebesromanen, wie sie jetzt an den Kiosken der Stadt zu zehntausenden verkauft wurden, hätte sich eine derartige Geschichte ausdenken können, ohne von seinem Regisseur ausgelacht oder von seinem Verleger als unbegabter Märchenerzähler entlassen zu werden.

Ein amerikanischer Fliegerheld lebte mit seiner Ehefrau Anne Morrow, die gerade mit ihrem einfühlsamen Frauenbuch *Gift from the Sea* (deutscher Titel: *Muscheln in meiner Hand*) einen Weltbestseller geschrieben hatte, und fünf Kindern in den USA. Eine amerikanische Vorzeigefamilie.

Doch gleichzeitig unterhielt Lindbergh in Deutschland ein heimliches Verhältnis mit seiner adligen Privatsekretärin Valeska. Dazu hatten sich jetzt in München zwei Schwestern in den attraktiven Mann verliebt: Die ältere der beiden schwärmte für diesen Mann, und die jüngere hatte bereits ein intimes Verhältnis mit ihm begonnen.

Valeska wiederum, eine gute Freundin der beiden Schwestern, wusste zwar, dass ihr Freund und Chef in den USA verheiratet war, doch von seiner Liebe zu Brigitte und der schwärmerischen Verehrung von Marietta hatte sie keine Ahnung. Als Lindbergh Ende März 1957 aus München zu seiner offiziellen Familie in die USA abreiste, bahnte sich eine heimliche *ménage à quatre* an. Eine Beziehung zu viert, über deren genaue Details nur Charles Lindbergh Bescheid wusste. Er war der Mann zwischen drei Geliebten – und einer Ehefrau.

Die Situation wurde fast ins Absurde gesteigert, als Marietta, die eine sehr talentierte Malerin war, ein Gaststudium an der Villa Massimo, der staatlich geförderten deutschen Kunstakademie in Rom, bekommen hatte. Im Norden Roms wiederum hatte Charles Lindbergh seit 1955 eine kleine Wohnung mit Terrasse im zwölften Stock an der Via Polvese im Stadtviertel Monte Sacro gemietet – es war seine europäische Operationsbasis als Berater des amerikanischen Präsidenten Dwight D. Eisenhower.

Dort wohnte – auch in seiner Abwesenheit – seine Privatsekretärin und Geliebte Valeska. Sie bot ihrer Freundin Marietta an, während der Zeit ihres Gaststudiums bei ihr in der Via Polvese zu logieren. Gleichzeitig lud sie mit Einverständnis Lindberghs auch Brigitte Hesshaimer zu einem mehrwöchigen Sommerurlaub nach Rom ein.

Charles Lindbergh wiederum sagte zu, seinen nächsten Europa-Aufenthalt im Sommer 1957 mit mehreren Besuchen in der Wohnung am römischen Monte Sacro, dem »Heiligen Berg«, bei den drei Freundinnen Valeska, Brigitte und Marietta zu verbinden.

Doch Lindbergh kam früher. Nach München, und nur zu Brigitte. Er wusste, dass er Bitusch in der kleinen Wohnung in der Agnesstraße allein antreffen würde, denn Marietta hatte sich zur Behandlung ihres Knochen-Tb- und Skoliose-Leidens für vier Wochen zu einem Spezialisten in eine Kurklinik nach Baden-Baden begeben, wo übrigens die Mutter, Großmutter und die Tante von Valeska in einer repräsentativen Familien-Villa wohnten.

Die Liebe von Brigitte zu Charles war weiterhin tief entflammt, was sich schon in für damalige Verhältnisse horrenden Telefonkosten ausdrückte. Allein im Juni 1957 hatte Brigitte für mehr als 100 Mark telefoniert, was ungefähr einer Monatsmiete für die Wohnung entsprach.

Als Charles Lindbergh Ende Juni an einem der heißesten Frühsommertage der letzten Jahre in München eintraf, war das Wiedersehen des Liebespaares – um im Bilde zu bleiben – entsprechend temperiert. In einem späteren Liebesbrief (Herbst 1957) hat der sonst so auf Diskretion bedachte Charles Lindbergh eine seiner wenigen schriftlich überlieferten Andeutungen seiner intimen Begegnungen mit Brigitte hinterlassen. Er schrieb:

»Liebe Bitusch,
habt ihr noch Sonne auf der Terrasse? Und wenn ja, kannst du an Wochenenden draußen liegen? Wie sehr ich mir doch wünschte, ganz unerwartet reinzuschleichen und dich dort zu finden, so wie im letzten Sommer!«

Is there still sun on the porch? And if so, do you have
a chance to lie in it on week ends — or is it too cold? How I'd
love to slip in unexpectedly and find you there again, like
last summer!

Brigitte Hesshaimer beim Frühstück mit Charles Lindbergh im Sommer 1957
auf der Terrasse der Lindbergh-Wohnung in Rom an der Via Polvese.

Den Hochsommer 1957 verlebten Charles und Brigitte in Rom – zusammen mit Marietta und Valeska, die völlig ahnungslos von Lindberghs neuer Liebesbeziehung war. Bereits Ende Juli waren die Hesshaimer-Schwestern in der italienischen Hauptstadt eingetroffen und zur Wohnung in der Via Polvese 1 gefahren. Dort traf Brigitte einen wie immer blendend aussehenden Charles Lindbergh wieder, der sich ein Zimmer mit Valeska teilte, während die beiden Schwestern im zweiten Wohnraum nächtigten.

Lindbergh unternahm mit den drei Frauen mehrmals Ausflüge zum Badestrand von Ostia am Meer, abends grillten sie auf der Terrasse der Wohnung am Monte Sacro, tranken Wein und hatten, wie Lindbergh später an Brigitte schrieb, »eine wundervolle Zeit«. Es war eine *ménage à quatre* in wortwörtlicher Übersetzung: ein Haushalt zu viert.

Als sich Lindbergh nach ein paar Tagen für eine seiner Missionen, über die er nie sprach, verabschiedete, verabredete er mit Brigitte einen regelmäßigen Briefverkehr. Er würde ihr, sobald sich die Gelegenheit bot, Luftpostbriefe schreiben, und sie müsse dasselbe an ein strikt vertrauliches Postfach in den USA machen. Sie vereinbarten, dass aus Gründen der Intimität ihrer Beziehung das amerikanische Postfach immer wieder gewechselt werden müsse. Näheres würde er ihr mitteilen. Lindberghs Zauberwort dafür war »secrecy«. Das heißt wörtlich übersetzt: »Heimlichkeit« oder auch »Verschwiegenheit«. »Secrecy« war mehr als nur ein Wort, es war ein Symbol für Lindberghs Leben.

Unter dem Datum vom 16. August 1957 verfasste Lindbergh seinen ersten Liebesbrief an Bitusch, abgeschickt im österreichischen Salzburg. Er war kurz zuvor noch einmal geschäftlich in München gewesen, wo eine Begegnung mit den Schwestern natürlich unmöglich war, da sie zusammen mit Valeska in Rom waren. Lindbergh schrieb:

»*Liebe Brigitte,*
stell dir München ohne eine Hesshaimer vor! Das ist wie eine Frau ohne Hut, und genauso war das für mich. So ein Erlebnis möchte ich nie wieder haben ... Ich denke oft an die Via Polvese, und ich sehe dich dort ganz vertieft studierend – Hüte

Hotel Salzburg
Austria;
Aug. 16, 1957

Dear Brigitte:

Imagine Munich without a Hesshaimer! It's like a beautiful woman without a hat, and yet that's the way it was when I went through it. I never want to have such an experience again.

But as I have just written Valeska, I may be able to stop in Rome for two or three days before going to the United States, if that works in with the plans she and you have there around the end of the month. There now seems to be about a 50/50 chance that I can fit it into my schedule. It would be wonderful to see you again, and I have missed Christy and Monty very much, and those really early morning starts (but omit it) for Ostia — I'd like to be on that beach right now; here in Austria its cold and raining

I think of Ain Paloma often, and I see you, all three, studying faithfully — hats, and interior arts, and the Italian language, and I wish I could be there to sit quietly and write in such a favorable atmosphere of concentration

My best to you, and love,

C

— 1 —

Der erste Liebesbrief von Charles Lindbergh an Brigitte Hesshaimer, geschrieben am 16. August 1957 in Salzburg.

*und Innendesign und die italienische Sprache. Und ich wünsch-
te, ich könnte dort sein, um still dabeizusitzen und zu schreiben in einer solch wunderbar konzentrierten Atmosphäre.
Dir alles Gute und Liebe, C.«*

Das große abgekürzte *C.* war das künftige Markenzeichen von
Lindberghs Briefen an Brigitte. Niemals hat er in allen folgenden
Briefen anders unterschrieben.

Im selben Brief kündigte er einen weiteren Kurzbesuch in Rom
an und seine Sehnsucht an die gemeinsamen Tage am Strand
von Ostia. Der Brief an Brigitte war an die römische Adresse
adressiert – und mit derselben Post traf auch ein Brief von ihm
an Valeska ein. Damit sie keinen Verdacht schöpfte?

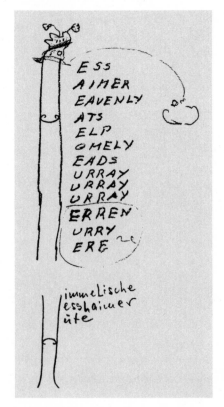

*Charles Lindberghs hand-
schriftlicher Werbeversuch
für »Himmlische Hesshaimer
Hüte« – ausnahmsweise
auch in deutscher Sprache.*

Zwei Mal noch kam Charles Lindbergh zu Kurzbesuchen nach Rom, während er sonst im Auftrag seiner offiziellen Mission als Direktor der Pan American Airways und seines geheimdienstlichen Auftrags für die US-Regierung zwischen London, Paris und Österreich pendelte. Wenn er nicht da war, schrieb er fleißig Liebesbriefe an Bitusch – jede Woche einen. Er ertappte sich sogar dabei, bei seinen Auslandsaufenthalten in die Auslagen von Designer-Läden zu sehen, um die neuesten Trends der Hut-Mode zu erkunden. Aus Paris schrieb er:

»Liebe Bitusch,
jedes Mal, wenn ich an einem Schaufenster vorbeikomme, in
dem Hüte zu sehen sind, sage ich zu mir selbst: ›Was würde
wohl Bitusch von diesem hier halten? Zu dumm, dass ich nicht
gut genug malen kann, um ihn für sie abzuzeichnen. Ich bin
mir sicher, sie könnte das viel besser.‹ ...«

In einem weiteren Brief freute er sich schon darauf, von Bitusch bei seinem nächsten München-Besuch einen handgemachten Hut angepasst zu bekommen – mit einem durchaus doppeldeutigen Unterton:

»Natürlich werde ich meinen Kopf in die Obhut deiner geschick-
ten Modistinnenfinger legen – wie kannst du daran zweifeln?
Aber ich glaube, du solltest mir eine Skizze schicken, was du
damit vorhast, damit ich psychologisch vorbereitet kommen
kann ...
Mit Liebe und zwei großen Bussis – C.«

In den folgenden zwei Monaten schrieben sich Charles und Brigitte ihre Liebesbriefe im Wochentakt. Während Brigitte noch bis Mitte September 1957 zusammen mit Valeska und Marietta in Rom lebte und dann nach München zurückkehrte, flog Lindbergh kreuz und quer durch die USA – immer unterwegs mit nicht näher spezifizierten geschäftlichen und politischen Aufträgen. Selbst wenn er in seiner amerikanischen Heimat war, zog es ihn wie einen rastlosen Getriebenen durch die Staaten. Die wenigste Zeit verbrachte er in seinem Haus in Darien/Connecticut an der Ostküste, wo seine Frau Anne Morrow mit den Kindern lebte.

Am 6. Oktober 1957 meldete sich Lindbergh aus Florida wieder mit sehr persönlichen Zeilen bei Bitusch, in denen er ihr gestand, dass er gerne heimlich rauchte und dabei an sie dachte. An Bitusch, die sich gerne eine Zigarette ansteckte. Ausgerechnet Lindbergh, der in der amerikanischen Öffentlichkeit und in allen über ihn erschienenen Biografien als überzeugter Nikotingegner (und Antialkoholiker) dargestellt wurde, schrieb an Brigitte:

»Sonntagnachmittag und erst die zweite Zigarette angesteckt – wunderbar! Ich wünschte, ich hätte sie für dich anzünden können.«

In denselben Briefwechseln im September und Oktober 1957 hatte Lindbergh keinerlei Probleme, Brigitte immer wieder mitzuteilen, dass er auch in regelmäßigem Briefkontakt mit deren Schwester Marietta in Rom und mit seiner mittlerweile nach Deutschland zurückgekehrten Freundin und Privatsekretärin Valeska stehe. So zeigte er sich optimistisch, dass Valeska es jetzt endlich im dritten Anlauf schaffen könnte, die Führerscheinprüfung zu bestehen, nachdem sie vorher zwei Mal durchgefallen war. Er zeigte sich sehr zufrieden mit Mariettas künstlerischen Fortschritten als Gaststudentin an der Villa Massimo in Rom und nahm regen Anteil an den Mitteilungen von Brigitte, dass ihre Mutter Edith und ihr Stiefvater Fritz kurz vor der Genehmigung des Ausreiseantrags aus Rumänien durch die dortige kommunistische Verwaltung stünden und damit ein erstes Wiedersehen nach über 13 Jahren Trennung endlich in Reichweite gerückt war.

Mit derselben Post tadelte Lindbergh allerdings auch den etwas unsteten Lebenswandel seiner Geliebten in München – wenn auch mit fast väterlicher Toleranz:

»Liebe Bitusch,
nun gut, es sei dir vergeben, dass du jeden Abend in der Woche
ausgegangen bist und dann mit wenig Schlaf an die Arbeit

gehen musstest. Aber mach das nicht zu oft! Denk dran, der
ganze Winter steht noch bevor. Reicht es nicht, vor Mitternacht
Spaß zu haben?
Ich wäre danach sowieso viel zu müde, um die Zeit zu genie-
ßen. Jetzt sei ein braves Mädchen und sei so wunderbar ein-
sichtig, wie wir das alle so sehr an dir bewundern ...
Mit sehr viel Liebe, C.«

Während dieser Briefwechsel zwischen den USA und München
war Lindbergh innerhalb von 14 Tagen zwei Mal quer und längs
durch die Staaten geflogen: New York, Kalifornien, New Mexico,
Detroit, Florida ... Am 24. Oktober 1957 schrieb er Bitusch einen
knappen Sechszeiler, einen mit Schreibmaschine getippten Luftpostbrief, mit dem er einen überraschenden Besuch in München
ankündigte – und um die Einhaltung von »secrecy« bat. Liebe in
Zeiten der Geheimhaltung ...

»Liebe Brigitte, meine Pläne nehmen Kontur an, und ich gehe
davon aus, dass ich Anfang November nach Europa reise.
Sende mir deshalb nur Post hierher, die du bis 29. Oktober
losschickst und natürlich nur per Luftpost. Sobald ich kann,
schicke ich dir genaue Daten. Keine Zeit, mehr zu schreiben.
Mit Liebe, C.«

Diesen Besuch plante Lindbergh (wie im Übrigen auch alle der
nächsten 17 Jahre) mit der Logistik eines Solofliegers. Er teilte
Brigitte das Grobraster seiner Flugziele in Europa mit (*»England,*
Wien, Salzburg, München, Rom, Paris, Nordeuropa, Rom, Mün-
chen, Frankfurt ... Möglicherweise werde ich auch über die süd-
liche Route anreisen«), aber niemals die Inhalte, Aufträge und
Ziele seiner Missionen. Gleichzeitig gab er einen Zeitraster mit
allen Eventualitäten an, der sich in einem in New York am 3. November 1957 aufgegebenen Brief an Bitusch so las:

»Liebe Brigitte,
ich gehe davon aus, binnen einer Woche abzureisen, aber ich
kann nicht am Wochenende des 9./10. November in München

Liebesbrief von Charles Lindbergh an Bitusch vom 3. November 1957:
»Halte dir die Wochenenden des 16./17. und des 23./24. November frei.
(...) Mit vielen Bussis, C.«

sein. Ich muss noch ein paar Tage arbeiten, bevor ich die Vereinigten Staaten verlasse, und noch ein paar mehr, sobald ich in Europa ankomme. Halte dir bitte die Wochenenden des 16./17. und des 23./24. November frei. Eines von beiden werde ich sicher in München verbringen können ...
Mit vielen Bussis, C.«

Am Donnerstagabend, dem 21. November 1957, traf Lindbergh in München ein und blieb vier Tage bei Brigitte Hesshaimer in der Agnesstraße. Es war für Bitusch das lang ersehnte Liebeswochenende mit Charles.

Ganz diskret in einem Renault war er in Schwabing vorgefahren. Niemand störte das Liebesglück der beiden. Marietta war in Rom, Valeska bei ihrer kranken Mutter in Baden-Baden, und auch sonst wusste niemand Bescheid aus dem weit verzweigten Familien-Clan in und um München vom Besuch des weltberühmten 55-jährigen Fliegers, der sein Herz an die jetzt 31-jährige Bitusch verloren hatte, die kurz vor ihrer Gesellenprüfung als Hutmacherin stand. Es waren nur vier Tage, die das Liebespaar ganz für sich allein war.

Charles und Bitusch machten am Sonntag einen Ausflug nach Tirol und nach Innsbruck, wo sie spazieren gingen. Das Alpenpanorama rund um die Tiroler Landeshauptstadt faszinierte Lindbergh so sehr, dass er Bitusch später schrieb:

»Viele Amerikaner halten die Rocky Mountains für die schönsten Berge der Welt. Was für ein Irrtum! Wer jemals die Alpen gesehen hat, kommt nicht mehr los von diesem Gebirge. Nicht die Rocky Mountains, sondern die Alpen sind die schönsten Berge auf unserem Planeten. Die Alpen sind unsere gemeinsamen Berge, Berge unserer gemeinsamen Liebe.«

Die schwärmerische Liebeserklärung an die bayerisch-tirolerische Bergwelt und an Bitusch des sonst als so unterkühlt verschrienen Charles Lindbergh war kein singulärer Gefühlsausbruch. Sie kam von Herzen.

Aus gutem Grund: Charles und Bitusch waren sich in den wenigen Tagen ihres gemeinsamen Miteinanders so nahe gekommen, dass für sie beide klar war, ihre kurze Liaison als feste Beziehung fortzusetzen. Bitusch wollte ein Kind von Charles, und so geschah es auch.

Als Lindbergh am Dienstag, dem 26. November 1957, München und Brigitte Hesshaimer verließ, wusste er instinktiv, dass er ein neues Kapitel seines Lebens aufgeschlagen hatte. Seine amerikanische Musterehe war nur noch eine offiziöse Vorzeigeveranstaltung, in Deutschland wollte Lindbergh jetzt sein Alter Ego aufbauen und durchsetzen. Er war bereit dazu, eine neue Familie in Europa zu gründen. Nicht offen wie ein anarchischer Rebell, sondern heimlich, wie es seinem Naturell und seiner Mission als Geheimnisträger der amerikanischen Regierung entsprach. Vielleicht auch aus Respekt und Taktgefühl gegenüber

Anne Morrow, seiner Ehefrau, die er über alle Maßen schätzte und verehrte, aber nicht mehr liebte.

Charles Lindbergh war als Flieger immer ein Grenzgänger und Grenzüberschreiter gewesen, jetzt war er zum Grenzverletzer geworden. Er hatte die Grenzen des amerikanisch-puritanischen Moralismus, einer spießbürgerlichen Tabuveranstaltung (bis heute), gesprengt. Aber heimlich. Denn ein offen freigeistiger Revolutionär würde der *farmer's boy* aus Minnesota im erzkonservativen Mittelwesten der Vereinigten Staaten von Amerika nie werden. Dazu war der Visionär Lindbergh, der *Lone Eagle*, der einsame Abenteurer und Atlantikflieger zu vorsichtig – jenes Lindbergh'sche Gesetz der *secrecy*, der Omertá, der Verschwiegenheit, der Heimlichkeit und der Diskretion war die private Lebenslinie des großen Fliegers. Bis zu seinem Tod.

Sein europäisches Doppelleben hat Lindbergh seiner Ehefrau Anne Morrow niemals gestanden. Auch nicht seinen amerikanischen Kindern. Und bis vor kurzem hielten alle noch lebenden Lindbergh-Biografen samt der gesamten amerikanischen Öffentlichkeit eine derartig bizarre Zweitexistenz ihres Nationalhelden in Europa für völlig ausgeschlossen.

Andererseits hatte Charles Lindbergh selbst größte Probleme, mit seinem Doppelleben offen umzugehen. Seine geliebte Bitusch, zu der er von all seinen Frauen das mit Abstand größte Vertrauen hatte, wurde von ihm beauftragt, ihre Schwangerschaft und den dafür verantwortlichen Mann der schwärmerisch-verliebten Schwester Marietta schonend beizubringen. Bei seiner Privatsekretärin und Geliebten Valeska machte Lindbergh den wahrscheinlich einzigen ehrlichen und selbstständigen Versuch der Klarstellung seiner sexuellen Beziehung mit Bitusch. Er endete – wie noch zu berichten sein wird – in einem Fiasko.

In dem ganzen Geflecht Lindbergh'scher Frauenbeziehungen und Liebschaften war Brigitte Hesshaimer die einzige Frau, die nie die Nerven verloren und die Lindbergh alles verziehen hat. Er war für sie der Mann ihres Lebens, ein Mann, den sie wirklich bewunderte.

Lindbergh musste das intuitiv gespürt haben, denn er weihte sie in alle Beziehungsprobleme fast schonungslos ein. Er ging sogar so weit, persönliche Briefe an Marietta, die Charles Lindbergh aus Zorn und Liebeskummer ihren konkreten Aufenthaltsort (Rom oder München) nicht mitgeteilt hatte, seinen Briefen an Brigitte Hesshaimer beizulegen – mit der Bitte um Weiterleitung. Nur bei seiner Bitusch konnte Lindbergh sicher sein, dass das auch geschah und die Briefe ungeöffnet Marietta erreichten. Warum das so war und warum sich Lindbergh ausgerechnet in eine gehbehinderte und barocke Frau verliebte, ist bis heute in der zur Verschwiegenheit verpflichteten Familie Hesshaimer ungeklärt. Sehr wahrscheinlich scheint, dass Bitusch einen Typus Weiblichkeit zwischen Mutter und Geliebter, zwischen bedingungsloser Vertrauter und toleranter Verehrerin, zwischen Sex und Harmonie verkörperte, der Lindbergh geradezu magisch anzog. Trotz ihrer frappanten Unterschiede waren Brigitte Hesshaimer und Charles Lindbergh ein außergewöhnliches und außergewöhnlich inniges Liebespaar – bis zu seinem Tod.

Kurz nach Weihnachten 1957, als bei Brigitte die Monatsregel ausblieb und sie von ihrem Arzt erfuhr, dass sie schwanger war, teilte sie Charles die Nachricht von dem »freudigen Ereignis« mit, das im Spätsommer 1958 auf sie warten würde. Er schrieb prompt zurück – einerseits voller Gefühle, wieder Vater zu werden, andererseits im Wissen, dass die lockere *ménage à quatre* von Rom, jener »flotte Vierer« mit Lindbergh und den drei Frauen, neu organisiert werden musste. Alles war jetzt anders geworden.

Alles.

Am 4. Januar 1958 schickte Lindbergh einen für seine Verhältnisse klaren und offenen Brief nach München. Er bekannte sich freudig zu seiner künftigen Vaterschaft – und zu den kommenden Komplikationen mit den anderen Freundinnen. Denn er wusste: Bitusch verstand ihn. Und so las sich die Message aus Connecticut:

»Liebe Brigitte,
die Neuigkeiten, von denen du schreibst, sind wundervoll, und
ich freue mich ganz außerordentlich. Ich wünschte nur, ich

Saturday,
January 4, 1958

Dear Brigitte:

Your December 30th letter was in the mail this evening,
and of course much more than made up for my disappointment
at not finding one waiting when I returned from the west,
Thursday morning. The news you send is wonderful, and I
am tremendously happy about it. I just wish I could be there
with you now, instead of writing this letter -- there is so
much to talk about, and so many plans to lay. But February
is getting closer -- only next month now.

I am glad you have had a chance to talk to Marietta,
as she understands a great deal and can tell you much more
than I can put in a letter. We will work the various problems
out. The important thing is to make them work out as happily
and constructively as possible for everyone.

I have also had
some lovely letters from Valeska; but she is quite depressed
at times, and I worry about her.

I think we must all try to understand her
viewpoint, background, and temperment, and try to assist
in finding solutions under circumstances that may be quite
difficult for a time. There are bound to be hurt feelings,
as there have been. But I think that with the right approach
everyone can end up with great happiness. This means not
letting feelings become too hurt, even where there is just-
ification.

You have been wonderful about it in
the past; and, as you know, I count very much on you in
the future. We all owe Valeska a great deal, I feel, and
I hope so much that she will find the happiness that I
think is there for her if she can accept life as it is and
has come to be. Also, though it is of much less importance,
Valeska could make great contributions to the business projects
we have discussed, and I think could become greatly interested
in them. She doesn't realize how much she could contribute
in this way alone. It would help a lot if she could understand how much she was needed, and not feel that everything
would go along just as well if she weren't there. I think
Marietta can be of the most assistance here, and I am
writing to her about it. *Early, Sunday morning*

The sun is out, and
four ducks cut through the sky.
Lots of love, and pussis with it. I wait for
another letter.

*Ein Mann und seine drei Geliebten: Brief von Lindbergh an Bitusch
vom 4. Januar 1958, in dem er »various problems«
(verschiedene Probleme) mit Marietta und Valeska anspricht.*

*könnte jetzt bei dir sein, statt diesen Brief zu schreiben. Es
gibt so vieles, worüber wir reden müssen, und so viele Pläne
schmieden ...*

*Ich bin froh, dass du Gelegenheit hattest, mit Marietta zu re-
den, denn sie versteht sehr viel und kann dir mehr raten, als
ich dies brieflich tun könnte. Wir werden für die verschiedenen
Probleme schon eine Lösung finden. Das Wichtigste ist, kons-
truktive Lösungen zu finden, mit denen jeder so glücklich wie
möglich leben kann ... Auch von Valeska habe ich einige nette*

Briefe bekommen, aber sie ist manchmal sehr niedergeschlagen,
und das macht mir Sorgen. Ich denke, wir müssen alles versu-
chen, ihren Standpunkt, ihren Hintergrund und ihr Tempera-
ment zu verstehen, und wir sollten versuchen, ihr dabei zu hel-
fen, Lösungen zu finden, die unter diesen Umständen vielleicht
eine Zeit lang etwas schwierig sein könnten. Es wird verletzte
Gefühle geben, so wie es sie schon gegeben hat. Aber ich denke,
mit der richtigen Herangehensweise kann jeder großes Glück
finden. Das bedeutet, es nicht zuzulassen, dass Gefühle zu sehr
schmerzen, auch wenn es einen guten Grund dafür gibt ...
Du bist damit in der Vergangenheit wunderbar umgegangen,
und du weißt, ich zähle auch in der Zukunft sehr stark auf
dich. Wir alle verdanken Valeska sehr viel, und ich hoffe so
sehr, dass sie das Glück findet, das auf sie wartet, wenn sie
nur in der Lage ist, das Leben so zu akzeptieren, wie es ist und
was daraus geworden ist. Außerdem, auch wenn das viel un-
wichtiger ist, wäre Valeska sehr hilfreich für die geschäftlichen
Projekte, über die wir geredet haben, und ich denke, sie könnte
daran sehr interessiert sein. Sie macht sich gar nicht klar, wie
viel sie allein auf dem Gebiet gebraucht wird, und nicht immer
glaubte, alles würde genauso gut ohne sie weitergehen. Ich
glaube, Marietta wäre dabei die größte Unterstützung, und ich
werde ihr dies schreiben ... Die Sonne scheint, und vier Enten
fliegen am Himmel. Alles Liebe und Bussis, ich warte auf dei-
nen nächsten Brief, C.«

Für einen Außenstehenden war dieser – für Lindberghs Verhältnisse sehr weit gehende – Brief völlig unverständlich. Sein Drei-
ecksverhältnis mit Brigitte, Marietta und Valeska konnte nur der
erahnen, der davon wusste. Von der Schwangerschaft Brigittes
eigentlich niemand. Es war der Brief eines Geheimagenten an
seine Geliebte, geschrieben, wie jemand schrieb, der nicht ent-
tarnt werden wollte.

Fakt war zu diesem Zeitpunkt, dass Charles Lindbergh im Hoch-
sommer 1958 zum ersten Mal in seinem Leben außerehelichen
Vaterfreuden entgegensah, dass die eifersüchtige Marietta von
Bitusch vorsichtig ins Gebiet genommen worden war und dass

Valeska, die sich insgeheim als die »europäische Ehefrau« von Charles Lindbergh begriff, von nichts wusste. Mehr noch: Sie reiste zusammen mit Marietta Ende Januar 1958 wieder in die Lindbergh-Wohnung am Monte Sacro nach Rom, um nicht so einsam zu sein.

Lindbergh wiederum schickte seine regelmäßigen wöchentlichen Briefe nach München an Bitusch, in denen er ihr mitteilte, *»dass du zwar wieder allein bist, wenn auch nicht so wie zuvor«.* Mit anderen Worten: Charles freute sich auf das Baby. Und Bitusch?

Für sie war ein Traum in Erfüllung gegangen. Sie wollte dem Familien-Clan und dem Mobbing der beiden anderen Geliebten entgehen und in den kurzen Intermezzi von Lindberghs Deutschland-Aufenthalten, also etwa vier Mal für jeweils vier Tage im Jahr, ein neues Familiennest bauen.

Brigitte ließ sich wegen ihres Tb- und Hüftleidens erstmals in Freiburg im Breisgau behandeln und schrieb an Charles, sie suche dort eine Wohnung für sich und ihr künftiges gemeinsames Kind. Weg von den Gerüchten und dem Gerede in München, weg vom Hesshaimer-Clan, weg von Marietta und Valeska.

Lindbergh fand diese Perspektive zunächst gut. Er besuchte in einem Blitz-Trip nach Europa seine Bitusch in einer Freiburger Kurklinik und bestärkte sie im Ortswechsel. Stichwort *secrecy* – jegliches Gerede, jede Eifersüchtelei erschienen ihm nur schädlich. Zusammen mit der jetzt schon im fünften Monat schwangeren Bitusch wanderte er durch die Vogesen, genoss das wunderbare Essen der Region und bestärkte Bitusch nach seiner Rückkehr in die USA in einem Umzug, der einer Änderung ihrer Lebensperspektive gleichkommen sollte:

»Liebe Brigitte,
während meiner Fahrt nach Paris habe ich mich gefragt, wie es dir wohl in Freiburg geht, und habe gehofft, dass du dort findest, wonach du gesucht hast. Aber ich schätze, die Universität und das seit dem Krieg immer voller werdende Westdeutschland haben zu einer Wohnungsknappheit geführt ... Aber wenn du das, wonach du suchst, nicht in Freiburg gefunden hast,

*warum probierst du es nicht in Österreich oder in der Schweiz?
Ich kann mir gut vorstellen, dass die Wohnungssituation in jedem der beiden Länder viel besser ist. Ich wünsche mir so sehr
für dich, dass du etwas findest, womit du glücklich bist.
Viel Liebe, C.*«

Was Lindbergh brieflich nur spielerisch andeutete, war für Brigitte Hesshaimer fundamentaler Ernst. Sie war in einem Drei-
ecksverhältnis mit ihrer Schwester Marietta, mit deren Freundin
Valeska und dem unwiderstehlichen Überflieger Charles Lindbergh schwanger geworden. Sie wusste, dass sie den Namen des
Vaters ihres künftigen Kindes niemals nennen durfte. Nicht vor
ihrem Familien-Clan, schon gar nicht vor den Behörden. Und sie
wusste, dass das Verhältnis mit Marietta gestört und mit Valeska
zerstört war, wenn der Vater ihres Kindes bekannt würde.

Brigitte Hesshaimer wollte das wählen, was Psychologen »Es-
kapismus« nennen. Die Flucht vor der für nicht mehr erträglich
gehaltenen Alltagsrealität, die im Deutschland der späten 1950er-
Jahre die Mutter eines unehelich geborenen Kindes mit einem
offiziell »unbekannten Vater« selbst in der Großstadt München
als »unmoralisch« denunzierte.

Brigitte Hesshaimer mit ihrem Baby im Bauch wollte weg. Sie
wollte fern von ihrer Familie und von der Agnesstraße ihr Kind
der Liebe austragen und mit Charles Lindbergh glücklich werden – auch wenn er sie nur ein paar Mal im Jahr und jeweils nur
ein paar Tage besuchen sollte.

Er war die Liebe ihres Lebens – für immer.

Sie nahm dafür in Kauf, dass er sie über seine Aufträge und
geschäftlichen Termine in Deutschland und Europa nicht informierte. Er hatte ihr erklärt, dass er in streng vertraulichen »militärischen Missionen« unterwegs sei. Und Bitusch hatte dies akzeptiert. Sie war nicht neugierig. Sie wollte nur, dass er bei
seinen Europa-Trips immer zu ihr kam.

Lindbergh wusste, was er an Bitusch hatte. Sie würde nicht
nur die Mutter seines künftigen Kindes sein, sondern eine treue,
liebevolle Frau. Und nie würde sie ihn mit falschen Fragen be-
stürmen wie einst die Elsa den Lohengrin.

In Richard Wagners berühmter Oper kam der geheimnisvolle Ritter in einem vom Schwan gezogenen Nachen und brach das Herz der Elsa. Ein Held – aber woher kam er und was wollte er? »Nie sollst du mich befragen!«, diktierte Lohengrin seiner Liebsten als Bedingung ihrer Beziehung, doch sie war zu neugierig – und Lohengrin entschwand.

Der »Lohengrin-Lindbergh« nahm Brigitte Hesshaimer dasselbe Versprechen ab, ihn nie nach seinen Aufträgen zu fragen. Ihn nie zu fragen, was er wann und wo und warum in Europa und in der Welt eigentlich trieb. Warum er nur ein paar Mal im Jahr nach München kam und wie es um seine offizielle Familie in Amerika stand.

In keinem der über 150 Briefe an Bitusch, geschrieben zwischen 1957 und 1974, war auch nur ein einziges Wort über Anne Morrow oder die fünf »legalen« Kinder in den USA erwähnt. Für Lindbergh existierten sie in seiner Liebesbeziehung zu Brigitte Hesshaimer nicht. In allen 150 Liebesbriefen fand sich auch keine Zeile darüber, was er geschäftlich oder politisch in Rom, Paris, London, Lissabon, Salzburg, Wien, Teheran, Beirut, Belgrad, Kairo oder Saigon eigentlich unternahm.

Die Fragen aber blieben: Was wollte Lindbergh in Deutschland? Für wen arbeitete er? Was machte er? Nur ein einsamer Flieger? Ein Spion der USA? Ein Geheimagent der Liebe?

Was trieb diesen Charles Lindbergh nach Europa?

3   Unterwegs in Europa

AM FREITAGABEND, DEM 11. MAI 1945, KURZ VOR Mitternacht verließ eine R5D-Maschine der Douglas Aircraft die amerikanische Hauptstadt Washington. An Bord des Militär-Transportflugzeugs, das nach Zwischenlandungen in Neufundland und auf den Azoren nach Paris flog, saß der damals 43-jährige Charles Lindbergh. Wenige Tage zuvor war er einem Spezialkommando zugeordnet worden, das im Geheimauftrag der amerikanischen Regierung und des amerikanischen Militärs nach Deutschland geschickt werden sollte. Ziel der Mission: den Entwicklungsstand der deutschen Raketenforschung und der Hochgeschwindigkeitsflugzeuge zu studieren. Gleichzeitig sollte die Gruppe um Lindbergh deutsche Raketen- und Luftfahrtforscher und -ingenieure aufspüren, um sie für eine Kooperation mit den USA zu gewinnen. Offiziell war Lindbergh als Zivilberater von United Aircraft nach Deutschland unterwegs, tatsächlich handelte er im Auftrag der US-Marine mit einer Sondervollmacht des amerikanischen Außenministeriums.

Wenige Tage vor dem Start Lindberghs zu seiner Mission in Europa hatte Hitler-Deutschland bedingungslos kapituliert. Am 7. Mai 1945 hatten Generaloberst Alfred Jodl und Großadmiral Hans-Georg von Friedeburg im amerikanischen Hauptquartier von General Dwight D. Eisenhower in Reims die Kapitulation unterzeichnet. Einen Tag später unterschrieb Generalfeldmarschall Wilhelm Keitel im sowjetischen Hauptquartier Karlshorst dasselbe Dokument. Am Dienstag, dem 8. Mai 1945, um 23.01 Uhr endete auf europäischem Boden der furchtbarste und grausamste

Krieg, den die Menschheit bisher erlebt hatte. Der von Adolf Hitler und dem nationalsozialistischen Deutschland sechs Jahre zuvor entfesselte Zweite Weltkrieg kostete insgesamt 50 Millionen Menschen das Leben.

Vorboten der totalen Zerstörung sah Lindbergh bereits beim Landeanflug der US-Militärmaschine auf den Flughafen Paris-Orly, der schwer bombardiert worden war.

Drei Tage lang bereitete sich Lindbergh in Paris auf seine Mission in Deutschland vor, studierte Geheimdienstberichte und befragte amerikanische Einsatzpiloten, die Erfahrungen mit deutschen Düsenjägern gemacht hatten. Wie hoch die Visite Lindberghs bei den Amerikanern angesiedelt war, zeigten seine Einladungen beim amerikanischen Botschafter in Paris, Jefferson Caffery, beim Stabschef der US-Luftwaffe, General Carl Spaatz, und bei Admiral Alan G. Kirk. Die Gespräche kreisten immer wieder um drei Themenkomplexe:

1. Wie hart mussten die Deutschen und ihre Führung als Kriegsschuldige bestraft werden?
2. Wie gefährlich war der eigentliche Kriegsgewinner in Europa, die Sowjetunion Stalins, wirklich? Stand eventuell eine kommunistische Machtübernahme in Italien und Frankreich bevor?
3. Wie weit fortgeschritten war die Entwicklung der deutschen Raketen- und Luftfahrttechnik samt ihrer vermeintlichen Wunderwaffen wie der V2?

Lindbergh, den die deutsche Flugzeugtechnik und ihre militärische Nutzung immer brennend interessiert hatte, wusste, dass seine Erkundungen in Deutschland von strategischem Interesse für die USA waren. Seiner Mutter Evangeline Land Lindbergh schrieb er aus Paris vor seiner Abreise nach München:

»Es heißt, die Deutschen hätten die Luftherrschaft behalten, wenn sie mit der Entwicklung ihrer Jets und Raketen nur ein Jahr weiter gewesen wären. Für uns ist es wichtig, die wirklichen Fakten herauszufinden, das ist hauptsächlich meine Aufgabe.«

In der anderen zentralen Diskussionsfrage über die Perspektiven des Kommunismus war Lindbergh ein Anhänger des *Containments,* also der Eindämmung der Sowjetunion und der Kommunistischen Parteien an allen Fronten. Unter dem Außenpolitiker George F. Kennan wurde die Politik des Containments zwar erst in den nächsten Jahren zur außenpolitischen Doktrin der US-Politik, die den Kalten Krieg einleiten sollte. Doch Lindbergh vertrat diese Ansicht spätestens schon bei Kriegsende. Im Kern hielt er die Sowjetunion für strategisch gefährlicher als die deutschen Nazis und die italienischen Faschisten. Lindbergh war überzeugter Antikommunist.

Am 17. Mai 1945 startete Lindbergh mit einer C-47-Transportmaschine, einem zweimotorigen Tiefdecker, von Paris aus zu seiner Erkundungsmission ins zerstörte Deutschland. Er trug die Uniform eines GI-Soldaten mit Khakihose, Stiefel, Blouson und Überseemütze, dazu im Schulterhalfter eine 38er-Pistole. Im Reisegepäck des Flugzeugs befand sich außerdem ein Jeep mit Anhänger. Kurz nach Mittag landete die Maschine in Mannheim. Lindbergh war entsetzt. »Die Stadt war schrecklich getroffen worden, sie ist voll von Ruinen und Schutt, auf den Straßen zeigt sich kaum Leben, alles ist umgeben von zerstörten Fabriken mit stillstehenden Maschinen und Schornsteinen, die nicht mehr rauchen«, notierte er in sein Tagebuch. »Vom Boden aus erinnert es mich an ein Gemälde von Dalí, das mit seinem Gefühl eines höllischen Todes so typisch für die ungeheure Abnormalität unseres Zeitalters ist – Tod ohne Würde, Schöpfung ohne Gott.«

München, wo Lindbergh am Spätnachmittag landete, war noch schlimmer getroffen. Die Hitler'sche »Hauptstadt der Bewegung« war teilweise zu 70 Prozent zerstört. Vom Sitz der US-Militärregierung im »Haus der Deutschen Kunst« an der Prinzregentenstraße fuhr Lindbergh mit dem Jeep zu den BMW-Werken, wo er von einem Arbeiter zu einem Platz geführt wurde, an dem er die Konstruktionspläne für eine Experimentalturbine vergraben hatte. Auch diverse Flugmotoren samt Zubehör wurden von Lindbergh und seiner Gruppe beschlagnahmt, um sie sofort nach Paris ausfliegen zu lassen.

Charles Lindbergh in
US-Militäruniform
während seiner
Deutschland-Mission
im Mai 1945.

Sehr zum Ärger der englischen Offiziere. Mit spitzer Feder notierte Lindbergh: »Die Briten scheinen überall dort zu sein, wo man wissenschaftliche oder industrielle Informationen erhalten kann ... Es gab auch Auseinandersetzungen mit den Briten darüber, etwas irgendwohin anders als nach England zu bringen. Die Frage wurde von uns dadurch erledigt, dass die Gegenstände in ein amerikanisches Lastauto verladen wurden.«

Noch schlechter als auf die Briten war Lindbergh auf die Franzosen zu sprechen. Ein Techniker seiner Gruppe war aus Stuttgart gekommen und hatte berichtet, die französischen Truppen hätten dort systematisch geplündert, gemordet und vergewaltigt. Er sei einer Frau begegnet, die 17-mal vergewaltigt worden sei. Voller Empörung schrieb Lindbergh in sein Tagebuch: »Seine Aussage wurde zum Teil durch einen Offizier der Armee bestätigt, der mir sagte, in Stuttgart seien 6000 Fälle von Vergewaltigung berichtet worden, die Deutschen hätten förmlich danach

57

geschrien, die Amerikaner sollten kommen und die Franzosen ablösen.«

Von München aus fuhr Lindbergh am 18. Mai 1945 zusammen mit Oberst George Gifford nach Zell am See ins Hauptquartier der deutschen Luftwaffe. Kurz vor dem österreichischen Ort im Salzburger Land bog Lindbergh in Richtung Berchtesgaden ab, wo sich Adolf Hitler auf dem Obersalzberg sein privates Domizil und Hauptquartier aufgebaut hatte. Jetzt war es durch Bomben weitgehend zerstört. Lindbergh, der uneingeschränkten Zugang zur einstigen Bergvilla des »Führers« hatte, notierte: »Wir gingen über den Schutt des Zimmers, das Hitlers Arbeitsraum gewesen war, zu einem großen viereckigen Loch, dem ehemaligen Aussichtsfenster. Es rahmte fast vollständig eine Hochgebirgskette ein – scharfe graue Zacken, weiße Schneefelder, schroffe Gipfel vor einem blauen Himmel, Sonnenschein auf den Felsen –, während sich im Tal ein Gewitter zusammenbraute. Es war einer der schönstgelegenen Ansitze, die ich je gesehen habe ... Das also war die Umgebung, in der der Mann Hitler – jetzt der Mythos Hitler – nachdachte und seine Pläne schmiedete, der Mann, der die Menschheit in wenigen Jahren in die größten Erschütterungen warf, die sie je erlebt hat und von denen sie sich erst in Generationen wieder erholen wird. Vor wenigen Wochen stand er noch hier, wo ich jetzt stehe, er schaute durch dieses Fenster und erkannte den Zusammenbruch seiner Träume, kämpfte aber immer noch verzweifelt gegen die Übermacht. Diese Szene, das Tal und diese Berge traten in die Betrachtungen und Pläne ein, die über die ganze Welt Unheil brachten. Hitler, ein Mann, der über so viel Macht verfügte, der sie zum Heil der Menschheit hätte verwenden können, der sie aber so verwendete, dass so viel Unheil daraus entstand: die Blüte der Jugend seines Volkes tot, die Städte zerstört, die Bevölkerung heimatlos und hungrig; Deutschland von den Kräften überrannt, die er am meisten fürchtete, den Kräften des Bolschewismus, den Armeen Sowjetrusslands; ein großer Teil seines Landes sowie sein eigenes Zimmer hier in Schutt – von Flammen geschwärzte Ruinen.«

Von Hitlers zerstörtem »Berghof« auf dem Obersalzberg fuhr Lindbergh weiter nach Zell am See. Die amerikanischen Besatzungstruppen hatten dort jede Menge Wohnungen beschlagnahmt, hohe Nazi-Generäle und die Frau des Luftwaffen-Oberbefehlshabers, Emmy Göring, festgesetzt. Deren Mann, der frühere Jagdflieger und erklärte Lindbergh-Verehrer, Hermann Göring, beging ein Jahr später nach seiner Verurteilung als Hauptkriegsverbrecher in Nürnberg Selbstmord.

Als Charles Lindbergh in Zell am See eintraf, wurde ihm als Begrüßungsgetränk »befreiter Göring-Wein« serviert. Die Amerikaner hatten sich mit Freude über den riesigen Weinkeller des Ober-Nazis hergemacht, in dem die besten Lagen rheinhessischer, pfälzischer und fränkischer Weine lagerten. Lindbergh, zeitlebens völlig zu Unrecht als Antialkoholiker verdächtigt, bemerkte später, selten einen so ausgezeichneten Wein getrunken zu haben.

Doch Lindbergh war nicht zum Feiern da. Präzise listete er alles auf, was ihm an deutschen Fluggeräten – wie der berühmte »Fieseler Storch« – vorgeführt wurde und was er selbst entdeckte. Alles, was für die amerikanische Rüstungsindustrie und Flugzeugentwicklung interessant schien, wurde requiriert, darunter Sturzkampfbomber (Stukas), Kurzstrecken- und Transportmaschinen.

Lindberghs Hauptinteresse aber gehörte den verschiedenen Bombern, Jägern und Zerstörern, die Professor Willy Messerschmitt konstruiert hatte. Die legendäre deutsche »Me«-Serie faszinierte Lindbergh ebenso wie sein Konstrukteur, der für die Erfindung des ersten Strahlflugzeugs, des Vorläufers aller Düsen-Jets, verantwortlich zeichnete. Lindbergh stöberte den berühmten Flugprofessor in einer Hütte in der Nähe von Oberammergau auf. Messerschmitts großes Landhaus war von US-Soldaten »befreit«, also enteignet, worden.

Messerschmitt war für alle Flieger und Luftfahrt-Ingenieure eine lebende Legende. Er hatte bereits 1926 das erste Ganzmetallflugzeug der Welt, die M 18, konstruiert und danach die Me 209 gebaut, die 1939 mit 755 km/h einen neuen Geschwindigkeitsweltrekord für Flugzeuge mit Kolbenmotor aufgestellt hatte. Mit der Me 262 baute der geniale Messerschmitt das erste Düsen-Kampfflugzeug der Welt, sein zusammen mit A.M. Lippisch entwickeltes Raketenflugzeug Me 163 durchbrach mit einer Ge-

schwindigkeit von über 1000 Stundenkilometern alle bisherigen Rekorde des modernen Flugzeugbaus. Derselbe Messerschmitt, der Lindbergh mit höchster Achtung als Flugpionier gegenübertrat, legte auch mit großer Klarheit und Logik seine Überzeugung dar, dass es innerhalb weniger Jahrzehnte möglich sein würde, Überschallflugzeuge für den Transatlantikflug zwischen Europa und Amerika zu konstruieren. Eine Vision, mit der er Recht behalten sollte.

Lindbergh war fasziniert von diesem Mann, den die politische Entwicklung Deutschlands gebrochen hatte. Gleichzeitig fiel Lindbergh im Gespräch mit Messerschmitt auf, was später auch kennzeichnend für alle anderen deutschen Wissenschaftler und Ingenieure war, dass sie den politischen Implikationen und Konsequenzen ihrer Arbeit völlig fassungslos gegenüberstanden. Sie interessierten sich, so behaupteten sie jedenfalls, nur für den technischen Fortschritt in der Luft- und Raumfahrt. Was die Nazis daraus gemacht hatten, dafür fühlten sie sich nicht zuständig.

Für Lindbergh, den Pragmatiker im Dienste der amerikanischen Regierung, war im Verlauf seines Gesprächs mit Professor

Messerschmitt eines klar geworden: Die Deutschen verfügten über einen deutlichen Wissensvorsprung in der Antriebs- und Raketenforschung. Ob schuldig oder nicht schuldig an jenem gerade zu Ende gegangenen Krieg, dessen Todesengel ausgerechnet die tollkühnen Flieger mit ihren Bombern waren, Lindbergh sah es als seine patriotische Pflicht an, die deutschen Wissenschaftler und Ingenieure für das zivile und militärische Zukunftsprogramm der amerikanischen Luft- und Weltraumfahrt zu gewinnen.

Ob Nazi oder nicht, war für Lindbergh in diesem Falle sekundär. Seine Devise hieß: sie oder wir! Oder wie er es in einem Brief mehrere Jahre später verdeutlichte:

»Mir war klar geworden, dass die deutschen Luftfahrtforscher ein großartiges Potenzial darstellten. Wenn wir es uns nicht holten, dann holten es sich die Russen. Die Russen haben nie gezögert, einen Raketenforscher, der Nazi-Mitglied war, zum Antifaschisten zu befördern, wenn er denn für sie arbeitete. Dem mussten wir zuvorkommen.«

Sehr erfolgreich, wie sich bald herausstellen sollte. Die Gruppe um Lindbergh spürte neben Professor Messerschmitt auch den Erfinder des Raketengleiters, Dr. Felix Kracht, den Leiter des deutschen Düsen- und Raketenantriebsprogramms, Dr. Helmut Schelp, den Entwicklungsingenieur für das erste atomgetriebene Flugzeug, Dr. Franz-Josef Neugebauer, den führenden deutschen Luftfahrtforscher und Aeronautiker Adolf Bäumker und den Erfinder des Junkers-Strahltriebwerks, Dr. August Lichte, auf.

Parallel dazu hatte der US-Army-Oberst Holger N. Toftoy den Konstrukteur der deutschen Fernrakete V2, Wernher von Braun, für die amerikanische Militärtechnologie »akquiriert« – in enger Kooperation mit Charles Lindbergh und seiner Geheimmission, zu der auch die Enttarnung der »deutschen Wunderwaffe« V2 gehörte.

Die Sonderbehandlung einiger deutscher Forscher durch die Amerikaner war allerdings nicht der Standard. Lindbergh war empört, als ihm ein amerikanischer Sanitätsoffizier mitteilte, die

Recherchen über die deutschen Experimente im Höhenflug würden erzwungen – erst in Einzelhaft mit Wasser und Brot, dann ohne Essen. Lindbergh kritisierte dies offen, vor allem nachdem er erfahren hatte, dass die russischen Radiosender in der sowjetischen Besatzungszone gezielt Aufrufe an deutsche Ingenieure richteten, sich für die »humanistische Wissenschaft in der Sowjetunion« als Experten zur Verfügung zu stellen – bei garantierter Wohnung und Vorzugsverpflegung.

Wochenlang fuhr und flog Lindbergh durch das zerstörte und besetzte Deutschland. Einen bleibenden Eindruck in seinen Erinnerungen hinterließ auf ihn die zerstörte »Stadt der Reichsparteitage«, Nürnberg, wo Hitler und die Nazi-Führung die alljährlichen Massenaufmärsche organisiert hatten. Die Stadt war deshalb von der angloamerikanischen Luftflotte besonders massiv unter Feuer und Bomben genommen worden.

Lindbergh notierte am 7. Juni 1945: »Es ist fast Nacht, als wir in Nürnberg eintreffen – nur noch ein Lichtschein am Himmel im Westen. Eine tote Stadt, schwer bombardiert, Schutthaufen, ausgebrannte Häuser, nur hier und dort ein Licht, wo ein Raum noch bewohnbar ist ... Ich fühle mich vom Tod umringt. Nur im Himmel gibt es Hoffnung, nur in dem, was der Mensch nie angerührt hat und – Gott gebe es – nie anrühren wird.«

Lindbergh inspizierte das gigantische »Nazi-Stadion« (wie er es nannte), das – fast wie ein historisches Paradoxon – nur leicht beschädigt worden war. Er fuhr weiter nach Leipzig zu den Junkers-Werken mit dem Auftrag, die überlebenden Ingenieure, die er für die besten Flugmotorenbauer der Welt hielt, umgehend in die amerikanische Zone zu bringen, um zu verhindern, dass sie nach der von den Alliierten geplanten Übergabe der Stadt an die Rote Armee für die Sowjetunion arbeiteten. So geschah es auch.

Drei Tage später ging Lindbergh an die letzte Etappe seiner geheimen Deutschland-Mission – der Inspektion der V2-Raketenfabrik Nordhausen im Harz. In Begleitung seines Dolmetschers, des Marineleutnants E. H. Uellendahl, betrat Lindbergh als einer der ersten Amerikaner die unterirdischen Stollen, in denen tausende von Sklavenarbeitern aus Osteuropa die »deutsche Wunderwaffe« V2 produziert hatten. Etwa 1000 dieser Überschallraketen, die rund eine Tonne Sprengstoff transportieren konnten und deren »V2« im Namen für »Vergeltungswaffe Nummer 2« stand, waren in den letzten Kriegsjahren in England, Holland und Belgien eingeschlagen. Nach einem verheerenden Überraschungsangriff der britischen Royal Air Force (RAF) auf die deutsche V2-Produktionsbasis in Peenemünde im August 1943 hatte die deutsche Führung den Befehl erlassen, die V2 aus Sicherheitsgründen unterirdisch zu produzieren.

Die dafür eingesetzten Zwangsarbeiter waren hauptsächlich französische, polnische und jugoslawische Widerstandskämpfer sowie deutsche Kommunisten, von denen die wenigsten überlebten. Sie wurden faktisch durch Sklavenarbeit liquidiert. Sie stammten alle aus dem »Lager Dora«, einer Außenstelle des Konzentrationslagers Buchenwald.

Als Lindbergh dort eintraf, zeigte ihm ein völlig ausgemergelter 17-jähriger Pole ein Krematorium, in dem in den letzten 18 Monaten 25000 Zwangsarbeiter eingeäschert worden waren. »25000 in anderthalb Jahren. Und von jedem blieb nur so viel!«, sagte der 17-Jährige und legte seine Hände wie eine kleine Schale zusammen, um zu zeigen, wie viel Asche ein Mensch ist.

Lindbergh starrte wie in Trance auf eine viereckige Grube – zweieinhalb Meter lang, zwei Meter breit, zwei Meter tief. Sie war randvoll mit Asche aus dem Krematorium gefüllt, aus denen kleine Knochenreste herausragten. Sie gingen an weiteren Aschengruben vorbei. Plötzlich bückte sich der Junge und hob ein fast unversehrtes menschliches Kniegelenk auf. Der 17-Jährige hielt es Lindbergh hin und sagte tonlos: »Das war nicht lange genug im Ofen.«

Und dann sprach er noch einen Satz, den Lindbergh sein Leben lang nicht vergessen konnte: »Man hat allen Zwangsarbeitern gesagt, wenn sie einmal in die Tunnels gingen, würden sie lediglich als Rauch wieder herauskommen!«

Diese unterirdische Raketenfabrik hatte nicht nur der Produktion von Vernichtungswaffen gedient, hier waren ihre Produzenten selbst systematisch vernichtet worden. Lindbergh notierte in seinem Tagebuch: »Natürlich wusste ich, dass solche Dinge geschehen waren. Es ist aber eine Sache, das intellektuelle Wissen zu besitzen, ja, sogar Fotos anzusehen, oder mit den eigenen Sinnen zu hören und zu sehen.«

Doch Lindbergh belief es nicht bei diesem Eintrag. Er reflektierte auch darüber, ob die deutschen Verbrechen in ihren Arbeits- und Konzentrationslagern einzigartig seien oder ob sich auch die USA an Kriegsverbrechen beteiligt hätten. Lindbergh schrieb:

»Ich fühlte mich seltsam verwirrt. Wo hatte ich schon so empfunden? Im Südpazifik? Ja: die verwesenden japanischen Leichen in den Biak-Höhlen. Die Ladung Abfall, die auf gefallene Soldaten in einem Bombenkrater geschüttet worden war, die grünen Schädel, die aufgestellt worden waren, um Hütten und Zelte zu schmücken. Es schien unmöglich, dass Menschen – zivilisierte Menschen – auf ein derartiges Niveau sinken konnten. Und doch war es der Fall.

Hier im Lager Dora in Deutschland, dort in den Korallenhöhlen von Biak. Aber dort waren wir Amerikaner es gewesen, die so etwas getan hatten, wir, die behaupten, für etwas anderes einzutreten. Wir, die wir behaupten, die Deutschen hätten durch die Behandlung der Juden die gesamte Menschheit beschmutzt, haben mit unserer Behandlung der Japaner bewiesen, dass wir keinen Deut besser sind. ›Sie stehen wirklich niedriger als die Tiere. Man sollte sie ausrotten, einen nach dem anderen.‹ Wie oft hatte ich im Pazifik diese Worte aus dem Mund amerikanischer Offiziere gehört ... ich schaue auf die Aschengrube (25000 in anderthalb Jahren!). Das, ich erkenne es, ist nichts, das auf eine Nation, auf ein Volk beschränkt ist ... Es sind nicht die Deutschen oder die Japaner allein, sondern Männer aller Nationen, über die dieser Krieg Schande und Schmach gebracht hat.«

25 Jahre lang hielt Lindbergh diese Eintragungen in sein »Kriegstagebuch« zurück, ehe er The Wartime Journals im Jahre 1970 auf den amerikanischen Markt brachte. Die New York Times reagierte besonders auf die zitierten Passagen von Lindberghs Parallelvergleich der nationalsozialistischen Vernichtungsmaschinerie mit amerikanischen Kriegsverbrechen an der Pazifikfront mit harscher Kritik. »Grotesk« und »historisch falsch« waren noch die maßvollsten Bezeichnungen.

Die Problematik bestand weniger in einer bewussten Leug-
nung des Holocaust oder einer übermäßigen »Deutschland-
Freundlichkeit« Lindberghs. Die Problematik Lindberghs war,
seine persönlichen Erfahrungen und politischen Einschätzungen
grundsätzlich nie in Zweifel zu ziehen. Sein Weltbild war kos-
mopolitisch geprägt, das die Menschheit nicht in gute oder
schlechte Abteilungen unterschied. Folglich generalisierte er
Kriegsverbrechen als allgemein menschliche Abgründe, unabhängig von der Nationalität. Die Abscheulichkeiten menschlicher Vernichtungspraktiken begannen bei ihm in der Antike,
setzten sich fort über die Hexenverbrennungen im Namen Jesu
Christi, die Judenpogrome des Mittelalters und die Lynchjustiz
an Farbigen in den USA bis hin zu den Konzentrationslagern in
Dachau oder Buchenwald.

Für Lindbergh bestand kein prinzipieller Unterschied zwischen
politischem Massenmord und dem selbst erlebten Zynismus amerikanischer GIs an der Pazifikfront, die abgeschlagenen Köpfe
japanischer Kriegsgefangener in Ameisenhügel zu stecken, damit man sie später, nachdem das Fleisch abgenagt war, besser als
Souvenir mit nach Hause nehmen könnte.

Lindbergh war ein Moralist der Praxis, ein Idealist der Technik, ein Einzelgänger der subjektiven Erkenntnis. Aber er war
kein Historiker, kein Wissenschaftler, kein Philosoph, kein Dia-
lektiker. Die theoretische Durchdringung eines Problems, einer
Epoche oder einer Ideologie war ihm schlichtweg zu zeitaufwän-
dig. Er war ein Mann der Praxis und des Pragmatismus – ein
Amerikaner.

Gerade auch deswegen erscheint der im Zusammenhang mit
seinen Deutschland-Reisen bis heute gemachte Vorwurf eines
»Nazi-Sympathisanten« vollständig absurd. Lindbergh hatte gerade nach seinem Besuch im Vernichtungslager Dora versucht,
sich grundsätzlich mit der deutschen Schuld auseinander zu
setzen.

Er schrieb: »Auch die Deutschen waren ein gebildetes Volk
westlichen Sinnes und Herzens. Wenige Völker hatten in der
Vergangenheit so viel zu unserer Kultur beigetragen – in der
Kunst, Musik, Religion, Philosophie –, in neuerer Zeit besonders

in der Wissenschaft. Millionen von Deutschen hatten ihr Leben der Entdeckung und Weiterentwicklung wissenschaftlicher Erkenntnisse gewidmet. In der Mathematik, Physik, Chemie, in den Fächern, die die Grundlagen der modernen Zivilisation bilden, gehörten sie zu den führenden Köpfen der Welt. Sie hatten die Wissenschaft geradezu angebetet. Sie hatten ihr das Beste ihres Lebens geopfert – und hatten trotzdem nicht die Kraft zum Überleben gewonnen. Vielleicht hing das Überleben letztlich ebenso vom inneren Gehalt des Lebens wie von der Macht der Waffen ab – vom steten Gleichgewicht der seelischen und materiellen Kräfte. Die Deutschen hatten dieses Gleichgewicht verloren. Die Versuchung durch die Macht des Wissens hatte diese Menschen überwältigt. Sie glaubten, dass sie mit Hilfe der Wissenschaft Übermenschen sein und sich zu Herren der Welt aufschwingen könnten.

Sie hörten nicht die Warnungsrufe innerhalb und außerhalb ihrer Nation und wandten den höheren Werten ihrer überkommenen Kultur den Rücken. Anstatt die Wissenschaft durch andere Erkenntnisse auszugleichen, hatten sie sich von ihr beherrschen lassen und ließen sie in Krieg und Eroberung auf die Menschheit los. In ihrem Streben nach irdischer Macht hatten sie die Wissenschaft zur Göttin erhoben, und die Wissenschaft hatte sie vernichtet.«

So schrieb kein unkritischer Deutschland-Verehrer. Lindbergh hatte großen Respekt vor deutscher Kultur und Technologie, aber er verachtete den Terror des Nazi-Systems. Folgerichtig trat er für eine harte Bestrafung der NS-Elite bei den »Nürnberger Prozessen« ein, die 1946 mit zwölf Todesurteilen für führende Nazis und Generäle (darunter Hermann Göring, Alfred Rosenberg, Joachim von Ribbentrop, Alfred Jodl und Wilhelm Keitel) sowie mit lebenslänglichen Freiheitsstrafen (etwa für Rudolf Heß und Erich Raeder) oder langjährigen Haftstrafen (wie für Albert Speer und Baldur von Schirach) endeten.

Die konkrete Erfahrung des Terrors in den unterirdischen Stollen des Harzes war die eine Sache. Die andere war die Erledigung des amerikanischen Regierungsauftrags. Alles, was an V1- und V2-Raketenteilen und -antrieben gesichert werden konnte, wurde abtransportiert und in die USA verschifft. Die Amerikaner, sowohl Lindbergh als auch vor ihm Oberst Toftoy, wollten verhindern, dass die übrig gebliebene Raketenproduktion samt Konstruktionsplänen den Russen in die Hände fiel, die das Land Thüringen nach dem Rückzug der Amerikaner übernehmen sollten, gemäß dem alliierten Beschluss, Deutschland in vier Besatzungszonen aufzuteilen.

Am 13. Juni 1945, nachdem er im Jeep fast 3000 Kilometer quer durch Deutschland zurückgelegt hatte, verließ Lindbergh jenes zerstörte Land, das sein größenwahnsinniger »Führer« zwölf Jahre zuvor als das »Tausendjährige Reich« ausgerufen hatte.

In Paris folgten intensive Gespräche mit dem US-Auslandsgeheimdienst und Botschafter Jefferson Caffery, denen Lindbergh in eindringlichen Worten beschrieb, wie stark die Sowjetunion an deutschen Wissenschaftlern und flugtechnischem Know-how interessiert sei.

Lindberghs Mission in Deutschland war beendet. In Paris kaufte er sich einen Renault und fuhr damit sechs Wochen lang quer durch Frankreich und Westeuropa. Er wollte sich mit eigenen Augen ein Bild dieses schwer zerstörten Kontinents unmittelbar nach Kriegsende machen.

Lindberghs Berichte und die seines Kollegen, Holger »Ludy« Toftoy, über die deutsche Raketenrüstung blieben nicht folgenlos. Innerhalb weniger Wochen wurden der Chefkonstrukteur der V2, Wernher von Braun, und eine Gruppe von deutschen Spitzen-Ingenieuren in die USA ausgeflogen.

Einen Kriegsverbrecherprozess hatten sie nicht zu erwarten. Amerika hatte andere strategische Ziele mit ihnen vor: die Konstruktion düsengetriebener Hochgeschwindigkeitsflugzeuge und atomarer Interkontinentalraketen sowie ein Programm zur Erforschung und Eroberung des Weltraums.

Nach zwei Monaten kehrte Charles Lindbergh in die Vereinigten Staaten zurück. In seinem Leben sicherlich eine kurze Zeit, aber dafür eine prägende. Er hatte hautnah miterlebt und mit eigenen Augen gesehen, welche überragende Rolle die Luftfahrt- und Raketentechnik für die künftige Entwicklung spielen würde und welches unvorstellbare Destruktionspotenzial in ihr lag. Gleichzeitig hatte sich Lindbergh ein persönliches Bild gemacht, dass es das alte klassische Europa nicht mehr gab.

England glorifizierte sich zwar als Kriegsgewinner, lag aber ökonomisch am Boden und hatte de facto sein ganzes Imperium verloren. Frankreich, auch ein Mitglied der alliierten Sieger-Koalition, war ausgezehrt, und die Götterdämmerung des frankophilen Kolonialismus in Afrika und Südostasien stand bevor. Deutschland war zerstört und geteilt. Im ehemals faschistischen Italien kämpfte eine im bewaffneten Widerstand gegen die Nazis gestärkte Kommunistische Partei um die Staatsmacht. Nicht mit den Bajonetten der Roten Armee, sondern als authentische nationale Arbeiterbewegung.

Die europäische Siegermacht schlechthin aber war die Sowjetunion. Sie hatte ihr Einflussgebiet bis weit vor die russischen Grenzen gen Westen verschoben – bis nach Berlin. Stalin hatte es verstanden – analog zur klassischen Sicherheitspolitik der russischen Zaren –, einen von der UdSSR kontrollierten Schutzschild abhängiger Staaten zu schaffen, der bis an die Grenzen Mitteleuropas reichte. Gleichzeitig arbeitete die Sowjetunion am Aufbau einer strategisch ausgerichteten Militärmacht, die (auch mit Hilfe deutscher Forscher) das mittelfristige Ziel hatte, eine atomare Streitmacht aufzubauen. Kein Land in Europa hatte nach der Aggression durch Hitler-Deutschland einen derart hohen Blutzoll zahlen müssen wie die Sowjetunion – Historiker sprachen von annähernd 20 Millionen toten Zivilisten und Soldaten. Aber kein Land Europas war nach 1945 wieder so glänzend zurückgekommen.

Übertroffen wurde dieser militärische Triumph nur durch die Vereinigten Staaten von Amerika. Auf die USA war während des gesamten Weltkrieges keine einzige Bombe gefallen und ihre Truppen hatten die asiatische Imperialmacht Japan praktisch im Alleingang besiegt. Darüber hinaus war Amerika zur einzig vitalen Großmacht des Westens – auch in Europa – aufgestiegen. Der Sieg der USA bedeutete gleichzeitig den Einstieg in das so genannte Atomzeitalter: Um Japan zur Kapitulation zu zwingen, warf die US-Air Force im August 1945 zwei Atombomben über Hiroshima und Nagasaki ab, die 120 000 Zivilisten das Leben kosteten und 50 000 Menschen bis an ihr Lebensende verseuchten.

Lindbergh, der kein prinzipieller Gegner der Atombombe war, hat den Abwurf später massiv kritisiert: »Ein Fehler, der immer ein Fleck auf der amerikanischen Geschichte sein wird.«

Trotzdem war Lindbergh bereits 1945 klar, dass die Welt in zwei bipolare Einflusssphären aufgeteilt werden würde – die der eigentlichen Siegermächte des Zweiten Weltkriegs: USA und Sowjetunion. Und als Flieger und Raketentechniker war er sich sicher, dass die strategische Rüstung in der Luftfahrt und im Weltraum das Ringen der neuen zwei Supermächte entscheiden würde. Bereits zwei Jahre vor Verkündung der antikommunistischen »Truman-Doktrin«, mit der der amerikanische Präsident Harry S. Truman das alliierte Siegerbündnis mit der Sowjetunion endgültig aufkündigte und allen Staaten der jetzt so genannten Freien Welt die wirtschaftliche und militärische Hilfe der USA gegen den »Weltkommunismus« anbot, hatte Lindbergh genau diese Entwicklung für absehbar und wahrscheinlich gehalten. Mit allen Konsequenzen – auch für sich selbst.

Lindbergh, der sich noch wenige Jahre zuvor massiv gegen einen Kriegseintritt der USA engagiert hatte, erklärte jetzt: »Wir haben in diesem Krieg eine Hauptrolle gespielt und sind für sein Ergebnis verantwortlich. Wir können uns jetzt nicht zurückziehen und Europa den zerstörerischen Kräften überlassen, die er freigesetzt hat. Das verbieten uns Ehre, Selbstachtung und nationales Interesse. Kein Frieden ist von Dauer, der nicht auf den christlichen Grundsätzen basiert, auf Gerechtigkeit, auf dem Mitleid des Stärkeren und auf dem Gefühl für die Menschenwürde. Ohne diese Grundsätze gibt es keine dauerhafte Stärke, gleichgültig, wie groß der technische Fortschritt ist oder wie riesig die Armeen sind. Die Deutschen haben das schon zu spüren bekommen.«

Was Lindbergh unausgesprochen andeutete: Jetzt musste in Europa eine Front gegen die Sowjetunion errichtet werden, und er selbst war bereit, sich seinem Land dafür zur Verfügung zu stellen. Eine Botschaft, die ankam.

Die politische und militärische Führung der USA war Lindbergh zu großem Dank verpflichtet für die Resultate seiner Mission in Deutschland und seiner schriftlichen Expertisen für die amerikanische Rüstung. Der 1946 zum Oberbefehlshaber der Air Force beförderte General Carl Spaatz, den er schon in Paris kennen gelernt hatte, lud Lindbergh nach seiner Rückkehr in die Staaten ein, sich an einem streng geheimen Projekt der US-Army zur Waffenentwicklung an der Universität Chicago zu beteiligen. Das Projekt trug den unverfänglichen Tarnnamen CHORE, eine Abkürzung für *Chicago Ordnance Research,* was so viel hieß wie »Artillerie-Forschung Chicago«.

Natürlich beschäftigte man sich dort auch mit herkömmlichen Waffen wie Maschinengewehren und Geschossen, in erster Linie ging es aber um die Entwicklung von Kriegsflugzeugen mit Düsenantrieb und von Überschallraketen, die nicht mehr abgefangen werden konnten. Neben Militärs waren auch führende amerikanische Naturwissenschaftler an diesem Projekt beteiligt, darunter die Atomphysiker Enrico Fermi und Walter Bartky.

Lindbergh faszinierte das hohe Niveau der Diskussion, wenngleich er später zugab, von den mathematischen Theorien der Wissenschaftler nichts verstanden zu haben, und er seinen Part mehr als den des Praktikers sah, der immer wieder darum bat, alle gedanklich konstruierten Projekte an der Wirklichkeit der Praxis zu überprüfen. Resignierend stellte Lindbergh in seiner Autobiografie *Stationen meines Lebens* fest: »In diesen Augenblicken wünschte ich, ich könnte noch mehrere Leben leben, um mir ein profundes Wissen in weiteren Bereichen der Wissenschaft anzueignen. Denn ich fühlte deutlich meinen Ausbildungsmangel in höherer Mathematik, als Walter Bartky und ich über die wahrscheinlich nicht mehr zu überbietende Lichtgeschwindigkeit debattierten – warum keine relative Geschwindigkeit größer sein könne als die des Lichts, die bekanntlich 300 000 Kilometer pro Sekunde beträgt. Lachend benützte ich den üblichen letzten Einwand meiner ältesten Tochter gegenüber ihren älteren Brüdern: ›Selbst wenn es wahr wäre, würde ich es nicht glauben.‹ Er erwiderte sehr höflich, dass die Mathematik in ihren höheren Regionen genauso wie die Religion zu einem großen Ausmaß davon abhängig sei, was man glaube.«

Fast schon komödiantische Züge nahm die anfängliche Unprofessionalität an, mit der das von den US-Militärs unter der höchsten Geheimhaltungsstufe angesiedelte CHORE-Projekt den Betrieb aufnahm. Lindbergh wunderte sich sehr, dass man ihn in einem Luxus-Hotel einquartiert hatte. Als er betont unauffällig mit Barett und kleiner Segeltuchtasche an der Rezeption eintraf, begrüßte ihn bereits der Hoteldirektor persönlich. Zwei Liftboys wurden abgestellt, um seine Mini-Tasche aufs Zimmer zu bringen, die sich als mondäne Suite mit Salon, drei Schlafzimmern, eigener Küche, Bad und Bar entpuppte.

Von geheimer Mission konnte keine Rede sein. Als beim ersten Treffen darauf hingewiesen wurde, selbst der Name CHORE sollte streng geheim bleiben, wandte Lindbergh verwundert ein, er habe den Namen bereits auf allen Büroschildern der Mitarbeiter gleich an der Eingangstür gelesen.

Dafür tagte das CHORE-Komitee streng konspirativ in einem eigens dafür eingerichteten Konferenzraum im Keller der Universität – fensterlos, voll klimatisiert und streng bewacht. »Eine Höhle des Intellekts«, wie Lindbergh befand. Hier sollten die neuen Wunderwaffen für die Air Force der Vereinigten Staaten konzipiert werden.

Lindberghs Ausnahmestellung als Flugpionier und militärischer Berater manifestierte sich auch darin, dass ihn die Air Force in ihr strategisches Kommando berief – das *Strategic Air Command (SAC)*. Lindbergh arbeitete für den wissenschaftlichen Beraterstab des SAC an der Entwicklung von Raketengeschossen, gleichzeitig wurde er für die umfassende Neuorganisation des *Strategic Air Command* eingesetzt. Er war berechtigt, in jedem Flugzeug der amerikanischen Luftwaffe mitzufliegen und jedes Flugzeug als Pilot zu testen. Ein wesentlicher Punkt seiner Arbeit war die Mitarbeit am Aufbau einer weltweit operierenden Atombomberflotte der USA.

Selbst unter Wasser wurde er eingesetzt, als er zwei Wochen in einem atomgetriebenen U-Boot verbrachte. Lindbergh trainierte auf der Walker Air Force Base mit der Luftwaffen-Eliteeinheit

der 509. Atomic Bomb Group, er flog sämtliche neuen Jagdflugzeuge der Air Force sowie die berühmt-berüchtigten B-52-Bom-
ber. Lindbergh verfasste seitenlange Anleitungen für die Pilotenausbildung der Air Force und Reporte an die US-Regierung über
die künftigen Waffensysteme der Vereinigten Staaten. Wegen seiner überragenden Kenntnisse und seiner Praxis der strikten Geheimhaltung wurde er zum persönlichen *Consultant* des amerikanischen Luftfahrtministers Stuart Symington ernannt, den er
ebenso beriet wie dessen Nachfolger im Amt, Harold Talbott.

Im Sonderauftrag der US-Regierung flog Lindbergh 1948/49
rund um die Welt, um sich nach geeigneten Standorten für das
Strategic Air Command umzuschauen. Sein Weg führte ihn wieder zurück nach Europa – und nach Deutschland. Hier hatten
sich in den ersten Nachkriegsjahren die Ereignisse überschlagen.
Das einstige alliierte Kriegsbündnis mit der Sowjetunion war
zerbrochen, die Philosophie der USA hieß jetzt *Containment* –
kompromisslose Eindämmung des Kommunismus.

In Deutschland wurde die nationale Teilung mit der Bildung
eines westdeutschen Separatstaates vorbereitet, das die UdSSR
Stalins mit einer brutalen Aktion beantwortete: der Blockade
aller Verkehrswege von und nach West-Berlin. Mitte Juni 1948
wurde die Autobahn Helmstedt–Berlin geschlossen, alle Waren-
und Rohstofftransporte auf der Straße und auf allen Wasser-
wegen waren unterbrochen. Auch die Elektrizitätsversorgung
wurde gekappt. West-Berlin befand sich de facto im Belage-
rungszustand.

In dieser Situation beschlossen die USA und Großbritannien
den Aufbau einer Luftbrücke: Die Stadt wurde jetzt ausschließlich aus der Luft versorgt. Es war ein historisch beispielloses
Unternehmen, das einen Riesenaufwand an Logistik und vor
allem von Flugzeugen erforderte, die von den Berlinern wegen
ihrer Lebensmitteltransporte auch »Rosinen-Bomber« genannt
wurden.

Für die amerikanische Luftwaffe war dies an vorderster Stelle
ein Auftrag für das *Strategic Air Command*. Und für Charles
Lindbergh persönlich. Was bis heute in Deutschland nie gewür-
digt wurde: Lindbergh war für das SAC als Berater für die Orga-

nisation der »Berliner Luftbrücke« tätig, und er flog selbst in »Rosinen-Bombern« von und nach Berlin – als Pilot, als Passagier, als Helfer.

Für ihn war die praktische Hilfe für Berlin auch Ausdruck seines militärstrategischen Denkens. Er fürchtete einen Präventivschlag Stalins gegen Westeuropa und bilanzierte seine Position in einer Stellungnahme gegenüber dem amerikanischen Luftfahrtminister Symington: »Wenn die Sowjet-Armeen Europa überrennen, wird noch viel mehr europäische Kultur zerstört und die militärische Position der USA entscheidend geschwächt werden.«

Deshalb präferierte Lindbergh bedingungslos eine Verteidigung West-Berlins und den Aufbau eines eigenen westdeutschen Separatstaates als Front gegen das Sowjetimperium. Der amerikanische Pulitzer-Preisträger A. Scott Berg zitierte Lindbergh mit den Worten: »Deutschland muss dringend beim Wiederaufbau geholfen werden, denn es ist die beste und wahrscheinlich einzige Keimzelle, von der aus sich die europäische Kampfkraft rasch vergrößern lässt.« Die Geschichte hat Lindbergh Recht gegeben.

War Lindbergh deshalb ein *cold warrior*, ein Kalter Krieger, wie seine Kritiker immer wieder behaupteten? Sicherlich war er ein überzeugter Anti-Stalinist. Aber er hatte ernsthafte Skrupel, einen Atombombeneinsatz zu befürworten. Einen atomaren Präventivschlag gegen die Sowjetunion lehnte er aus tiefster Überzeugung ab. Sein im Prinzip nach wie vor antiinterventionistisches Credo lautete: Amerika muss durch militärische Überlegenheit seine Führungsposition behaupten. Dafür arbeitete er, dafür stellte er sich in den Dienst der amerikanischen Regierung und der US-Air Force.

Militärische Weltkriegsabenteuer, wie sie später der Oberkommandierende der amerikanischen Pazifikstreitkräfte im Korea-Krieg (1950/51), General Douglas MacArthur, angestellt hatte, waren ihm zutiefst zuwider. MacArthur hatte damals dafür plädiert, das revolutionäre China Mao Tse-tungs mit einem atomaren Erstschlag anzugreifen und zu vernichten. Ein Vorschlag, der ihm letztlich das Amt und die Karriere kosten sollte, der aber im aufgeheizten Klima des Kalten Krieges keineswegs eine Einzelmeinung in den USA war.

Charles Lindbergh war deshalb ein so zerrissener, ja pessimistischer Mensch, weil er erkennen musste, dass sein einstiger Traum vom Fliegen im Zeitalter der Atombombe zur Bedrohung der ganzen Menschheit geworden war.

Lindbergh hatte im Dezember 1947 das von einer amerikanischen Atombombe zerstörte Hiroshima überflogen. Es war ein Flug, der ihn mehr beeindruckt hat als sein weltberühmter Alleinflug über den Atlantik 20 Jahre vorher.

»Ich kreise in 1000 Metern Höhe. Zwei Jahre sind vergangen, seit die Bombe geworfen wurde ... Es gibt kein Zeichen, das die gigantische Pilzwolke markiert, die einst am Himmel über Hiroshima stand«, schrieb Lindbergh danach. »Eine Stadt kann, ebenso wie ein menschliches Antlitz, die Blässe des Todes zeigen. Eine aschgraue Schüssel, eine Meile im Durchmesser, markiert die zerstörte, zerstrahlte und von Hitze zersprungene Erde von Hiroshima ... Innerhalb der grauen Schüssel sind mehr als 70 000 Männer, Frauen und Kinder getötet worden, und ebenso viele oder mehr erlitten schwere und schwerste Verletzungen. Mehr als 140 000 Opfer durch eine einzige Bombe, durch einen Befehl, durch den Druck eines Knopfes.«

Dann formulierte Lindbergh die für sein eigenes Land nur schwer verdauliche Konsequenz seiner persönlichen Philosophie: »Genau wie die zerstörten Mauern von Coventry für Deutschland eine Warnung für das Schicksal seiner eigenen Städte hätten sein müssen, so sollte die Verwüstung von Hiroshima und Nagasaki eine Warnung für Amerika sein. Unsere Atombomben kehren von Japan als Spuk zu uns zurück und in unserer Technik ahnen wir unser Schicksal voraus.«

So schrieb einer, der die Freude am Fliegen verloren hatte, weil er wusste, dass dem faustischen Genius des zivilen Atlantiküberfliegers die militärischen Destruktivkräfte der Apokalypse gegenüberstanden. »Die Wissenschaft isoliert den Menschen vom Leben – sie trennt seinen Verstand von seinen Sinnen. Das Schlimmste aber ist, dass sie seine Sinne betäubt, so dass er nicht mehr merkt, was ihm fehlt.«

Der *Lone Eagle,* der »einsame Adler«, war in seinen Ansichten ein einsamer Mann in den USA, doch in seiner geradezu pedantischen Professionalität war er amerikanischer Patriot. Er liebte die Bombe nicht, aber er war stolz darauf, als führender Berater der Air Force und der Regierung zu dienen. Wenn die preußische Staatsdoktrin des Philosophen Hegel in Amerika auf einen Mann zutraf, dann auf Lindbergh: »Freiheit ist die Einsicht in die Notwendigkeit.« Der Satz hätte auch auf seinem Grab stehen können.

Die anarchische Freiheit seiner Gedanken stand im völligen Gegensatz zu seiner beruflichen Praxis. Das Land brauchte Lindbergh, und Lindbergh liebte sein Land. *»Right or wrong, my country!«* Das war's.

Aber nicht nur Amerika brauchte Lindbergh, auch seine alte Luftfahrtfirma Pan American Airways wollte und konnte auf den genialen Piloten nicht verzichten. Der legendäre Chef von *Pan Am,* Juan Trippe, für alle Luftfahrtexperten eine Mischung aus Pionier und Pirat, dem im jüngsten Hollywood-Fliegerfilm *Aviator* (mit Leonardo DiCaprio als Howard Hughes und Alec Baldwin als Juan Trippe) ein entsprechend distanziertes Denkmal gesetzt wurde, wollte Lindbergh – wie zuvor die Air Force und die US-Regierung – als *Consultant* behalten. Zudem wurde er – entsprechend finanziell entlohnt – als Pan-Am-Direktor eingesetzt. Lindbergh, dem die Entwicklung der zivilen Luftfahrt noch mehr am Herzen lag als die militärische Nutzung – berichtete Trippe von seiner Begegnung mit Willy Messerschmitt im bayerischen Oberammergau und dessen konkreter Utopie einer regelmäßigen Transatlantikverbindung mit Düsenjets. Dies widersprach fundamental der vorherrschenden Philosophie aller zivilen Luftfahrtgesellschaften, die auf Turboprop-Triebwerke setzten. Gute Propellermotoren also – wie gehabt, nur schneller.

Juan Trippe, der ein spontanes Gespür für Geschäfte hatte und dessen Idee es war, ein Billigflugticket für jedermann zwischen USA und Europa für 100 Dollar zu verkaufen, ließ sich von Lindbergh überzeugen und bat ihn, als technischer Berater von Pan Am für die Umstellung seiner Fluggesellschaft auf Strahltriebwerke zu arbeiten.

*Charles Lindbergh und Pan-Am-Chef Juan Trippe (im weißen Anzug)
im Jahre1929 auf dem Flugplatz von Panama.*

Die gesamte weltweite Flugzeugbranche war fassungslos, als
Juan Trippe ankündigte, seine transkontinentale Fliegerflotte auf
Düsenjets umzustellen. Der Fassungslosigkeit folgte die Nach-
ahmung. Alle internationalen Fluggesellschaften fliegen heute
mit Düsenjets – jeder deutsche Mallorca-Tourist nimmt den Service gerne in Anspruch. Nur damals, Anfang der 1950er-Jahre,
war die Entscheidung Juan Trippes für seine »Düsen-Pan-Am«,
die er damit zur führenden Luftfahrtgesellschaft der Welt aus-
baute, eine Revolution. Er kündigte an (und machte es auch

wahr), knapp 270 Millionen Dollar in 45 Düsenflugzeuge von Lockheed und Douglas zu investieren.

Und der stille Revolutionär im Hintergrund?

Es war Charles Lindbergh.

Es war auch Lindbergh, der Juan Trippe das praktizierte Versprechen abnahm, seine traditionellen Pan-Am-Propellermaschinen für die »Berliner Luftbrücke« vom Juni 1948 bis Mai 1949 einzusetzen. Juan Trippe erhielt dafür das Große Verdienstkreuz der Bundesrepublik Deutschland.

Und Charles Lindbergh? Er wurde vergessen – bis heute. Und das war ihm recht. Er hatte beschlossen, in seinem neuen Leben als *Consultant*, als Berater der US-Regierung, der Air Force, des *Strategic Air Command*, des amerikanischen Auslandsgeheimdienstes und von Juan Trippes Pan American World Airlines (wie sie sich jetzt nannte) nur noch im Hintergrund zu wirken. Lindbergh vermied geradezu exzessiv jeden öffentlichen Auftritt, und er gab keine Interviews. Der vor dem Krieg meistfotografierte Mann Amerikas war kaum mehr identifizierbar – weil es keine Fotos von ihm gab.

Lindbergh war zum perfekten Schattenmann geworden. Weltweit präsent, aber unsichtbar. Seine Konditionen bei US-Regierung, Air Force und Pan Am waren identisch: Er konnte zu jeder Tages- und Nachtzeit jedes amerikanische Flugzeug besteigen und zu jedem Punkt der Welt fliegen – in der ersten Klasse und immer ohne Bezahlung. Lindbergh war de facto der erste fliegende Kosmopolit der Vereinigten Staaten von Amerika.

Eine bessere Tarnung gab es in der Tat nicht: Er kam nach London, Paris, Istanbul, Teheran oder Tokio als Repräsentant und Direktor von Pan Am, aber er kam immer auch als *Consultant* des amerikanischen Militärs und der US-Regierung. Er war kein Agent, aber er führte das Leben eines Agenten. Er kam immer im Auftrag seines Landes. Einen besseren Scout hat Amerika im 20. Jahrhundert wahrscheinlich nie hervorgebracht.

Die amerikanische Schriftstellerin Joyce Milton, die ein ausgezeichnetes Buch über Anne Morrow und Charles Lindbergh geschrieben hat, kam zu der Einschätzung, dass es seit 1927 fast keine Entscheidung in der kommerziellen und militärischen Luftfahrt der USA gegeben hat, an der nicht Charles Lindbergh beteiligt war. Doch er blieb immer der *shy boy*, der schüchterne Farmerjunge aus dem Mittelwesten, der jede Form von Publicity hasste.

Es passte in dieses Bild, dass Lindbergh am 25. Jahrestag seines Jahrhundertfluges über den Atlantik im Mai 1952 nirgendwo erreichbar war. Er lehnte alle Ehrungen, selbst akademische Ehrengrade wie vom Dartmouth College oder der Universität von Notre Dame, kategorisch ab. Auch Feierlichkeiten zu Namenspatenschaften wie der »Charles-Lindbergh-Schule« in seiner Heimat Little Falls oder Flughafen- und Straßenbenennungen zu seinen Ehren blieb er kategorisch fern.

Als er 1954 für sein Buch *The Spirit of St. Louis* (deutscher Titel: *Mein Flug über den Ozean*) mit der höchsten amerikanischen Literaturauszeichnung, dem Pulitzer-Preis, bedacht wurde, hielt er sich völlig zurück. Es existierte nicht einmal ein Foto von der Preisverleihung.

Auch als Hollywoods berühmter Regisseur Billy Wilder sein preisgekröntes Buch verfilmte, immerhin mit dem damaligen Weltstar und Lindbergh-Verehrer James Stewart in der Hauptrolle, blieb Lindbergh der Welturaufführung wie allen anderen offiziellen Filmpräsentationen bewusst fern. Er wollte keine Presse und er hasste Fotografen.

Billy Wilder, der für die damals sehr exklusive Sechs-Millionen-Dollar-Produktion verantwortlich zeichnete, war mit Lindbergh allerdings nie richtig warm geworden. Lindbergh war sehr oft am Set gewesen und hatte permanent Detailkritik an Handlung und Requisite geübt. Billy Wilder bekannte hinterher: »Lindbergh ist für mich ein enigmatischer, ein rätselhafter Mensch geblieben. Ich konnte seine Schale, die er wie einen Schutzschild um sich aufbaute, nicht durchbrechen. Ich glaube, es wäre ein besserer Film geworden, wenn ich die Hauptperson erfunden hätte. Aber den realen Lindbergh konnte ich nicht erfinden.«

Charles Lindbergh hat sich den Film mit seiner Familie klammheimlich in einer normalen Nachmittagsvorstellung eines New

Yorker Kinos angesehen. Seine Frau Anne Morrow erzählte später die nette Anekdote, die für die Spannung des Billy-Wilder-Streifens spricht, dass ihre damals elfjährige Tochter Reeve in der Mitte des Films ihre Mama am Arm packte und flüsterte: »Aber Vater kommt doch in Paris an, oder?«

Von allen Ehrungen, die Lindbergh angetragen wurden, nahm er nur drei an – alle unter weitgehendem Ausschluss von Presse und Öffentlichkeit:
1. Die »Ehrenmedaille des amerikanischen Kongresses«, als deren Träger er das Recht hatte, jedes amerikanische Militärflugzeug als Passagier unentgeltlich zu benutzen – ein Privileg, das er als SAC-Berater längst hatte.

Lindbergh bei seiner Radio-Rede an das amerikanische Volk am 11. Juni 1927 in Washington. Präsident Coolidge verlieh ihm für seine Atlantiküberquerung die Ehrenmedaille des Kongresses.

2. Die »Wright Brothers Memorial Trophy« in Erinnerung an die genuinen Pioniere der Luftfahrt, die amerikanischen Gebrüder Wright.
3. Die »Daniel-Guggenheim-Medaille«, die Lindbergh in New York vom Institut für Aeronautik für seine Pionierleistungen als Flieger und Navigator bekam.

Dies alles wurde übertroffen von einer Auszeichnung, die US-Präsident Dwight D. Eisenhower im April 1954 persönlich veranlasst hatte und die eine Rehabilitierung für die 1941 erfolgte Rückgabe seiner Offizierspatente war: Charles Lindbergh wurde zum Brigadegeneral der amerikanischen Streitkräfte ernannt und vereidigt. Die Resonanz in der Öffentlichkeit blieb, ganz wie es Lindbergh wollte, gedämpft. Offiziell wurde die Version herausgegeben, die Auszeichnung stelle eine verspätete Anerkennung von Lindberghs Verdiensten im Krieg als Kampfflieger an der Pazifikfront dar. Im Prinzip eine perfekte Fehlspur: Der Präsident, der Kongress und der Senat der Vereinigten Staaten ehrten den »General Lindbergh« für seine Verdienste um die militärstrategische Sicherheit des Landes *nach* dem Zweiten Weltkrieg und für seine weltweite Beratertätigkeit für die Air Force und die Regierung.

Lindbergh gehörte unter dem neutralen Titel des *Consultant* längst zum politisch-militärischen Braintrust der Vereinigten Staaten. Er war ein unverzichtbarer Kopf des gesamten amerikanischen Luftfahrt- und Raketenprogramms.

Darüber hinaus gab ihm Präsident Eisenhower einen neuen Auftrag. Lindbergh sollte als sein persönlicher Berater weltweit unterwegs sein und ihm seine Einschätzungen der Lage – besonders in Europa – in persönlichen Berichten mitteilen.

Mit anderen Worten: Lindbergh war jetzt ein *Special Consultant* des US-Präsidenten außerhalb der direkten Verantwortung des Geheimdienstes mit einem eigenen Büro in Europa. Lindbergh wählte dafür ab 1954 eine unprätentiöse Hochhauswohnung im zwölften Stock an der Via Polvese im Norden von Rom. Die italienische Hauptstadt schien Lindbergh als diskrete europäische Operationsbasis besser geeignet als die Hauptstädte von

D D E

THE WHITE HOUSE

February 24, 1955

Dear General Lindbergh:

I wonder if it would be convenient for you to come to an informal stag dinner on the evening of Wednesday, March twenty-third. I hope to gather together a small group, and I should like very much for you to come if it is possible for you to do so.

Because of the informality of the occasion, I suggest that we meet at the White House about half past seven, have a reasonably early dinner, and devote the evening to a general chat. While I am hopeful that you can attend, I realize that you already may have engagements which would interfere. If so, I assure you of my complete understanding.

I shall probably wear a black tie, but business suit will be entirely appropriate.

With warm regard,

Sincerely,

[Unterschrift: Dwight D. Eisenhower]

P.S. As a personal favor to me, would you keep this reasonably confidential until after the affair?

Brigadier General Charles A. Lindbergh
Scott's Cove
Darien, Connecticut

England und Frankreich, London und Paris, oder das von Agenten überschwemmte West-Berlin. Eine wahrscheinlich irrige Annahme: Denn Rom stand fest unter der Beobachtung der Nato und des sowjetischen KGB.

Die westlichen Militärs befürchteten eine Machtübernahme der größten kommunistischen Partei Westeuropas in Italien und bereiteten für diesen Fall einen Militärputsch vor, die Sowjets standen in dem Dilemma, dass ihnen die sehr italienische, »eurokommunistische« PCI aus dem Ruder lief. Politisch jedenfalls war Rom interessant.

Am Monte Sacro in der »Ewigen Stadt« hatte Lindbergh jetzt sein europäisches Basiscamp. Mit einer eigenen Dolmetscherin und Privatsekretärin, mit der er in der Via Polvese wohnte und die in seiner Abwesenheit das Apartment verwaltete – der deutschen Adligen Valeska, die wiederum mit den beiden Münchner Schwestern Brigitte und Marietta Hesshaimer eng befreundet war ...

So schloss sich der Kreis.

Und Lindberghs Ehefrau in den USA? Was wusste sie von den Missionen ihres Mannes in Europa? Von seinen Aufträgen und Amouren?

Dies ist die nächste Geschichte.

4 Eine Liebe zerbricht

KURZ NACH KRIEGSENDE UND LINDBERGHS RÜCKKEHR aus Europa beschlossen Charles und seine Ehefrau Anne Morrow, mit der er jetzt über 16 Jahre verheiratet war, an der Ostküste der USA sesshaft zu werden und sich ein eigenes Haus zu kaufen.

Zuvor hatten sie in Tompkins House in Westport zur Miete gewohnt. Die Lindberghs wurden an der Ostküste im Bundesstaat Connecticut fündig, kauften Anfang 1946 für 25000 Dollar in der Meeresbucht Scott's Cove bei Darien ein Stück Land und dazu ein dreistöckiges, im Tudorstil erbautes Landhaus für rund 42000 Dollar. Das Haus bot aus einem riesigen Panoramafenster einen wunderbaren Blick aufs Meer, hatte ein großes Wohnzimmer mit Kamin, Bibliothek, Arbeitszimmer, Nähzimmer, Balkon, Gästezimmer, Werkstatt, einen eigenen Dienstbotentrakt und sieben Schlafzimmer.

Anne Morrow Lindbergh hatte – 39-jährig – am 2. Oktober 1945 ihr sechstes Kind entbunden: die kleine Reeve, benannt nach Annes Lieblingsschwester Elisabeth Reeve. Wie bei allen Geburten vorher war der sonst so umtriebige und aushäusige Charles bei der Entbindung dabei. Fünf Kinder, drei Söhne und zwei Töchter, lebten jetzt mit ihren Eltern Anne Morrow und Charles unter einem Dach im neuen Haus in Darien/Connecticut: Jon (geboren 1932), Land (geboren 1937), Anne, Kosename: Ansy (geboren 1940), Scott (geboren 1942) und Reeve (geboren 1945).

Das erste Kind, Charles Augustus junior, war 1932 als 20 Monate alter Säugling unter bis heute mysteriösen Umständen entführt und getötet worden (siehe Kapitel 11).

Die Familientragödie war im Hause Lindbergh ein absolutes Tabu-Thema. In Gegenwart von Charles durfte über den gekidnappten erstgeborenen Sohn bis zu Lindberghs Tod niemals geredet werden. Da sich Lindberghs berufliches Leben grundsätzlich geändert hatte – er war jetzt nicht mehr der ständig fotografierte und zitierte Nationalheld der Massenpresse, sondern ein zurückgezogen arbeitender *Special Consultant* des Militärs, der Regierung und von Pan American Airways –, erhoffte sich Lindbergh ein abgeschirmtes Privatleben in seinem neuen geschützten Nest in Connecticut.

Das Problem daran war allerdings in erster Linie er selbst. Denn Lindbergh war in seinen neuen Funktionen ein noch größerer Nomade geworden als je zuvor. Kaum war er zu Hause, war er schon wieder weg. Von seiner kleinen Tochter Ansy ist der Spruch überliefert, als ihr Vater gerade wieder einmal daheim ankam: »Du ziehst ja deinen Mantel aus. Bleibst du jetzt auch mal da?«

Im Kern der Sache war eines evident: Charles Lindbergh war sein Leben lang ein Flieger. Ihn zog es immer dorthin, wo er gerade nicht war. Er war ein Getriebener, ein Peter Pan, ein fliegender Wanderer zwischen den Welten. Lindbergh war durch nichts und niemanden domestizierbar. A. Scott Berg zitierte in seiner preisgekrönten Biografie einen Freund der Familie, der sagte: »Charles war an Häusern nur insofern interessiert, als er Anne und die Kinder dort ›parken‹ konnte. Wenn er einmal das Gefühl hatte, dass sie sicher untergestellt waren, machte er sich gern aus dem Staub.«

Es war fast zwangsläufig, dass es deshalb in der Lindbergh-Ehe, die in der amerikanischen Öffentlichkeit als die bürgerliche Musterbeziehung schlechthin galt, zu kriseln begann. Anne Morrow, die Lindbergh im Jahr 1929 bewusst als angehimmelten Traummann und Nationalhelden geheiratet hatte, war durch die langen Jahre seiner Absenz während des Krieges selbstständiger geworden. Sie war praktisch allein für die Erziehung der Kinder zuständig, sie schmiss – im besten Sinne des Wortes – den Alltag der Großfamilie Lindbergh.

So eröffnete sie Charles nach der Geburt von Reeve, dass für sie jetzt die Familienplanung abgeschlossen sei. Außerdem wolle sie nie mehr mit ihm in abenteuerlichen Zwei-Mann/Frau-Flügen als Copilotin und Navigatorin über den Pazifik oder den Atlantik fliegen – wie damals in ihren bewegten Liebes- und Pionierzeiten in den 1930er-Jahren.

Charles Lindbergh war schlichtweg entsetzt. Ihn hatte schon immer die riesige Familie des früheren US-Botschafters in Lon-

Charles Lindbergh und Anne Morrow (im Cockpit sitzend) im Mai 1931.

don, Joseph Kennedy, mit neun Kindern (darunter der spätere Präsident John F. Kennedy) beeindruckt. Zwölf Kinder, meinte Lindbergh, seien doch ideal.

Trotz dieser Differenzen wurde Anne Morrow im November 1946 – sie war jetzt 40 Jahre alt – zum siebten Mal schwanger. Eine Risikoschwangerschaft, denn ihr Arzt, Dr. Dana Atchley, stellte bei ihr Gallensteine fest und riet dringend zur Operation. Ebenso gab er Anne Morrow zu bedenken, über eine Abtreibung nachzudenken.

Nach längeren Diskussionen mit Charles entschied sich Anne Morrow gegen eine Abtreibung – doch kurz vor Weihnachten 1946 erlitt sie einen Abgang. Sie hat in sehr privaten Gesprächen immer dementiert, die Fehlgeburt bewusst herbeigeführt zu haben, aber sie gestand ihrer Schwester Constance Cutter auch: »Ich glaube, mein Unterbewusstsein hat Nein gesagt. Ich empfinde die Entscheidung der Natur als Gnade.«

Am 14. Februar 1947, dem Valentinstag, unterzog sich Anne Morrow der notwendigen Gallensteinoperation, die sie unter tiefen Depressionen und Todesängsten über sich ergehen ließ. In dieser für sie prägenden Phase ihres Lebens – sie wollte jetzt definitiv keine Kinder mehr – stand ihr vor und nach der Operation ein Mann zur Seite, der ab jetzt nicht nur ihr Vertrauensarzt werden sollte, sondern auch ihr persönlicher Freund und Berater: Dr. Dana Atchley. Charles Lindbergh beäugte den engen Kontakt von Anne zu Atchley weniger aus Eifersucht als aus Misstrauen. Er hielt ihn zwar für einen exzellenten Arzt, aber auch für einen abgehobenen Intellektuellen. Lindbergh war der Auffassung, Anne Morrow habe kein Mitgefühl von anderen nötig, sie sei ganz im Gegenteil eine Frau, zu der die Menschen kämen, um von ihr Hilfe zu erhalten.

Eine falsche Auffassung. Aber Psychologie und Dialektik waren nicht die Stärken im Denken und Fühlen von Charles. Mit Konsequenzen. Denn Dr. Atchley sollte in den nächsten zehn Jahren eine immer wichtigere Rolle im Leben von Lindberghs Ehefrau einnehmen. Doch Atchley war nicht der erste Mann in der Ehe von Anne gewesen, an den sie ihr Herz verloren hatte.

Am 4. August 1939 überreichte Charles Lindbergh seiner Ehefrau Anne Morrow kurz vor dem Abendessen einen an sie adressierten Brief eines französischen Verlegers zusammen mit dem Vorwort für die französische Ausgabe ihres gerade erschienenen Erfolgsbuches *Listen! The Wind!* (deutscher Titel: *Wind an vielen Küsten*).

Der Autor des Prologs: Antoine de Saint-Exupéry. Statt wie vereinbart eine Seite Vorwort hatte der französische Schriftsteller gleich neun Seiten geschrieben. Es war eine äußerst einfühlsame Eloge auf Anne Morrow, in der er auch behutsam über ihre Ängste und ihren inneren Druck schrieb, den ihr Charles – wie sie später ihrem Tagebuch anvertraute – »immer austreiben möchte und den ich niemals zu beherrschen gelernt habe«.

Anne Morrow war hingerissen von den Zeilen dieses Mannes, den sie vorher noch nie gesehen hatte. »Ich bin ziemlich außer mir«, schrieb sie emphatisch.

Wer war dieser außergewöhnliche Mann? Antoine de Saint-Exupéry wurde am 29. Juni 1900 als Sohn eines alten, verarmten französischen Grafengeschlechts in Lyon geboren. Bereits als 20-Jähriger ging er zur französischen Luftwaffe und absolvierte eine Pilotenausbildung – nicht unähnlich der Biografie von Charles Lindbergh. Er war ein besessener Pilot, der mehrere Abstürze überlebte und auf der Strecke Toulouse–Casablanca–Dakar als Postflieger eingesetzt wurde.

Auch Lindbergh hatte nach seiner Pilotenausbildung beim Militär eine berufliche Karriere als Postflieger absolviert. Allerdings war Lindbergh der wesentlich bessere Flieger. Saint-Exupéry war ein wilder Draufgänger, dessen Bruchlandungen mehrmals zu vorübergehenden Flugverboten führten.

Dafür war Saint-Exupéry ein brillanter Schreiber. Seine Flieger-Bücher *Courier Sud* (1929, deutscher Titel: *Südkurier*), *Vol de nuit* (1931, deutscher Titel: *Nachtflug*) und *Terres des hommes* (1939, deutscher Titel: *Wind, Sand und Sterne*) waren alle preisgekrönte Bestseller. Für die Franzosen war Saint-Exupéry ein fliegender Poet, ein literarischer Nationalheld. Privat war der trinkfeste Graf mit einer Argentinierin verheiratet, galt aber in Flieger- und Literatenkreisen als unverbesserlicher Frauenheld.

Anne Morrow, die von diesen Geschichten und Gerüchten wusste, war trotzdem perplex, als ihr der Verleger in dem Brief mitteilte, Saint-Exupéry sei zurzeit in New York und würde sie gerne sehen.

Lindbergh war damit einverstanden, seinen berühmten Pilotenkollegen am nächsten Tag nach Hause zum Essen einzuladen, während Anne so aufgeregt war, dass sie zu keiner Hausarbeit mehr fähig war: »Mir ist vor diesem Treffen eher bänglich.«

Da Charles geschäftlich verhindert war, holte Anne den Franzosen, der kaum Englisch sprach, im Hotel »Ritz« ab, wo er an der Bar saß. »Himmel, denke ich mir, er ist einer dieser trunksüchtigen Flieger – weshalb haben wir das gemacht?«, schrieb sie später über ihr erstes Treffen mit »St.-Ex.«, wie sie ihn nannte. Der 1,88 Meter große Saint-Exupéry, übrigens genauso groß wie Charles Lindbergh, machte auch sonst nicht gerade den Eindruck eines vitalen Herzensbrechers, wie Anne vermerkte: »Groß, leicht gebückt und ein wenig kahl, an der Schwelle des Alterns; ein undurchdringliches Gesicht, keineswegs gut aussehend, fast slawisch in seiner Kompaktheit und Unergründlichkeit, die Augen sind in ihren Winkeln leicht nach oben gerichtet.« Doch das Eis war schnell gebrochen.

Da Annes Auto wegen einer kaputten Benzinpumpe unterwegs seinen Geist aufgab, fuhren sie mit dem Taxi zur Pennsylvania Station, um auf den Zug nach Long Island zu warten, wo die Lindberghs wohnten.

An der Theke tranken sie Orangeade auf hohen Barhockern und turtelten wie ein junges Liebespaar. Anne war fasziniert von der Leichtigkeit, mit der »St.-Ex.« über alle alltäglichen wie intellektuellen Themen sprechen konnte. Über die Fliegerei, über die Schriftstellerei, über T. E. Lawrence und Rainer Maria Rilke, Annes Lieblings-Lyriker.

Sie parlierten auf Französisch, doch Anne erschien es, als hätte sie erstmals einen Mann getroffen, der ihre innerste Sprache sprach. »Himmel, was für eine Freude das Reden, das Vergleichen, das Dazwischenwerfen von Bemerkungen, einfach, ohne große Mühen, wurde man verstanden.« Und dann fügte sie hinzu: »Ein sommerlicher Blitzschlag.«

Antoine de Saint-Exupéry (1900 bis 1944), Schriftsteller, Flieger und Autor des »Kleinen Prinzen« war die heimliche Liebe von Anne Morrow Lindbergh.

Antoine de Saint-Exupéry hatte bei ihr wie ein Blitz eingeschlagen. Es war, nach der ersten Begegnung an der »Ritz«-Bar, Liebe auf den zweiten Blick. Anne Morrow hat über viele Jahrzehnte ein Tagebuch geführt, der Eintrag ihrer Begegnung mit »St.-Ex.« war einer der längsten und euphorischsten. Als Charles Lindbergh am späten Abend nach Hause kam, fand er die beiden Rilke-Liebhaber in ein intensives Gespräch im Esszimmer vertieft.

Da Lindbergh kein Französisch sprach, war er – trotz teilweiser Übersetzungen Anne Morrows – von den Diskussionen der beiden weitgehend ausgeschlossen. Saint-Exupéry blieb über Nacht bei den Lindberghs und kam auf Einladung von Anne am nächsten Tag zum Abendessen.

Als sich »St.-Ex.« schließlich verabschiedete, hinterließ er eine veränderte Anne Morrow, die später, während sie im Radio die erste Sinfonie von Brahms hörte, in ihr Tagebuch schrieb: »Diese Musik, mein sternenerleuchtetes Fenster, St.-Ex.s Philosophie, mein Innerstes und die impulsiven Momente meines Lebens sind von etwas erfüllt, das ich mit C(harles)' Anschauungen nicht vereinen kann. Vielleicht sind es zwei grundsätzliche Strömungen –

der Intellekt, die Physis, Leben und Tod –, die das Herz, auch wenn sie miteinander hadern, sowohl akzeptieren, als auch in sich verschließen kann.«

Der von Anne Morrow autorisierte Biograf, A. Scott Berg, zitierte rückblickend eine ihrer engsten Freundinnen, die über den »sommerlichen Blitzschlag« resümierte: »An Saint-Exupéry sah Anne, dass ein Mann der Technik auch ein Mann der Dichtung sein konnte. Ja, sie verliebte sich, kein Zweifel, nicht nur in Saint-Exupéry, sondern in alle Möglichkeiten, die er verkörperte. Zum ersten Mal begriff sie, dass sie nicht für alle Zeiten unter dem Pantoffel ihres Mannes stehen musste und dass zu ihrem Ehevertrag auch eine Ausbruchsklausel gehörte.«

Charles Lindbergh ging mit dem Thema »St.-Ex.« sehr sensibel und tolerant um. Er ahnte, dass der fliegende Schriftsteller emotional und intellektuell einen bleibenden Eindruck auf seine Frau hinterlassen hatte. Er begriff es umso mehr, als Saint-Exupérys berühmtestes Buch, das 1943 erschienene Kinder- und Erwachsenen-Märchen *Le petit Prince* (deutscher Titel: *Der kleine Prinz*), Annes Lieblingsvorlesebuch für ihre Kinder war. Und er sah sie vor Rührung weinen, als sich in der höchst feinfühlig geschriebenen Geschichte der kluge Fuchs vom kleinen Prinzen, dem er das Geheimnis von Freundschaft und Liebe beibringen wollte, mit den Worten verabschiedete: »Adieu. Hier ist mein Geheimnis. Es ist ganz einfach: Man sieht nur mit dem Herzen gut. Das Wesentliche ist für die Augen unsichtbar.«

Anne Morrow hat »St.-Ex.« nie mehr gesehen. Als sie im September 1944 in der Zeitung las, dass Antoine de Saint-Exupéry bei einem Fliegereinsatz für die Alliierten in der Nähe von Korsika abgestürzt sei und bereits seit dem 31. Juli 1944 als vermisst gemeldet wurde, war sie zutiefst verstört. Nur zweimal, schrieb Anne Morrow in ihrem Buch *War Within and Without* (deutscher Titel: *Welt ohne Frieden*), habe sie so gelitten wie jetzt bei dieser Zeitungsmeldung: beim Tod ihres gekidnappten Sohnes Charles und beim Tod ihrer geliebten Schwester Elisabeth. Dann fügte sie unter dem Datum des 16. September 1944 den Absatz hinzu, den sie zu Lebzeiten Lindberghs niemals veröffentlicht hätte (ihr Tagebuch erschien 1980, also sechs Jahre nach Lindberghs Tod): »Charles bedeutet mir eine ganze Welt, er ist mein Leben. Aber St.-Ex. war keine Verkörperung der Erde, er war eine Sonne oder ein Mond oder die Sterne, die die Erde zum Leuchten bringen und die ganze Welt und das Leben verschönen. Strauchelnd und freudlos werde ich meinen Weg fortsetzen.«

Der Todesflug Saint-Exupérys ist bis heute rätselhaft geblieben, da es in den Logbüchern der deutschen Flugabwehr im Mittelmeer keinerlei Hinweise auf einen Abschuss der Maschine gab. Deshalb verstärkt sich die Theorie, dass der erst 44 Jahre alte, aber gesundheitlich schwer angeschlagene Saint-Exupéry mit seiner »P-38 Lockheed Lightning« freiwillig in den Tod flog und ins Meer stürzte. 60 Jahre später, im Frühjahr 2004, wurde das Maschinen-Wrack im Mittelmeer vor Marseille entdeckt. Das Flugzeug hatte keine Einschusslöcher ...

Lindbergh ging mit dem Leiden seiner Frau über den Tod des Dichters sehr gefühlvoll um. Als er von einer Reise zurückkam, sagte er ihr: »Ich habe an dich gedacht, als ich von der Meldung über Saint-Exupéry erfuhr. Du kannst dich ohne Scheu zu deiner Trauer um einen Verstorbenen bekennen.«

Annes Trauer um »St.-Ex« ging vorüber, doch das Wissen um den Verlust eines (zumindest) platonisch Geliebten blieb. Die Lindbergh-Ehe hatte ihren ersten Riss erhalten. Das änderte nichts an der einzigartigen Bedeutung von Charles in Annes Leben. Oder wie Anne schrieb: »Unsere verschiedenen Erlebnisse haben uns nicht voneinander getrennt, sondern auf merkwürdige Weise nur noch enger verbunden. Handelt es sich hier um ein Wunder an Verständnis? Oder schlicht um Liebe? Sind wir beide an dem gleichen Punkt angelangt, am Ende eines Lebensabschnitts – oder am Anfang? Beide tappen wir ein wenig im Dunkeln, sind ein wenig verloren – aber wir sind zusammen.«

Das Zusammensein von Charles und Anne mit den fünf Kindern in ihrem neuen Nachkriegsdomizil in Darien/Connecticut war vom Wunsch nach Harmonie und Liebe gekennzeichnet. Charles hatte rund um das Haus große Bäume pflanzen lassen, unter die er den gebrauchten Wohnwagen von Anne Morrow stellte. Er

Anne Morrow (1906 bis 2001), Tochter eines reichen Bankiers und Senators, heiratete Charles Lindbergh am 27. Mai 1927. Sie schrieb insgesamt 13 Bücher, die alle Bestseller wurden.

diente ihr als Büro und geistiger Rückzugsraum. Stundenlang saßen sie dort zusammen und planten und diskutierten.

Charles unterstützte Anne vehement, ihr literarisches Talent, das er für weit größer als sein eigenes hielt, weiter zu entfalten und Bücher zu schreiben. Es war harte Überzeugungsarbeit und eine schwierige Seelenmassage, denn Anne plagten Selbstzweifel, Schreibhemmungen und Ängste. »Ich spiele ›Mutter‹, ›Hausfrau‹, ›Ehefrau‹. Doch wo befindet sich mein wahres Ich?«, fragte sie ihn. Sie gab selbst die Antwort: »Es ist vollkommen verschüttet. Ich möchte keine gute Hausfrau mehr sein. Es befriedigt einen, wenn man es einmal gemacht hat. Ich möchte wieder in den Zustand zurückkehren, in dem ich meinen Haushalt schlecht versorgte und eine gute Schriftstellerin war!«

Charles reagierte darauf nie wie ein gefühlloser Patriarch. Im Gegenteil. Er fand die Ausbruchs- und Aufbruchversuche von Anne völlig in Ordnung. Er bestärkte sie. Lindbergh, in manchen Darstellungen fälschlicherweise als Geizhals verschrien, stellte eine Köchin, ein Kindermädchen, eine Putzfrau und eine Halbtagssekretärin ein. Es war nie so, dass die gesamte Hausarbeit und Kindererziehung auf den alleinigen Schultern von Anne lastete.

Und Lindbergh war ein guter Vater – wenn er denn da war. Er brachte den Kindern das Schwimmen und das Segeln bei, ging mit ihnen zum Abenteuerwandern in den Wald und zum Fischen ans Meer. Er war ein begeisterter Einschlafgeschichten-Vorleser und Spiele-Erfinder.

Nur: Er konnte ein gnadenloser Pedant sein. Die für die Flugzeugkontrolle unverzichtbaren Checklisten führte er zum Schrecken von Ehefrau und Kindern auch zu Hause ein. Er gab jedem seiner Kinder schriftliche Aufträge, von Zimmer aufräumen bis Gedichte schreiben, die er konsequent auf Erfüllung überprüfte. Kritik an seinen Erziehungsmethoden duldete er nicht. Von den Töchtern Ansy und Reeve stammte der Satz: »Es gab nur zwei Methoden, etwas zu erledigen – Vaters Methode oder die falsche Methode.«

Auch Anne Morrow litt bisweilen unter dem Checklisten-Wahn ihres Gatten. Die oberste Priorität hatte für Lindbergh eine korrekte Haushaltsführung. Deshalb wurde zunächst ein Büchlein angeschafft, in das sämtliche Ausgaben eingetragen werden mussten – von Anne Morrow persönlich. Vom Pelzmantel für 300 Dollar bis zu den 20 Cent für das Christbaumlametta wurde alles aufgelistet, am Monatsende auf eigene Abrechnungsbögen mit der Schreibmaschine getippt und – als Vollendung der Perfektion – in einer Jahresabschlussbilanz nochmals zusammengefasst und kategorisiert.

Ebenso verlangte Lindbergh das Führen von Inventarlisten, in denen alle Gegenstände des Haushaltes eingetragen werden mussten – von Büchern über Bestecke bis hin zu Bettbezügen.

Lindberghs Engagement für eine kreative Erziehung seiner Kinder korrespondierte mit einem fast manischen Kontrollzwang. Wie der Pilot, der nicht nur den Himmel und die Landebahn, sondern ständig auch seine Messgeräte und Armaturen im Blickfeld hatte.

Finanzielle Gründe hatte Lindberghs System des *check and control* nicht. Die Familie war wohlhabend und ausgesprochen gut situiert. Die finanziellen Konsequenzen aus Lindberghs Atlantikflug, seine Beratertätigkeiten für die zivile Luftfahrt und Anne Morrows Anteile aus ihrem eigenen Familienerbe – sie entstammte einer reichen Bankiersfamilie – boten eine langfristig solide materielle Basis. Hinzu kamen die Tantiemen und Honorare aus den Buchproduktionen der beiden, die Mitte der 1950er-Jahre durch zwei Bestseller beträchtlich anwuchsen: Charles Lindberghs mit dem Pulitzer-Preis ausgezeichnetes Biografie-Werk *The Spirit of St. Louis* (1954, deutscher Titel: *Mein Flug über den Ozean*) und Anne Morrows *Gift from the Sea* (1955, deutscher Titel: *Muscheln in meiner Hand*), das mit einer vielfachen Millionenauflage zu den erfolgreichsten Büchern des 20. Jahrhunderts zählte.

Vielleicht war Lindberghs an Pedanterie grenzende Gründlichkeit seinem konsequenten Praktizismus geschuldet. Oder um es mit Goethe – wie schon der zitierte Staatsphilosoph Hegel einer von Lindberghs so geschätzten deutschen Denkern – auszudrücken: »Was ist deine Pflicht? Die Forderung des Tages!« Die Forderungen des Tages beförderten jedenfalls nicht die Harmonie der Ehe.

Anne Morrow, die während Lindberghs Anwesenheit nie ein Widerwort über die Lippen brachte, aber in seiner Abwesenheit oft Weinkrämpfe erlitt, intensivierte jetzt die Beziehung zu ihrem Vertrauensarzt Dr. Dana Atchley. Außerdem hatte sie in ihrem Freundeskreis weitere Verehrer, die ihr den Hof machten, wie der Jugendfreund Corliss Lamont, der ihr schmachtende Briefe über seine »unsterbliche Liebe« schrieb. Der ernsthafteste Verehrer aber war Doktor Atchley, dessen eigene Ehe bereits gescheitert war.

Atchley und Anne tauschten regelmäßig Liebesbriefe aus, die sie wie verliebte Teenager auf verschiedenes Farbpapier schrieben – er auf Gelb, sie auf Blau. In Lindberghs Abwesenheit fuhr Anne oft nach New York, wo Atchleys Praxis war, um mit ihm zum Essen, ins Kino oder ins Theater zu gehen.

Dabei blieb es nicht. Von 1956 bis 1958 unterhielt das Paar eine dauerhafte Liebesbeziehung, wobei Anne in New York ein Apartment als gemeinsamen Treffpunkt mietete.

War es Absicht oder eine Freud'sche Fehlleistung, dass Anne Morrow ausgerechnet im Sommer 1956 ihren Ehering verlor? Anne schrieb ihrer Schwester Constance Cutter, die sie als Vertraute in ihre außereheliche Beziehung eingeweiht hatte: »Das war kein Zufall mit dem Ring. Es gibt keine Zufälle in der menschlichen Psychologie.«

Der Bruch ihrer einstmals »einzigen Liebe«, zu Charles Lindbergh, war vollzogen, obwohl für Anne eine Scheidung letztlich nicht in Frage gekommen wäre. Die Familientradition, die gemeinsamen Kinder und eine aufrichtige Verehrung für Charles und sein Lebenswerk hielten sie bis zum Schluss davon ab.

Um die »Öffentlichkeit« von Annes Liebesbeziehung mit Dr. Atchley ranken sich viele Gerüchte. Im engsten New Yorker Freundeskreis der Lindberghs wussten einige Bescheid, weil das Paar doch recht häufig in trauter Zweisamkeit in Restaurants oder im Theater gesehen wurde. Anne Morrows Tochter Anne öffnete einmal versehentlich einen an »Anne Lindbergh« gerichteten gelben Brief im Glauben, er sei an sie adressiert. Es war aber ein Liebesbrief Atchleys an ihre Mutter, die ihr – ohne rot und verlegen zu werden – den halb gelesenen Brief mit den Worten abnahm: »Ich glaube, der gehört mir.«

Charles Lindbergh schien von allem keine Ahnung zu haben, und die Verehrer aus Annes Freundeskreis tat er als *lame ducks* ab. Doch in Wahrheit hatte er von dem Verhältnis seiner Frau zu Dr. Atchley gewusst – und bewusst geschwiegen. Wie Lindberghs alter Freund, der frühere US-Luftfahrtminister Gene Vidal, seinem Sohn, dem Schriftsteller Gore Vidal, beiläufig einmal mitgeteilt hat und was dieser bei einem Interview zu diesem Buch in Wien (im Oktober 2004) weitergab: »Wir wussten alle von Annes Amouren. Und Charles hat es als einer der Ersten erfahren.«

Lindbergh hat dies nie kommentiert. Mit keinem Wort gegenüber seiner Frau, seinen Freunden oder seinen Kindern. Aus Scham? Aus Stolz? Oder aus Gründen seiner eigenen Biografie?

Es fiel auf, dass Lindbergh immer seltener zu Hause und immer länger im Ausland, vor allem in Europa, unterwegs war. Nicht nur aus politischen, militärischen und geschäftlichen Gründen.

Auch Lindbergh hatte Verehrerinnen kennen gelernt. Im Deutschland der 1950er-Jahre und – was auffällt – zeitlich parallel zur Erschütterung seiner Ehe mit Anne und ihrer Beziehung zu Atchley.

Doch während Anne ihr Intimverhältnis zu Doktor Atchley gegen Ende der 1950er-Jahre beendete und das New Yorker Apartment aufgab, blieb Lindbergh seinen drei deutschen Frauen auf seine Weise treu: Er gründete mit ihnen drei Familien.

Lindberghs europäische Lovestory begann.

5   Eine Liebe in München – Teil 2

AM 20. JANUAR 1958 TRAF IN MÜNCHEN-SCHWABING ein Luftpostbrief aus Connecticut/USA ein. Adressiert an: »Ms. Brigitte Hesshaimer, Gartenhaus IV, Agnesstrasse 44, Munich 13, Germany«. Er war mit Schreibmaschine auf dünnes blaues Papier getippt.

»Liebe Bitusch,
ich bin jeden Tag zum Postamt gegangen und habe auf einen Brief von dir gewartet, bis ich fast so weit war, wieder ›Schande, Schande‹ zu schreiben. Aber wenn deine Briefe kommen, machen sie die Tage, an denen ich darauf gewartet habe, sehr leicht wieder wett, und jeder Brief scheint schöner als der letzte. Als ich heute Abend beim Postamt vorbeigefahren bin, wartete dein Brief auf mich.
Du schreibst deine Briefe wirklich in sehr gutem Englisch – ich glaube, du weißt gar nicht, wie kolossal du dich verbessert hast. Ich bin erstaunt, wie schnell du deinen Gebrauch der englischen Sprache entwickelt hast. Bitte wirf deine Briefe nicht in den Papierkorb, auch wenn du glaubst, nicht das ausgedrückt zu haben, was du sagen möchtest. Wenn du mir schreibst, brauchst du nicht so vorsichtig zu sein. Bitte schicke sie mir trotzdem. Es ist einfach schön, einen Brief von dir zu bekommen, auch wenn er nicht ›der Beste‹ ist. Ich hatte so lange nichts von dir gehört, dass ich mir schon ein wenig Sorgen gemacht habe.
Ich kann mir gut vorstellen, wie du dort in der Agnesstraße sitzt, wie der Schnee draußen vor den großen Fenstern runter-

97

Ein heimlicher Liebesbrief per Luftpost von Charles Lindbergh
an Brigitte Hesshaimer, adressiert an ihre Münchner Adresse in der
Agnesstraße im Stadtteil Schwabing.

*fällt und wie Marietta malt, mit ihrer furchtbaren Brille auf
der Nase. Sag ihr, sie soll sich eine Brille kaufen, mit der sie so
schön aussieht, wie sie ist – das ist ein Befehl!*
Wie gerne wäre ich jetzt in München.
*Ist das nicht toll mit Valeskas Führerschein? Ich hatte mir wirk-
lich Sorgen um sie gemacht, aber ich glaube wie du, dass der
Führerschein ihr sehr helfen wird. Ich hatte schon Angst, dass
sie wieder zu angespannt sein und zum dritten Mal durchfal-
len würde. Soweit ich das gesehen habe, wird sie sicher eine
ausgezeichnete Autofahrerin werden. Ich erwarte schon gespannt die ersten Erfahrungen. Ich hoffe so sehr, dass alles in
Ordnung geht, um sie glücklich zu machen. Was das angeht,
machst du alles, was du im Moment nur tun kannst. Du hast
dafür das größte Verständnis, und ich kann gar nicht genug*

betonen, wie sehr ich das anerkenne. In den kommenden Wochen kann dir Marietta wahrscheinlich die größte Hilfe sein, und sie ist ebenfalls extrem verständnisvoll. Ihr seid beide liebenswerte Menschen [»lovely people«, der Verf.], und das ist auf Englisch noch sehr zurückhaltend formuliert.

Ich bin so froh, dass es dir gut geht und du glücklich bist – das ist die wichtigste Neuigkeit deines Briefes, und ich musste durch anderthalb Seiten jagen, um sie zu finden! Danach habe ich ganz in Ruhe und entspannt noch mal von vorne angefangen zu lesen. Es ist auch eine gute Nachricht, dass du mit der Arbeit in dem Laden aufgehört hast. Du musst dich viel ausruhen und dich gut um dich kümmern. Arbeite nicht zu viel für den Buchhaltungskurs. Mit Blick auf die Zukunft ist es wichtig, dass du die Prüfungen bestehst, aber das hat keine Eile. Wir können darüber reden, wenn ich im nächsten Monat da bin – und ich kann dir gar nicht sagen, wie begierig ich darauf bin, dort zu sein.

Jetzt ist es Nacht, und ich möchte diesen Brief an dich abschicken, deshalb werde ich ihn bald beenden. Es hat hier den ganzen Tag lang geregnet; aber auf dem Boden ist noch immer Schneematsch von dem ziemlich heftigen Schneefall, den wir hier hatten. In dem kleinen Zimmer, wo ich tippe, habe ich einen Heizstrahler an, und so ist es schön warm. Du musst wissen, dass ich sehr oft an dich denke. Gerade jetzt in diesem Moment schläfst du dort in der Agnesstraße, denn es ist schon eine Stunde nach Mitternacht bei euch.

Alle Liebe und viele, viele Bussis, C.«

Brigitte Hesshaimer war glücklich über diesen Brief. Es war der längste, den sie seit Beginn ihrer Liebeskorrespondenz vor fast einem halben Jahr von »C.« erhalten hatte – und sie hatte Angst davor gehabt, ihn zu bekommen. Wie würde Charles damit umgehen, dass er voraussichtlich im Sommer Vater würde? Er wusste es zwar schon seit ihrem Brief an ihn kurz nach Weihnachten 1957, doch vielleicht hatte er seine Meinung über sie geändert. Jetzt wusste sie mit Sicherheit: Charles stand voll und ganz zu ihr und dem Kind! Zum ersten Mal hatte er sie am

Ende des zweiseitigen Schreibens – und das war ihr gleich nach dem Öffnen des Briefes aufgefallen – in großer Liebe und mit vielen Küssen, »*with much love and many many pussis*«, gegrüßt.

Sie wusste, wie schwer sich Charles damit tat, seine tiefsten Gefühle schriftlich auszudrücken. Er war kein Lyriker – und er war (und blieb) immer ein sehr vorsichtiger, zurückhaltender Briefschreiber, was nicht nur mit seinen politischen und militärischen Aufträgen zu tun hatte.

Dieser Brief war seine Liebeserklärung an Bitusch und das Kind – ihr gemeinsames Kind, mit dem sie jetzt schwanger war. Es war für sie und für Charles ein Kind der Liebe. Einer, wie sie hoffte und spürte, unvergänglichen Liebe.

Bitusch hatte drei Jahre zuvor eine unglückliche Liaison mit einem Mann gehabt, die in einer Fehlgeburt endete. Dies schien – objektiv betrachtet – nur die Fortsetzung einer schier endlosen Kette von Demütigungen, Niederlagen und Krankheiten im Leben der Brigitte Hesshaimer zu sein. Andere Frauen hätten möglicherweise aufgegeben, wären in Depressionen verfallen oder im Selbstmord geendet. Diese Frau aber war unglaublich zäh, psychisch und mental von enormer Stärke, und das war einer der Gründe, warum Charles Lindbergh seine Bitusch bis an sein Lebensende geliebt und verehrt hat.

Während Brigitte den Brief von Charles noch in den Händen hielt, ging ihr durch den Kopf, was sie bereits für ein Leben, erst 31 Jahre kurz, hinter sich hatte. Eine bewegende, eine erschütternde Bilanz.

Als Brigitte im siebenbürgischen Kronstadt am 22. Juli 1926 geboren wurde, hatte ihr Vater, der angesehene Schokoladenfabrikant und Königliche Hoflieferant Adolf Hesshaimer, nicht gejubelt. Es war wieder »nur« ein Mädchen, nach Edith und Marietta jetzt die dritte Tochter in Serie. Der erhoffte männliche Stammhalter, der das profitable Geschäft und die Fabrik übernehmen sollte, aber wollte einfach nicht kommen. (Drei Jahre später, im Juni 1929, wurde dann endlich Adolf Hesshaimer junior, genannt Dodo, geboren.)

Als Vierjährige wurde Brigitte (zusammen mit Marietta, der Lieblingstochter des Vaters) mit Tuberkulose infiziert, die ihre rechte Hüfte und ihr rechtes Bein lähmte und verkürzte – lebenslang. Ihr geliebtes Pony, auf dem sie reiten gelernt hatte, durfte und konnte sie nie wieder satteln und besteigen. Ihre Kindheit und Jugend war eine einzige Passion durch deutsche und schweizerische Sanatorien gewesen. Mit Marietta oder allein – und immer weit weg von zu Hause. Im schweizerischen Hospital Leysin verbrachte Brigitte über sechs Jahre, die meiste Zeit davon im Gipsbett.

Dann kam sie ins deutsche Top-Krankenhaus Hohenlychen bei Berlin, wo auch die Nazi-Prominenz behandelt wurde. Die Hesshaimers waren keine Nazis, aber sie waren vermögend und konnten die Aufenthalte von Brigitte und Marietta bezahlen.

Mehrmals wurde Brigitte operiert, doch die Lähmung und das verkürzte rechte Bein blieben. Eine spielerische Kindheit und einen gemeinsamen Schulunterricht mit Freundinnen hatte Brigitte nur sehr eingeschränkt kennen gelernt. Lehrer im Krankenhaus und Privatpädagogen unterrichteten das hochintelligente, sprachbegabte und doch sehr einsame Kind.

Als Zehnjährige verlor Brigitte ihren Vater, der völlig überraschend einem Herzinfarkt erlag, noch keine 45 Jahre alt. Und als 18-Jährige verlor Brigitte ihre Heimat. Aus Furcht vor der anrückenden Roten Armee setzte ihre Mutter Edith die drei Töchter in einen alten Hanomag, den Edith, mit 21 Jahren die älteste des Trios, sicher nach Deutschland zu Verwandten steuerte. Jedes Kind bekam ein Säckchen mit Goldmünzen für die Flucht umgehängt. Die Mutter und ihr Sohn Adolf blieben in Kronstadt zurück, um die über 100 Jahre alte Firma Hesshaimer zu verteidigen. Was nicht gelang. Erst viele Jahre nach Kriegsende durften sie die »Sozialistische Republik Rumänien« verlassen.

Die Odyssee von Brigitte ging weiter. Wieder Krankenhaus in Hohenlychen und Berlin, wieder Operationen, und schließlich das Erleben einer Bombennacht, bei der Brigitte beinahe verbrannt und verschüttet worden wäre.

Die Flucht im Hanomag ging weiter nach Oberbayern, wo sie beim Verlobten und späteren Mann von Edith eine Bleibe fanden.

Wieder musste Brigitte wegen ihrer schweren Behinderung unters Messer – es folgten drei Operationen im Krankenhaus von Bad Tölz.

Brigitte gab nicht auf. Auch nicht, als sie aus Geldmangel eine Ausbildung zu ihrem Wunschberuf »Fotografin« in München nicht antreten konnte. Sie hätte damals dafür Geld bezahlen müssen. Sie hatte keines. Die rumänischen Münzen waren wertlos.

Doch sie blieb in der Stadt, die beseelt war vom Geist des »Ramadama«, des Neuanfangs nach der Hitler-Katastrophe und der Zerstörung durch die Fliegerbomben der Alliierten.

Brigitte Hesshaimer, die gebürtige Kronstädterin, verkörperte trotz ihrer Behinderung und ihres schweren persönlichen Schicksals einen Teil jener Aufbau-Generation, die München wieder lebenswert und liebenswert machten.

Im Wohnheim des »Bayerischen Landesvereins der Freundinnen junger Mädchen« fand sie zwischen 1950 und 1956 eine feste Bleibe – für 90 Mark im Monat für Miete und Verpflegung. Ihr anfängliches Lehrlingsgehalt als Putz- und Hutmacherin von zwölf Mark im Monat wurde vom Heim einbehalten, die Differenz zahlte das Flüchtlingsamt.

Leben, und Brigitte lebte gerne, konnte die gehbehinderte und doch so energiegeladene Frau nur durch Nebenbeschäftigungen: Brigitte arbeitete häufig schwarz. Erst durch Gelder aus dem Lastenausgleich für Vertriebene kamen Brigitte und Marietta schließlich zu einer Mietwohnung in Schwabing. Zu jener Wohnung, in der sie Charles Lindbergh besuchte, der ihr Leben von Grund auf änderte.

Brigitte sah wieder auf den Brief in ihren Händen. Es machte sie glücklich, dass Charles sie auch mit ihrem Kosenamen angeredet hatte. »*Bitusch*«. Sie wusste natürlich beim Lesen der Zeilen auch, dass noch viele Schwierigkeiten vor ihr lagen – vor allem im Verhältnis zu Marietta und Valeska.

Charles hatte es im Brief bereits angedeutet. Wie würden die beiden auf die Nachricht von der Schwangerschaft reagieren? Für Valeska – das ahnte Bitusch schon jetzt – würde eine Welt zusammenbrechen. Andererseits: Das war nicht in erster Linie ihr Problem, sondern das von Valeska und Charles. Er wollte das Verhältnis zu ihr nicht beenden, und Bitusch würde das auch nie von ihm verlangen. Sie akzeptierte den »einsamen Adler« so, wie er war. Auch das gehörte zu ihrer Liebe zu ihm. Und ihre Schwester Marietta, die ebenfalls in Lindbergh verliebt war?

Sie war ja nicht nur die Schwester, sondern auch die engste Freundin von Bitusch. Brigitte brachte also ihre Schwangerschaft, die spätestens nach drei Monaten äußerlich nicht mehr zu verbergen war, der Schwester schonend bei. Sie schrieb Charles auch regelmäßig darüber – wie Marietta reagierte und was zu tun sei.

Und jedes Mal antwortete Lindbergh, wie wunderbar sensibel Bitusch mit dem »Problem Marietta« umgehe und wie sehr er sie liebe – auch deswegen.

Im Mai 1958 kreisten die Briefe von Charles und Bitusch – neben den »Problemen« mit Marietta und Valeska – vor allem um zwei Themen:

1. Brigittes (und Mariettas) Mutter Edith und ihr Stiefvater, Fritz Copony, hatten endlich Pässe und Visa erhalten, um in die Bundesrepublik Deutschland übersiedeln zu dürfen.

Übrigens mit einer netten Anekdote am Rande: Ediths erster Mann, Adolf Hesshaimer, hatte in den 1930er-Jahren den bis heute gültigen Weltrekord im Erlegen des größten jemals geschossenen Gamsbocks aufgestellt. Das Geweih war immer noch im Privatbesitz der Hesshaimers und hatte alle Enteignungsversuche der rumänischen Behörden überstanden, die die Weltrekord-Trophäe gerne in einem Staatsmuseum ausgestellt hätten. Doch die Gamskrucke ließ sich nicht sozialisieren und wurde bei Ediths Ausreise in den Westen geschmuggelt.

2. Obwohl es damals noch keine Fruchtwassertests für schwangere Frauen gab, war sich Bitusch nach Gesprächen mit dem Arzt und ihrer Hebamme sicher, dass ihr Baby ein Bub werden würde. Sie wollte und würde ihn »Dyrk« nennen.

Charles Lindbergh war begeistert. Unter dem Datum vom 9. Mai 1958 schrieb er – wieder mit Schreibmaschine – einen langen Luftpostbrief, in dem er versprach, im nächsten Monat nach München zu kommen, um »weitergehende Pläne zu schmieden«.

Dazu zählte auch die Überlegung von Charles, seine Freundin und baldige Mutter seines Kindes solle München verlassen. Lindbergh schrieb an Bitusch:

»Die Neuigkeiten sind wundervoll – die über ›Dyrk‹ und die über deine Eltern. Ich habe oft an dich gedacht und mir gewünscht, dort in der Agnesstraße bei dir zu sein, um mit dir zu reden. Natürlich solltest du dort bleiben, wenn du das Gefühl hast, dort am glücklichsten zu sein. Aber du kannst immer noch in die Schweiz gehen, wenn du später mal entscheiden solltest, dass dies besser wäre.

```
    The other news is wonderful -- about
"Dyrk", and about your parents finally
getting their passport and probably being
in West Germany in June.  I have been
thinking of you often, and wishing I could
be there to talk to you, at Agnesstrasse.
Of course you should stay there if you
feel that is the place where you are
happiest.  But you can still go to Switz-
erlandi if you should decide later that
it would be better.
    I will be in Germany in early June,
and I am looking forward more than ever
to seeing you again.  There will be so much
to talk about, and so many plans to lay.
Problems -- of course -- but we'll find a
solution for them.  The important thing is
to avoid as much sorrow and leave as much
happiness as we can.
```

```
     Please write as often as you can.  I
look forward to your letters, more, I think,
than you realize.
     And from now on, address your letters
to Box II47 instead of Box I033.  I will
have both boxes until June I; after that,
I am giving up the old one.
               Much love to you, always
```

Brief von Lindbergh an Bitusch vom 9. Mai 1958:
Die »wundervolle Nachricht über Dyrk«, mit dem Brigitte
Hesshaimer damals im sechsten Monat schwanger war.

*Ich werde Anfang Juni in Deutschland sein und freue mich
mehr denn je darauf, dich zu sehen. Es gibt so vieles, worüber
wir reden müssen, und so viele Pläne sind zu machen. Probleme – natürlich auch. Aber wir werden dafür eine Lösung
finden. Das Wichtigste ist, Kummer so gut es geht zu vermeiden und so viel Freude zu hinterlassen, wie wir können ...
Bitte schreibe, so oft du kannst. Ich freue mich auf deine Briefe,
ich glaube mehr, als du dir vorstellen kannst.«*

Danach folgte eine der häufigen Sicherheitsanweisungen Lindberghs an Brigitte Hesshaimer (Stichwort *secrecy):*

»Von nun an adressiere deine Briefe an Postfach ll47 *statt an
Postfach l033. Bis zum ersten Juni habe ich noch beide Fächer,
danach werde ich das alte aufgeben. Bitte schreibe an Postfach* ll47, *nicht* 1147. *Eure deutschen ›Einser‹ sehen aus wie
die amerikanische* 7.«

105

Ein Hinweis, den Lindbergh im Laufe der Zeit mehrmals machte, um sicherzugehen, dass der Postmann die Liebesbriefe von Bitusch nicht falsch einsortierte oder – in Ermangelung eines passenden Postfachs – an Lindberghs Privatadresse in Darien/ Connecticut weiterleitete.

Im Juni 1958 kamen – von Brigitte Hesshaimer sehnsüchtig erwartet – die Mutter und ihr zweiter Ehemann nach Deutschland. Sie fuhren zunächst nach Stuttgart, besuchten dann Brigitte und Marietta, später ließen sie sich im baden-württembergischen Großbottwar nieder.

Brigittes Stiefvater Fritz Copony hatte bei der Stuttgarter Firma Ackermann & Schmidt, die die berühmten Schleifmaschinen vom Typ »Flex« herstellte, einen Direktionsposten in Aussicht.

Wenige Wochen später kam Charles Lindbergh nach Deutschland und besuchte die hochschwangere Brigitte in München. Er fuhr mit ihr für ein paar Tage in die Schweiz in Urlaub und wollte eigentlich länger in Europa bleiben, als er praktisch von einem Tag auf den anderen in die USA zurückbeordert wurde. Gründe dafür nannte er nicht.

Der atomare Rüstungswettlauf und die Konkurrenz um die Dominanz im Weltraum zwischen den USA und der UdSSR hatte damals einen ersten Höhepunkt erreicht. Die Sowjets hatten 1957 mit drei Riesenschlägen vorgelegt: Sie hatten erfolgreich die erste atomar bestückbare Interkontinentalrakete getestet, kurz darauf den ersten Satelliten (»Sputnik I«) in eine Erdumlaufbahn gebracht und nur einen Monat später mit dem »Sputnik II« die »Weltraum-Hündin« Laika ins All geschossen, um zu demonstrieren, dass ihre Vorbereitungen für den bemannten Weltraumflug bereits sehr weit gediehen waren. Die USA konterten Anfang 1958 mit dem Start ihres ersten Satelliten (»Explorer«) und schossen im Juli eine Weltraumkapsel mit einer lebenden Maus an Bord ins All.

Kurz nach der Rückkehr Lindberghs in die USA schloss die amerikanische Marine die erste Unterquerung des Nordpol-Packeises durch das Atom-U-Boot »Nautilus« erfolgreich ab. Die geglückte Mission galt als Amerikas Antwort durch nukleare Unterwasserwaffen auf die sowjetische Überlegenheit bei den Interkontinentalraketen. Der Rüstungswettlauf expandierte weiter.

Lindbergh, der in alle amerikanischen Rüstungsexperimente eingeweiht war, reiste im Flugzeug wieder einmal quer durch die Vereinigten Staaten, weil – wie er von unterwegs an Bitusch schrieb – *»eine Konferenz die andere jagte«*. Doch in Gedanken und mit seinen Briefen war Lindbergh bei Bitusch. Jede Woche traf eine neue Luftpost-Korrespondenz, manchmal nur 15 Zeilen lang, in der Agnesstraße in München ein. Am 20. August erreichte Lindbergh ein Brief Brigittes aus der Münchner Frauenklinik an der Maistraße: Bitusch war sechs Tage vorher, am 14. August 1958, einem Donnerstag, vorfristig von einem gesunden Jungen entbunden worden – Lindberghs Sohn Dyrk war geboren.

Noch am selben Abend schrieb Charles voller Begeisterung an Bitusch zurück:

»Liebe Brigitte,
das sind ja wunderbare Neuigkeiten! Ich bin sowohl erfreut als auch wahnsinnig überrascht, denn ich hatte gedacht, es würde mindestens noch eine Woche dauern – ich hatte auf Ende August getippt. Und wie erleichtert ich bin, dass alles normal und gut ging und dass du sehr glücklich mit dem Ergebnis bist. Ich habe deinen Brief heute am späten Nachmittag erhalten. Obwohl vom 15. August datiert, trägt der Münchner Poststempel das Datum vom 18. August. Allerdings bin ich von meiner Reise erst gestern zurückgekommen, so dass ich ihn sowieso nicht früher erhalten hätte, ganz egal, wann er abgeschickt wurde. Aber das ist egal, solange alles in Ordnung ist; ich will einfach nur diesen Brief so schnell wie möglich an dich zurückschicken und dir sagen, dass ich ganz gespannt bin, mehr zu hören – irgendetwas und alles, worüber du Zeit findest zu schreiben.
Wie ich mir doch wünschte, gerade jetzt in Europa zu sein. Natürlich würde ich mich ins Auto setzen und sofort nach München fahren. Aber es sind ja nicht mehr so viele Wochen,

bis ich da bin, und du hast in der Zwischenzeit so einiges, was nach deiner Aufmerksamkeit verlangt. Ich bin mir sicher, dass die Wohnung an der Agnesstraße nicht mehr einsam ist. Bitte erzähle mir mehr über dich und über das Baby und ein paar Details darüber, wie es im Krankenhaus gelaufen ist – ich hoffe, du bist dort geblieben, bis du dich völlig erholt hattest, und dass es keine Komplikationen gab.

Ich hoffe, das Wetter in München war für dich gerade richtig und dass du den schönsten Herbst erleben wirst, den es jemals gab.

Ich habe beschlossen, den Brief morgen in New York abzuschicken. Er soll dich so schneller erreichen.

Alles Liebe an euch beide, C.«

Da Brigitte Hesshaimer kurz nach der Entbindung wegen einer fiebrigen Erkrankung noch drei Wochen in der Klinik bleiben musste, bevor sie mit dem kleinen Dyrk in ihre Wohnung zurückkehren konnte, entwickelte sich im Drei-Tages-Rhythmus ein intensiver Briefwechsel zwischen Charles und Bitusch.

Lindbergh war besorgt um die Gesundheit seiner Freundin und akzeptierte deshalb, trotz seines Grundsatzes der Geheimhaltung, dass Bitusch ihre an Lindberghs US-Postfach adressierten Briefe von einer verschwiegenen Krankenschwester-Nonne frankieren und zur Post tragen ließ.

Gleich nach ihrer Entlassung aus dem Krankenhaus schickte Bitusch einen Brief nach Connecticut, dem sie erstmals Fotos des neugeborenen Sohnes beilegte. Lindbergh reagierte tief gerührt:

»Liebe Brigitte,
was für wundervolle Fotos! Ich stimme dir absolut zu, dass Dyrk ein außergewöhnliches Kind ist. Und wie begierig ich bin, euch beide zu sehen! Am besten gefällt mir das Foto, auf dem du Dyrk hältst und auf dem du auch gut getroffen bist ...
Ich werde innerhalb der nächsten zwei oder drei Tage aus den Vereinigten Staaten abreisen und sollte gegen Mitte Oktober in Deutschland sein. Ich werde dich, so frühzeitig, wie ich kann, anrufen, um zu erfahren, wann es dir am besten passen würde.

Es wird wundervoll sein, wieder bei dir zu sein, und natürlich müssen wir einige Pläne machen. Ich kann dir gar nicht sagen, wie sehr ich mich darauf freue, dich und Dyrk zu sehen. Es scheint so lange her zu sein, dass wir das letzte Mal zusammen waren ...
Alles Liebe an euch beide, C.«

In der letzten Oktoberwoche 1958 kam Lindbergh nach München und sah zum ersten Mal seinen jüngsten Sohn. Es waren äußerst harmonische Tage. Charles und Bitusch gingen mit dem kleinen Dyrk im Kinderwagen viel spazieren. Wie späteren Briefen zu entnehmen war, rückte das ungleiche Liebespaar – Bitusch war jetzt 32 und Charles 56 Jahre alt – noch enger zusammen.

Obwohl Lindbergh seine Münchner Kleinfamilie bald wieder wegen »dringender Termine« in Wien, Paris und London verließ,

Brigitte Hesshaimer im bayerischen Dirndl mit dem kleinen Dyrk auf dem Balkon ihrer Wohnung in der Agnesstraße in München-Schwabing.

kam er in der ersten Novemberwoche noch einmal für einen Tag in die Agnesstraße, um sich von Bitusch und Dyrk zu verabschieden.

Im Flugzeug nach San Francisco, eine Stunde vor der Landung, schrieb Lindbergh mit seinem Taschenmesser-gespitzten Bleistift auf dünnes blaues Luftpostpapier den nächsten Liebesbrief:

> *»Liebe Brigitte,*
> *die Zeit in München war zu kurz und ist viel zu schnell vergangen; aber es war wundervoll, noch mal bei dir zu sein, wenn auch nur für einen Tag, bevor ich den Kontinent verlassen habe, um zu sehen, wie groß Dyrk geworden ist und wie gut es ihm geht und wie glücklich er ist. Er ist wirklich ein liebes Baby, stimmt's! Und natürlich ist das vor allem dir zu verdanken! Obwohl ich wenig für mich in Anspruch nehme – du hättest es nicht allein geschafft, weißt du!*
> *Bitusch, du hast wirklich alles schrecklich gut arrangiert, und du siehst auch selbst so gut aus – besser denn je. Ich weiß nicht genau, wie du das hinbekommen hast; du schaust jünger, glücklicher und gesünder aus als vor knapp zwei Jahren – viel mehr!* [Anmerkung: Damals hatten sie sich in München kennen gelernt, der Verf.]
> *Viel Liebe an euch beide, C.«*

Auffallend war übrigens, dass Lindbergh nach vierwöchiger Europareise nicht sofort zu seiner amerikanischen Familie zurückkehrte, sondern erst noch eine Woche in Kalifornien blieb, bevor er nach New York flog, um von dort in sein Haus in Darien/Connecticut zu fahren.

Vor seiner Abreise aus München hatte Lindbergh einen nicht unerheblichen Geldbetrag in bar bei Bitusch hinterlassen. Es stand für ihn außer Frage, seine neue Münchner Familie von Beginn an zu unterstützen – durchaus großzügig, wie sich aus dem späteren Nachlass von Bitusch ergab. Allerdings mit der üblichen Checklisten-Auflage des »ewigen Piloten«: Lindbergh hatte Bitusch nachdrücklich gebeten, ein Haushaltsbuch über Ein- und Ausgaben anzulegen. Im späteren Nachlass von Brigitte hat ihr

Sohn Dyrk nicht nur diesbezügliche Unterlagen gefunden, sondern auch Vollzugsbescheide eines Münchner Gerichtsvollziehers – vor Brigittes Beziehung zu Charles Lindbergh.

Dyrks heutiges Fazit: »Meine Mutter hatte offenbar große Geldsorgen in ihren anfänglichen Münchner Jahren. Mit meinem Vater kehrte nicht nur ihr persönliches privates Glück, sondern auch eine Zeit der materiellen Sicherheit für unsere Familie ein.«

Zu dieser Einschätzung passte auch Lindberghs Brief vom 1. Dezember 1958, dem er – riskanterweise – mehrere Dollarscheine beilegte mit dem Hinweis:

»Liebe Bitusch,
ich möchte dir und Dyrk sehr gerne ein paar Weihnachtsgeschenke schicken; aber da ist das Zollproblem, und ich weiß nicht recht, was ich euch besorgen soll. Nimm deshalb bitte das Geld, das ich diesem Brief beilege, und mach damit, was du magst; aber verschwende wenigstens etwas davon für Geschenke von mir für dich und Dyrk, und schreibe mir, was du gekauft hast.«

In den Wochen vor Weihnachten bekam Bitusch eine sehr praktische und fürsorgliche Unterstützung beim Babysitting durch ihre Mutter Edith, die sich in der Agnesstraße einquartiert hatte. Doch Lindberghs Zauberwort *secrecy* hielt Bitusch auch gegenüber ihrer eigenen Mutter aufrecht. Erst Monate später erfuhr Edith Hesshaimer von der Rolle Lindberghs im Leben ihrer Töchter Brigitte und Marietta. Der Familien-Clan der Hesshaimers verpflichtete sich daraufhin zu einem »Gesetz des Schweigens« – ein Pakt, der bis zum Jahr 2003 aufrechterhalten wurde.

Ediths zweiter Ehemann und Bituschs Stiefvater Fritz Copony konnte sich allerdings die Ironie nicht verkneifen, Besuche Lindberghs in München, bei denen Brigitte keine Anwesenheit von Verwandten duldete, mit dem Standardsatz zu kommentieren: »Wir haben jetzt wieder eine Andreas-Woche.« Die kryptische Bemerkung bezog sich auf den zweiten Vornamen von Dyrk, Andreas, der nach dem Gründer der siebenbürgischen Familien-

Dynastie aus dem 18. Jahrhundert, Andreas Hesshaimer, benannt worden war.

Bituschs Mutter Edith kümmerte sich rührend um ihren kleinen Enkel Dyrk, der sie nach ersten Sprachversuchen die »Omama« nannte, ein Name, den ihr später alle Enkelkinder gaben. Brigitte verfasste jetzt ihre regelmäßigen Briefe an Charles in Form von Wochenberichten, in denen sie über Dyrks Entwicklung schrieb, seine erste Bekanntschaft mit dem Schnee, mit dem weihnachtlichen Christbaum, mit Hunden und Katzen aus der Nachbarschaft, oder über das rasche Wachstum des Kleinen, dem schon bald sein erstes Baby-Körbchen zu klein war. Zur bildlichen Demonstration legte Bitusch, die eine begeisterte Fotografin war, jedem Brief ein paar Kinderbilder bei.

Lindbergh schrieb in den folgenden Wochen sofort zurück. Voller Anteilnahme und Fürsorge um seinen kleinen Sohn – aber immer wieder mit dem Hinweis, Bitusch möge beim Adressieren ihrer Briefe an sein Postfach auf die amerikanische Schreibweise »ll47« achten, »aber bitte nicht 1147«.

Als verspätetes Weihnachtsgeschenk, wenn er wieder nach München kommen würde, wünschte sich Charles Lindbergh von seiner geliebten Modistin »einen dieser wundervollen bayerischen Hüte, die man zum Bergsteigen aufzieht«.

Ende Januar 1959, nachdem er »wegen Konferenzen und Routineverpflichtungen« innerhalb von 17 Tagen wieder einmal die gesamten USA zwischen New York und Kalifornien abgeflogen war, kam Lindbergh für wenige Tage nach München zu Bitusch und Dyrk, bevor ihn seine geschäftliche Reiseroute wieder quer durch Europa trieb – diesmal im Volkswagen: Genf, Lyon, Barcelona, Valencia, Gibraltar, Lissabon.

Auf dem Rückweg wollte er noch einmal in München Station machen, doch – wie er Bitusch am 15. Februar 1959 aus dem Flugzeug nach New York schrieb – »hat mich eine plötzliche geschäftliche Situation gezwungen, meine Pläne komplett zu ändern und das nächste Flugzeug von Lissabon nach New York zu nehmen. Bitte verzeih mir! Aber an den Konferenzen in New York muss ich teilnehmen.«

War es ein Zufall, dass bei Lindberghs plötzlichen Abreisen aus Europa immer neue Entwicklungstests in der Luft- und Raumfahrt in den USA im Raum standen? Den positiven Start des ersten sowjetischen Mond-Satelliten »Lunik« im Januar 1959 beantworteten die Amerikaner mit dem ebenfalls erfolgreichen Abschuss ihres Weltraumsatelliten »Vanguard II« am 17. Februar 1959.

Brigitte Hesshaimer war niemals nachtragend oder böse über Lindberghs ständige Ortswechsel und »geschäftliche Verpflichtungen«. Sie liebte diesen rastlosen Mann bedingungslos – und Lindbergh wusste, in Bitusch eine Partnerin gefunden zu haben, die ihn genau so akzeptierte, wie er war.

Gerade in seinen Absagebriefen an Bitusch erinnerte er immer wieder an die Einzigartigkeit ihrer kurzen gemeinsamen Zeit zu dritt:

»Es war so schön, bei euch zu sein und zu sehen, wie gut und reizend du ausschaust und wie groß und intelligent er ist. Wir haben wirklich ein sehr gutes Produkt erzielt – nicht wahr?

Und da ich gerade dabei bin, von guten Dingen zu sprechen: Was mir wirklich sehr fehlt, sind diese Bauernomeletts zum Frühstück. Und wieder haben wir beide herausgefunden, wie wir ein wunderbares Produkt herstellen können! Wenn du mal Probleme haben solltest, Geld im Hutgeschäft zu verdienen, könnten wir ein Vermögen damit machen, Bauernomeletts zu verkaufen, da bin ich mir sicher.

Außerdem gibt es noch jede Menge Dinge, die wir noch nicht in einem Omelett ausprobiert haben – Kokosnüsse zum Beispiel oder Austern oder Kirschen. Die Möglichkeiten sind unbegrenzt.

Was hältst du von einem Omeletthut wie eine Baskenmütze, nur ein bisschen schlaffer und braun? Viel Liebe an euch beide, C.«

Die fast kindliche Freude Lindberghs über die gemeinsame Zeit mit Bitusch beim Omelettbacken in der kleinen Küche in der Agnesstraße korrespondierte mit konkreten Vorschlägen zur Kindererziehung. Immer wieder bat er Bitusch, den kleinen Dyrk

113

nicht nur in Deutsch, sondern parallel auch in Englisch zu erziehen. *»Französisch und Italienisch können ein wenig warten – in einem oder in zwei Jahren.«* Etwas seltsam lasen sich seine Tipps zum besseren Einschlafen des sechs Monate alten Babys: *»Gib ihm aber nicht* zu viel *Wein, Brigitte, und keinen Whisky oder Gin!«*

Im Februar 1959 kam Lindbergh erneut zu Besuch in die kleine Wohnung in der Agnesstraße – auch um eine ganz persönliche Identifikation vorzunehmen. Er bestrich die beiden Handflächen und die beiden Fußsohlen des jetzt sechs Monate alten Dyrk mit schwarzer Stempelfarbe und drückte die beiden Hände und Füße des Babys auf weiße Papierbögen. Aber er steckte die Bögen nicht als Erinnerungsstücke an seinen kleinen Sohn in die Brieftasche. Er gab sie Bitusch, damit sie die Hand- und Fußabdrücke von Dyrk in ihrer Dokumentenmappe verstaute. Dort lag schon Dyrks Geburtsurkunde mit seinem Eltern-Hinweis: »Mutter: Brigitte Helene Hesshaimer, geboren am 22. Juli 1926 in Kronstadt/Brasov (Rumänien), Familienstand: ledig, Beruf: Hutmacherin.

Vater: unbekannt.«

Warum Lindbergh diese Abdrücke gemacht hatte, ließ sich nur erahnen, weil es das traumatische Tabu-Thema seines Lebens be-

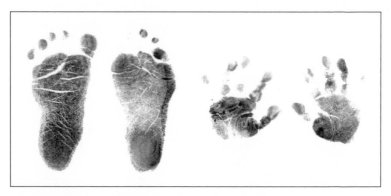

Von seinem knapp sechs Monate alten Sohn Dyrk Hesshaimer
fertigte Charles Lindbergh im Februar 1959 sowohl Hand- wie Fußabdrücke
mit Stempelfarbe – »zur besseren Identifizierung«.

traf. Als 27 Jahre früher sein erstgeborener Sohn Charles junior entführt und später, bereits halb verwest, tot aufgefunden wurde, gab es keine Finger-, Hand- oder Fußabdrücke des Babys. Lindbergh hatte die kleine Kinderleiche per Augenschein identifiziert und dann sofort verbrennen lassen. Später wurde zum tiefen Kummer Lindberghs immer wieder behauptet, der Kinder-Torso sei gar nicht das berühmte Lindbergh-Baby gewesen ...

Brigitte hat über diese tiefe seelische Wunde von Charles oft mit ihm gesprochen – aber niemals vor ihren Kindern. Er bat sie darum, und sie hielt sich daran. Sie verstand mit dem Herzen. Und sie sah mit dem Herzen, wie es bei Saint-Exupéry heißt. Auch darum wurde diese Frau mit dem behinderten Bein von Charles so geliebt.

Lindbergh kam und ging, wie und wann er wollte. Und doch wusste Brigitte, er würde immer wiederkommen und er würde sie nie alleine lassen.

Der nächste Besuch im April 1959 dauerte wieder nur drei Tage, denn Lindbergh brach zu einer größeren Rundreise nach Südafrika auf. Seine Briefe von dort an Bitusch drückten Lindberghs große Faszination für den »Schwarzen Kontinent« aus, der bislang im Leben des Weltenbummlers eine eher marginale Rolle gespielt hatte. Eine Liebe, die sich in späteren Jahren in regelmäßigen Besuchen Lindberghs bei den Massai in Kenia nachhaltig manifestieren sollte.

Besonders eine Autosafari durch den Krüger-Nationalpark fand er so beeindruckend, dass er Brigitte detailliert seine Begegnungen mit Affen, Löwen, Elefanten und anderen wilden Tieren schilderte und seine Sehnsucht nach ihr und besonders dem kleinen Dyrk betonte, den er so gern dabeigehabt hätte. Als Erinnerung legte er einem der Briefe eine Postkarte mit einem Elefanten bei.

Die Sommermonate verbrachte Lindbergh fast zur Gänze in Europa. Er hatte im Juli 1959 im schweizerischen Kanton Waadt in der Nähe des Genfer Sees ein Chalet mit einem längerfristigen Vertrag gemietet und war dort mit seiner Ehefrau Anne Morrow eingezogen. Dies hinderte ihn aber nicht, nach der Rückkehr An-

*Elefanten-Grußkarte
an Brigitte und
Dyrk Hesshaimer
aus dem Krüger-
Nationalpark
in Südafrika vom
Mai 1959.*

nes in die Staaten eine gemeinsame Urlaubsreise mit Bitusch im VW-Käfer anzutreten.

Während »Omama« als Babysitterin für Dyrk zur Verfügung stand, fuhren Charles und Brigitte im September zwei Wochen lang zunächst quer durch Süddeutschland, dann durch Österreich nach Italien bis hinunter zur apulischen Hafenstadt Brindisi, 1500 Kilometer südlich von München.

Von dort setzte Lindbergh mit der Autofähre nach Korfu über, während Bitusch mit dem Zug zurück nach München fuhr – ein Horror-Trip, da ihr Abteil mit 14 Reisenden mehr als doppelt überbelegt war.

Charles wiederum liebte jede Art von Abenteuerreisen, die er am liebsten immer allein machte. Seinen ersten Brief aus Griechenland nach München schrieb er nachts bei eingeschaltetem Licht seines Käfers kurz vor Thessaloniki. Er mochte es spartanisch – die historischen Thermopylen mit dem heroischen Leonidas-Denkmal waren ja nicht weit entfernt – und er verzichtete auf teure Hotelübernachtungen. Lindbergh baute den Rücksitz seines VW aus und legte sich im Auto auf eine Luftmatratze. *»Ein sehr komfortables Bett«*, wie er Bitusch mitteilte.

Nicht sonderlich komfortabel, dafür aber sehr günstig waren die Dorftavernen, in denen er einkehrte. Besonders genoss er das geschmorte Lammfleisch – nicht zuletzt wegen des Preises von umgerechnet 1,80 Mark. Im Morgengrauen des nächsten Tages fuhr er in Richtung Istanbul weiter ...

Der einsame Adler allein im Käfer – was für ein Bild.

Nach dem gemeinsamen Italienurlaub, dessen Intensität und Romantik von Charles Lindbergh in allen folgenden Briefen als *»unbedingt zu wiederholen«* beschrieben wurde, folgte eine fünfmonatige Besuchspause in München. Es gab immer wieder die bekannten Gründe (*»Geschäftstermine«*, *»Konferenzen«*), die Lindbergh vom Kommen abhielten, dafür legte er einigen Briefen Geld für Bitusch bei.

Im Februar 1960 – endlich – kam Lindbergh wieder in die Agnesstraße. Ein Besuch, den er in einem seiner nächsten Briefe als *»viel zu kurz, aber unvergesslich«* bezeichnete. Womit er absolut Recht hatte.

Ende März war bei Brigitte die Monatsregel ausgeblieben. Der Schwangerschaftstest war positiv, und Bitusch teilte Charles das freudige Ereignis sofort in einem Brief nach Connecticut mit. Die Antwort kam postwendend.

»Liebe Brigitte,
endlich, dein Brief, und was für ein wunderbarer! Bitusch, er macht mich sehr glücklich! Ich wünschte, ich könnte jetzt dort sein, um dir das zu sagen ...
Es war einer der schönsten Briefe, die du mir je geschickt hast. Bitusch, ich habe viel an dich gedacht – mehr, als du dir vorstellen kannst – und gehofft, dass alles in Ordnung ist und du glücklich bist, und daran, dass ich schon bald wieder bei dir und Dyrk sein werde ... Dyrk wird sehr erstaunt sein, wenn er einen kleinen Bruder oder eine kleine Schwester bekommt. (Welches von beiden?) Das wird ihm auch viel Spaß machen. Er kann, wie du schon vor Monaten gesagt hast, ein richtiger Clown sein ... Brigitte, was für einen klugen Jungen wir doch haben. Und er spricht sogar schon Englisch!
Bitusch, du bist wirklich wundervoll – viel mehr als nur ein ›gutes Mädchen‹! Und du wirst nicht mehr rauchen! Das ist wirklich zu viel für mich in einem Brief! Ich werde, sobald ich kann, wieder dort sein. In der Zwischenzeit sende ich all die Liebe, die ich mit diesem Brief verschicken kann, C.«

Im Juni und im Oktober 1960 kam Charles Lindbergh zwei Mal nach München, wobei Bitusch sich besonders an einen Spazier-

gang mit ihm durch Schwabing zur »Münchner Freiheit« erinnerte. In der Nähe dieses großen Platzes, an der Ecke der Occam-
und der Feilitzschstraße, stand seit einem Jahr Münchens neuester
Brunnen. Ein besonderer Brunnen, der einem der bedeutendsten
Münchner Dramatiker und Lyriker, Frank Wedekind, gewidmet
war. Wedekind, der nur 53 Jahre alt wurde, hatte in Stücken wie
Lulu oder *Totentanz* die Erstarrung des Bürgertums und die kon-
ventionelle Sexualmoral karikiert und angegriffen; wegen Majes-
tätsbeleidigung saß er um die Jahrhundertwende in Festungshaft.

Der moderne Wedekind-Brunnen des Bildhauers Ferdinand
Filler zeigte auf einem Muschelkalksockel eine halbnackte Muse
mit Schriftrolle, Leier und Maske – die Symbolfigur für eine
Frau, die die Freiheit des Wortes und der Musik sucht und sich
doch tarnen muss.

Lindbergh war fasziniert. Am meisten beeindruckte ihn aber die erste Strophe aus Wedekinds Gedicht »Der Bajazzo«, die in Stein gehauen unter der Skulptur stand und die ihm Bitusch übersetzte: »Seltsam sind des Glückes Launen/wie kein Hirn sie noch ersann,/dass ich meist vor lauter Staunen/lachen nicht noch weinen kann.«

»Ich liebe diese Wedekind-Zeilen«, sagte Bitusch, »ein bisschen traurig, und doch so optimistisch.«

Lindbergh umarmte und küsste sie.

Später hat Bitusch diese kleine Geschichte ihren Kindern erzählt, wenn sie nach ihrem Vater fragten. »So war er, und darum haben wir uns geliebt.«

Zwei unterschiedliche Menschen – seelenverwandt.

Als Lindbergh im Dezember 1960 erneut in München eintraf, kam er als stolzer Vater. Bitusch hatte am 29. November in der Universitäts-Frauenklinik an der Maistraße ihr zweites Kind zur Welt gebracht: Astrid, die jüngste Tochter von Charles Lindbergh.

Die kleine Familie Hesshaimer-Lindbergh aus der Agnesstraße in München hatte jetzt zwei Kinder. Doch auch in der Schweiz hatte Charles in der Zwischenzeit eine Kleinfamilie gegründet.

6   Operationsbasis Schweiz

DIE JAHRE ZWISCHEN 1956 UND 1960 WAREN gekennzeichnet von einer totalen Mobilität Lindberghs, der praktisch nur noch auf Achse war. Seine amerikanische Familie sah ihn insgesamt höchstens drei Monate im Jahr, den Rest der Zeit war er unterwegs. Weltweit unterwegs.

Die Zuspitzung der internationalen Lage und seine Beratertätigkeiten für Pan Am (zu deren gut bezahlten Direktoren er nunmehr zählte), für Präsident Dwight D. Eisenhower und das *Strategic Air Command* ließen Lindbergh aus der Distanz wie einen »Fliegenden Holländer/Amerikaner« erscheinen, dessen Heimat die internationalen Airports in Europa und Übersee waren.

Auffallend war: Es gab kaum einen Krisenpunkt der Welt, wo Lindbergh – etwas kürzer oder auch etwas später nach amerikanischen Interventionen – nicht irgendwann auch war.

Der von der CIA inszenierte Sturz des Nationaldemokraten Mossadegh im Iran und die Machtergreifung des Schahs von Persien, die Intervention der USA im Libanon, die Suez-Krise, die beginnende Führungsrolle von Titos Jugoslawien in der Blockfreien-Bewegung oder die heimliche Installierung von Atomraketen an der türkischen Grenze zur Sowjetunion – das war die eine Sache. Zumindest sehr zufällig waren die plötzlich geänderten Reiseziele Lindberghs, die er meist nur in einem Halbsatz in seinen Briefen an Bitusch andeutete, wo er gerade »*wichtige Termine und Konferenzen*« hatte oder warum er nicht nach München kommen könne, weil sich unvorhergesehen etwas geändert hatte.

In Lindberghs Briefen finden sich permanent Hinweise auf seine doch ungewöhnlichen Reiseziele wie Teheran, Beirut, Kairo, Benghasi/Libyen, Belgrad oder Ankara. Anfang September 1960 erreichte die damals hochschwangere Bitusch ein überraschender Brief von Lindbergh aus Saigon mit der einzeiligen Mitteilung, er sei »*heute Nachmittag 80 Kilometer durch Vietnam gefahren*«. Zur Besichtigung eines neuen Pan-Am-Stützpunkts? Wohl kaum. Vietnam war seit Mitte der 1950er-Jahre immer stärker in den Blick der amerikanischen Fernoststrategie gerückt. Die vernichtende Niederlage der französischen Kolonialarmee bei Dien Bien Phu (1954) durch die Nationalkommunisten des Revolutionärs Ho Chi Minh hatte in den USA zur Erfindung der »Domino-Theorie« durch Präsident Eisenhower geführt. Demnach würde jedes asiatische Land kommunistisch werden, wenn Indochina in die Hände der »Roten« fiele. Nach dem Sieg Ho Chi Minhs war das Land geteilt worden – in einen sozialistischen Nordstaat und einen prowestlichen Südstaat unter dem katholischen Diktator Ngo Dinh Diem.

Präsident Eisenhower, dessen Amtszeit 1960 zu Ende ging, und der neue Star der Demokratischen Partei, Senator John F. Kennedy, wetteiferten damit, die »Freiheit Vietnams« durch amerikanische Unterstützung zu sichern. Noch lange, bevor die USA zur militärischen Intervention in Vietnam übergingen, wurden ausgesuchte Präsidentenberater nach Vietnam geschickt. Charles Lindbergh war einer von ihnen.

Es war einer seiner letzten Aufträge für den scheidenden Präsidenten Dwight D. Eisenhower, dessen Vize Richard Nixon in einer höchst spannenden Präsidentenwahl im November 1960 dem jungenhaften Sympathieträger John F. Kennedy denkbar knapp unterlag. Lindbergh stimmte – entgegen seiner sonstigen republikanischen Treue – ebenfalls für Kennedy. Die Offenheit dieses Mannes gefiel ihm, außerdem war dessen Vater, der frühere England-Botschafter Joseph Kennedy, ein alter Lindbergh-Freund. Mit Eisenhowers bevorstehendem Abschied aus dem Weißen Haus endete auch Lindberghs Beratertätigkeit für den Präsidenten. Er gab seine konspirative Wohnung in der Via Polvese am Monte Sacro in Rom auf.

Dies alles war der Hintergrund zu drei sehr privaten Briefen von Charles an Bitusch vom 21. Mai, 7. Juni und 11. Juni 1960, in denen er sich – wie immer – nach Dyrk und der Gesundheit von Bitusch erkundigte, aber in eingestreuten Sätzen kurz und knapp und ohne Begründung erklärte:

> *»Im nächsten Winter habe ich vor, meinen Stützpunkt in der Schweiz zu haben und nicht in den Vereinigten Staaten.«* (21. Mai)
>
> *»Das meiste, womit ich beschäftigt gewesen bin, hatte mit dem Umzug meiner Operationsbasis in die Schweiz zu tun.«* (7. Juni)
>
> *»Ich fühle mich ganz schrecklich, dass ich dir immer wieder von diesen Verzögerungen schreiben muss. Aber zumindest gehen meine Pläne, meinen Stützpunkt in die Schweiz zu verlegen, in Ordnung.«* (11. Juni)

Stützpunkt Schweiz? Operationsbasis Schweiz? Was meinte Lindbergh damit? Und warum ausgerechnet in dieser kleinen Alpenrepublik? Die Gründe dafür lagen nicht in einem neuen obskuren Geheimdienstauftrag Lindberghs, was auch nie sein Metier war. Die Gründe dafür bestimmte ganz einfach sein Privatleben.

Im Juli 1959 hatte sich Lindbergh – wie schon erwähnt – ein Chalet im Schweizer Kanton Waadt gemietet, das er und (zumindest für mehrere Wochen im Jahr) auch Anne Morrow bewohnten. Wenige Jahre später kaufte Lindbergh an der Südseite der Monts de Corsier oberhalb von Vevey am Genfer See ein großes Grundstück für 20 000 Dollar, auf dem er ein kleines Haus mit Wohn- und Schlafzimmer, Bad, Küche, zwei Gästezimmern und Garage errichten ließ, das 1963 fertig gestellt war und dem dann noch ein kleines Chalet als Arbeitszimmer für Anne angegliedert wurde. Ein wunderschönes Anwesen in 800 Meter Höhe inmitten von Wiesen und Getreidefeldern mit einem fantastischen Panoramablick auf den Genfer See, das Rhône-Tal und die Alpen. Das neue Haus war geschaffen für Charles, für mehrmonatige Aufenthalte von Anne Morrow und für Besuche ihrer Kinder.

Doch nicht nur die Familie Lindbergh hatte jetzt ein Schweizer Domizil: Auch Lindberghs ehemalige Privatsekretärin und Geliebte Valeska war in die Schweiz gezogen – ins südlicher gelegene Montagnola am Luganer See.

Dem Umzug war ein schwerer Streit zwischen Valeska und Charles vorausgegangen. Kurz nach der Geburt von Dyrk hatte Charles seiner adligen Freundin in Rom gestanden, dass er der Vater des Kindes von Bitusch in München sei.

Valeska war außer sich vor Zorn und verwies Charles aus der Wohnung in der Via Polvese, die immerhin Lindberghs europäische Operationsbasis war. Später versöhnten sie sich wieder, nachdem Charles versprechen musste, sich niemals mehr mit den Hesshaimer-Schwestern auf eine Beziehung einzulassen. Eine Notlüge, wie die weitere Geschichte zeigte.

In einem Brief vom 6. März 1959 an Bitusch in München schrieb Lindbergh in einem Absatz die folgenden Zeilen:

»Liebe Brigitte, du solltest dir um Valeska nicht zu viel Sorgen machen. Ich bin mir sicher, dass sich das eines Tages einrenken wird. Sie ist sehr glücklich – wie schon gesagt, habe ich sie nie glücklicher gesehen und nette Briefe von ihr erhalten.«

»Eingerenkt«, wie Lindbergh schrieb, hat sich das Verhältnis zwischen Valeska und den Hesshaimer-Schwestern nie mehr. Die impulsive Valeska ließ Brigitte und Marietta über ihre gemeinsame Freundin Elisabeth ausrichten, sie wolle sie in ihrem Leben nicht mehr sehen. Ein Entschluss, den Valeska nie mehr geändert oder zurückgenommen hat.

»Eingerenkt« dagegen hatte Valeska ihr Verhältnis zu Charles Lindbergh, den sie trotz des von ihr als kränkend empfundenen Seitensprungs leidenschaftlich liebte. Sie wurde im Frühjahr schwanger und brachte im Dezember 1959 einen Sohn zur Welt – nach Dyrk der zweite natürliche Lindbergh-Sohn in Europa.

Zwei Jahre später bekam Valeska erneut ein Kind, diesmal eine Tochter. Auch sie war ein Kind der Liebesbeziehung zwischen Valeska und Charles.

Charles Lindbergh an Bitusch im März 1959:
»Du solltest dir um Valeska nicht zu viele Sorgen machen. Ich bin sicher,
dass sich das alles eines Tages einrenken wird.«

Da Valeska von ihren Eltern ein repräsentatives Haus in Baden-Baden geerbt hatte, zog sie in den 1960er-Jahren mit den beiden Kindern vom Luganer See in den Schwarzwald um.

Einen persönlichen Kontakt zu Brigitte Hesshaimer und ihren Kindern oder zur amerikanischen Familie von Charles Lindbergh hat Valeska konsequent bis ins hohe Alter abgelehnt. Ihr Sohn, der Lindbergh als äußerst fürsorglichen und zärtlichen Vater in Erinnerung hatte und der von Kindesbeinen an zweisprachig (Deutsch/Englisch) erzogen wurde, hat eine andere Position als seine Mutter Valeska: »Die Wahrscheinlichkeit ist groß, dass sich eine Liebesbeziehung mit dem berühmtesten Flieger des 20. Jahrhunderts nicht verheimlichen lässt. Damit musste meine Mutter eigentlich immer rechnen.«

Charles Lindbergh selbst hatte gegenüber Bitusch übrigens niemals verheimlicht, dass er mit Valeska eine Beziehung und auch Kinder hatte. In zahlreichen Briefen berichtete er immer recht offen, dass ihn seine Touren quer durch Europa regelmäßig in die Südschweiz oder später nach Baden-Baden zu Valeska führten. Es gab auch Briefe von Charles an Bitusch, in denen er am Anfang neben das Datum den Absender-Ort »Montagnola« (bei Lugano) setzte, wo Valeska nach der Auflösung des römischen Apartments an der Via Polvese wohnte.

Und Marietta?

Sie blieb Lindbergh immer in tiefer Liebe und Verehrung verbunden. Charles hat daraus nie ein Hehl gegenüber Bitusch gemacht, er hat die Besuche bei Marietta immer in seinen Briefen erwähnt. Wohl wissend, dass Bitusch ihm deshalb nicht böse war.

Nach dem Zerwürfnis mit Valeska zog Marietta im Rahmen ihres Kunststudiums und ihrer Malerei ebenfalls in die Schweiz: nach Sion an der Rhône im Kanton Wallis, nicht weit weg von Lindberghs Operationsbasis am Genfer See.

In einem Brief vom 14. Juni 1958 an Bitusch in München gestand ihr Charles, was selten vorkam, einen persönlichen Fehler ein. Er hatte sich, um Marietta wegen der Schwangerschaft ihrer Schwester zu beruhigen, bei ihr entschuldigt: *»Ich war sehr dumm und habe sie um Verzeihung gebeten.«* Bitusch reagierte darauf mit großer Toleranz, was ihr Charles in seiner Antwort hoch anrechnete: *»Es ist wundervoll, wie du diese Probleme meisterst.«*

Auch Marietta, deren Kunstfertigkeit als Malerin einen großen Eindruck bei Lindbergh hinterließ und die er immer materiell förderte, wurde schwanger. Im Dezember 1962 brachte sie in Konstanz am Bodensee ihren ersten Sohn, Vago, zur Welt.

Der »einsame Adler« hatte am Ende des Jahres 1962 in Europa drei Familien mit drei verschiedenen Frauen gegründet, die fünf Kinder in fünf aufeinander folgenden Jahren geboren hatten: Dyrk (1958), Valeskas Sohn (1959), Astrid (1960), Valeskas Tochter (1961) und Vago (1962).

Lindbergh war jetzt 60 Jahre alt und hatte sich seine zweite, seine europäische Existenz geschaffen. Wie aber war seine erste, seine amerikanische Existenz verlaufen?

7   Der Traum vom Fliegen

»ALS ICH EIN KIND WAR AUF UNSERER FARM IN Minnesota, lag ich stundenlang auf dem Rücken im hohen Gras, wo mich niemand sah, und blickte den weißen Kumuluswolken nach, die über mir zogen; oder ich starrte einfach den Himmel an. Es war eine andere Welt dort oben. Wie weit waren die Wolken weg? Näher wohl als des Nachbars Haus und doch unerreichbar wie der Mond – falls man nicht eine Flugmaschine hatte. Es wäre wundervoll, dachte ich, eine Flugmaschine zu haben – Flügel, mit denen man hinauf zu den Wolken fliegen, ihre Höhlen und Schluchten erforschen könnte, Flügel wie jener Habicht, der über mir kreiste. Und anschließend würde ich auf dem Winde reiten und selber Teil des Himmels sein ...«

So schilderte Charles Lindbergh in einem autobiografischen Rückblick seinen kindlichen Traum vom Fliegen und vom Reiten auf dem Wind. Der kleine Charles, der hier beschrieben wurde, lebte damals zu Beginn des 20. Jahrhunderts als *farmer's boy*, als Bauernbub (wie man in Bayern sagen würde), weitab von den großen Städten und Zentren der Technik und der aufkommenden Motorisierung.

Er war ein Kind des amerikanischen Mittelwestens auf einer einsamen Farm in der Nähe der Kleinstadt Little Falls, oberhalb des Mississippi River im nördlichen Minnesota. Die Weite dieses Landes und die Intensität seines Himmels müssen schon immer einen tiefen Eindruck auf einige Bewohner des Mittelwestens ausgeübt haben. Und sie zu Träumen inspiriert haben, zu diesem Himmel aufzusteigen und über das weite Land zu fliegen.

Ist es ein Zufall, dass (fast) alle amerikanischen Fliegerpersönlichkeiten des frühen 20. Jahrhunderts aus den Staaten des Mittelwestens kamen und nicht aus den urbanen Zentren der Ostküste oder den Sonnenstaaten des Südens und der Pazifikküste?

Lindbergh war ein *Midwestener* aus Minnesota, Amerikas erste Flugheldin, Amelia Earhart, kam aus Kansas, die Pioniere der modernen Luftfahrt, die gelernten Fahrradmechaniker Orville und Wilbur Wright, stammten aus Ohio, und der begeisterte Flieger und erste Luftfahrtminister Amerikas, Gene Vidal, war ein Junge aus Süddakota.

Dessen Sohn, Gore Vidal, einer der bedeutendsten Gegenwartsschriftsteller der USA und ein Flug-Enthusiast dazu, hat diese Magie des Mittelwestens für die Fliegerei in einem Essay beschrieben:

»Bei meinem einzigen Besuch in Süddakota, als ich von Madison nach Sioux Falls fuhr, war ich mir einer allumfassenden Schale Lichts bewusst, so als ob man auf dem Grund eines riesigen Goldfischglases wäre; und, was noch merkwürdiger war, das Licht schien ebenso sehr von unten wie von oben zu kommen. Dann fiel mir auf, wie flach die Ebene war, die ich durchquerte, wie hoch aufragender Himmel und niedriger Horizont eine leuchtende Kugel ergaben.

In einer solchen Landschaft erscheint Luftfahrt irgendwie als unvermeidlich. So ähnlich muss sich Lindbergh angesichts seiner Heimatgegend gefühlt haben, die er einen Gutteil seiner Jugend überflogen hat, als einer der ersten Luftpostboten.

Irdische Geografie bestimmte ihn für den Himmel. Die Familie ebenso ...«

Lindberghs Familientradition war durch zwei Kriterien gekennzeichnet: Ortswechsel und Herausforderung. Inwieweit dies als genetische Disposition für Charles Lindberghs abenteuerliches und ruheloses Leben ausschlaggebend war, mag bis heute Anlass zu Spekulationen geben. Fakt war: Pioniergeist und Mobilität prägten bereits seine Vorfahren.

Lindberghs Großvater, ein protestantischer Bauer, stammte aus Schweden. Genauer aus Schonen, jenem südlichen Landesteil an der Ostsee, der Krimi-Freunden bestens bekannt ist als das

Revier des Kommissars Wallander aus den berühmten Romanen des Schriftstellers Henning Mankell.

Jener schwedische Großvater hieß Ola Månsson und wurde 1808 geboren. Er heiratete als junger Mann die damals 17-jährige Bauerntochter Ingar Jonsdotter und hatte mit ihr acht Kinder. Sein Interesse für Politik und sein soziales Engagement führten dazu, dass er als Abgeordneter in den schwedischen Reichstag gewählt wurde, wo er als Einzelkämpfer für eine gerechtere Gesellschaft stritt. Ola Månsson forderte die Gleichberechtigung der Frauen und die Bürgerrechte für Juden, er verurteilte die legale Praxis von Großgrundbesitzern und Arbeitgebern, ihre Angestellten schlagen zu dürfen, und er setzte das Verbot des Prangers durch, jenes mittelalterlichen Schandpfahls, an den Ehebrecherinnen oder Kleinkriminelle gefesselt und öffentlich zur Schau gestellt wurden.

Obwohl ein politischer Gegner des herrschenden Klassensystems, wurde Månsson vom schwedischen Kronprinzen Karl August zu seinem Vertrauten und Privatsekretär gemacht, denn beide Männer tendierten zu einem System der Aufklärung und einer modernen konstitutionellen Monarchie.

Ola Månsson, der achtfache Vater aus Schonen, praktizierte zudem eine ganz persönliche Art der Aufklärung. In Stockholm, weit weg von zu Hause, galt der attraktive Reichstagsabgeordnete als großer Frauenverehrer. Eine bildhübsche Kellnerin, die 19-jährige Lovisa Callén, verliebte sich in den 30 Jahre älteren Mann und brachte am 20. Januar 1858 einen gemeinsamen Sohn zur Welt, der nach dem Namen des Kronprinzen als Karl August getauft wurde. In der Geburtsurkunde stand vermerkt: »Vater unbekannt«.

Unbekannt war auch für Månssons Ehefrau das Doppelleben ihres Mannes, das dieser zwischen Schonen und Stockholm heimlich organisierte. Politisch kam es dagegen zu einem Skandal.

Der Rebell aus dem Bauernstand hatte viele Neider und Gegner. Sie warfen Månsson vor, als Mitglied des Geldbewilligungs-Komitees des Reichstags einzelne Antragsteller bevorzugt und dafür Provisionen eingestrichen zu haben. Er wurde seiner Ämter enthoben und unter Anklage gestellt.

Für Månsson brach eine Welt zusammen. Aber er entschied sich, nicht zu kapitulieren, sondern jenes Land, von dem er sich persönlich diffamiert sah, zu verlassen. Er beschloss, noch vor dem Prozess zu fliehen, besorgte sich einen Pass und nahm Englisch-Unterricht.

Da es seine legale Familie in Schonen ablehnte, ihn ins Ausland zu begleiten, überschrieb er seinen Hof und seinen Besitz auf seinen ältesten Sohn und verschwand.

In jener Zeit gab es in Schweden eine große Namensreform. Statt an den Vornamen des Vaters den Sohn oder die Tochter anzuhängen (»son« oder »dotter«), konnten jetzt auch freie Namen gewählt werden. Ola Månsson ließ in seinen neuen Pass deshalb »August Lindbergh« eintragen, seine (nichteheliche) Frau hieß ab sofort »Louisa Carline Lindbergh« und der kleine Sohn »Charles August Lindbergh«.

Bei Nacht und Nebel verließen die Lindberghs ihre schwedische Heimat, nahmen ein Schiff nach Kanada, fuhren mit dem Zug in den gerade erst gegründeten amerikanischen Bundesstaat Minnesota, wo sie sich in einem unberührten Waldland nahe von Melrose als Siedler im Grenzgebiet zu den Sioux-Indianern niederließen. Die Lindberghs waren jetzt klassische *frontiers*, Teil jener legendären amerikanischen Einwanderer- und Pioniergeneration, die das Land prägte.

In Stockholm war Månsson-Lindbergh in Abwesenheit verurteilt und ihm waren die bürgerlichen Ehrenrechte aberkannt worden. Ob der alte Månsson-Lindbergh das je so konkret erfahren hatte, ist bis heute ungewiss. Er hatte definitiv seine Brücken nach Schweden abgebrochen und baute jetzt, als 51-jähriger amerikanischer Neubürger, als *pioneer* und *frontier*, seine zweite Existenz auf.

Es hat in der modernen Literatur viele Versuche gegeben, den psycho-historischen Charakter dieser *frontier*-Generation zu ergründen, jenes Ausbruchs und Aufbruchs zu neuen Ufern. Der Münchner Amerikanistik-Professor Gerd Raeithel hat in seiner Essay-Sammlung *Go West* den interessanten Vergleich gewählt, dass die *frontiers* wie rastlose Wanderer und wie die Gestirne von Ost nach West zogen, um diesen neuen Kontinent nicht nur zu erschließen, sondern zu erobern – gegen die Indianer und gegen die Natur. Asketisch, heroisch, rücksichtslos.

Die Lindberghs waren eine *frontier*-Generation der Aufbauer, der Eroberer, der Abenteurer – und der niemals Sesshaften. Raeithel spricht von einem Lieblingswort dieser damaligen Pioniere, das sich in ihren Liedern und in ihrer Literatur immer wieder findet: *to roam*, also umherschweifen, wandern. Das Wort wurde später im amerikanischen Schlager und im *country song* abgelöst vom Verbum *to fly* – fliegen, wegfliegen.

Come fly with me oder *Let's fly away.*

Aber wohin?

Noch ein semantischer Klassiker der *frontiers* war das englische Präpositionswort: *beyond.* Zu deutsch: jenseits, über, drüber – und hinaus.

Die Grenzen immer wieder überschreiten oder überfliegen. Das war das Credo dieser Generation. Und dies ist es für den amerikanischen Nationalcharakter, sofern man ihn überhaupt terminologisieren kann, bis heute geblieben.

Die eingewanderten Lindberghs generell, und Charles Lindbergh im Besonderen (wie noch zu beweisen sein wird), waren *Roamer* und *Flyer*, die sich ständig neue Grenzen steckten – und die sie immer und immer wieder überschritten.

Beyond the frontier, beyond the horizon.

Jenseits der Grenzen, jenseits des Horizonts.

Der Schlüssel zum Verständnis des »ewigen Fliegers« Charles Lindbergh liegt (auch) in den historischen Wurzeln seiner amerikanischen Familientradition.

Das Leben auf der Farm war hart für die Lindberghs. Einem Überfall von Sioux-Indianern entging die Familie nur durch die schnelle Flucht in ein Fort, während andere Farmer niedergemetzelt wurden. Bei einem Unfall im Sägewerk verlor Lindbergh senior einen Arm. Und auch als in drei aufeinander folgenden Jahren die gesamte Ernte durch Heuschreckenschwärme vernichtet wurde, gab der Pionier nicht auf.

Seine junge Frau Louisa schenkte ihm in Amerika noch sechs weitere Kinder, von denen drei im Säuglingsalter an Keuchhusten starben. Insgesamt hatte August Lindbergh mit seinen beiden Frauen in Schweden und Minnesota 15 Kinder.

Als er im Alter von 85 Jahren starb, galt er unter den Pionieren und Einwohnern seines Bezirks als hochgeschätzter Einwanderer und Patriot, der zeitweise sogar zum Stadtschreiber und Friedensrichter gewählt wurde. Sieben Jahre vor seinem Tod schloss August Lindbergh mit Louisa eine rechtsgültige Ehe.

Der älteste Sohn Lindberghs in seiner »amerikanischen Familie« war der in Stockholm geborene Charles August, genannt C.A. Der große hübsche Junge lernte bereits als Kind das Schießen, Angeln und Fallenstellen. Er war als Jäger für die Verpflegung der Lindbergh-Familie zuständig.

Nach Abschluss der Dorfschule und einer weiterführenden Akademie für begabte Farmersöhne schrieb sich C.A. an der Universität von Michigan ein und studierte Jura. Mit 25 Jahren schaffte er sein Examen und ließ sich in Little Falls/Minnesota als Rechtsanwalt nieder. Kurz darauf lernte er seine Frau, Mary LaFond, kennen, die ihm in schneller Folge drei Töchter schenkte, Lilian, Eva und Edith, die allerdings im Säuglingsalter starb.

Doch der Tod blieb ein grausamer Wegbegleiter von Charles August Lindbergh. Im April 1898 erkrankte seine erneut schwangere Ehefrau Mary an Unterleibskrebs. Bei der Operation starben sowohl Mary als auch das noch ungeborene Baby.

C.A. war mit 40 Jahren zum Witwer mit zwei kleinen Kindern, der zehnjährigen Lilian und der sechsjährigen Eva, geworden. Während seine Mutter und eine angestellte Erzieherin sich um die beiden Halbwaisen kümmerten, stürzte sich C.A. in die Arbeit und baute eine florierende Kanzlei auf.

Nach eineinhalb Jahren lernte der Witwer eine bildhübsche junge Lehrerin, 24 Jahre alt, kennen, die an der High School von Little Falls die naturwissenschaftlichen Fächer Chemie, Physik und Biologie unterrichtete: Evangeline Lodge Land. Sie stammte aus Detroit, wo ihr Vater, Dr. Charles Henry Land, eine Zahnarztpraxis betrieb. Er galt als einer der progressivsten und gleichwohl umstrittensten Dentisten seiner Zunft, da er sich ständig neue Behandlungsmethoden patentieren ließ.

Charles Henry Land, Charles Lindberghs Großvater mütterlicherseits, in seinem Labor, ca. 1900.

Dr. Land erfand die Jacketkrone und machte sich einen Namen als der »Vater des Porzellanzahns«. Die gut situierten konservativen Zahnärzte der Stadt witterten in dem Erfinder und Rebellen einen unliebsamen Konkurrenten, prozessierten gegen seine angeblich »unseriösen und fragwürdigen Patente« und schlossen ihn aus der zahnärztlichen Standesorganisation aus. Dr. Land verlor durch die Prozesse viel Geld und stand oft vor dem Bankrott. Doch ein streitlustiger Kreativer ist er sein Leben lang geblieben.

In seine einzige Tochter Evangeline hatte sich jetzt der erfolgreiche und ehrgeizige Rechtsanwalt Charles August Lindbergh verliebt. Obwohl Evangeline anfänglich von der spießigen und hinterwäldlerischen Kleinstadt Little Falls reichlich genervt war und sich schon bald mit dem örtlichen Rektor ihrer Schule überworfen hatte, gefiel ihr C. A., den sie in einem Brief an ihre Mutter als den *brillantesten Anwalt von ganz Minnesota«* vorstellte. Schließlich nahm sie seinen Antrag an und am 27. März 1901 heirateten Charles August Lindbergh und Evangeline Lodge Land in Detroit. Danach genehmigte sich das Paar eine ausgiebige, mehr als zweimonatige Hochzeitsreise nach Kalifornien.

Und noch ein teures, repräsentatives Geschenk machte C. A. seiner 18 Jahre jüngeren Frau: Er baute außerhalb von Little Falls am Westufer des Mississippi eine großzügige Farm mit 120 Morgen Land und vielen Bäumen. Hier zogen auch die beiden Töchter aus der ersten Ehe, Lilian und Eva, ein, die im Schulinternat jahrelang bitteres Heimweh gelitten hatten. Doch die distanzierte Art Evangelines verhinderte ein herzliches Verhältnis der beiden Mädchen zu ihrer neuen Stiefmutter. Sie hatten in ihrer leiblichen Großmutter Louisa die eigentliche Bezugsperson. Obwohl es nie offene Kritik gab, war das Verhältnis der Lindbergh-Familie zur neuen Ehefrau von C. A. immer gespannt. Mit ihren modischen Kleidern und den riesigen Sommerhüten, mit ihrer Neigung zu großstädtischem Leben schien sie nicht zur bescheiden-bäuerlichen Existenzweise der Lindbergh'schen *frontier*-Familie zu gehören.

Als Evangeline im Frühsommer 1901 schwanger wurde, passte es durchaus ins Bild, dass sie der Lindbergh-Familie und ihrem

Mann schon bald eröffnete, sie werde das Baby unter gar keinen Umständen im rückständigen Little Falls, sondern in ihrer Heimatstadt zur Welt bringen.

Am 4. Februar 1902, frühmorgens um 1.30 Uhr, wurde im Elternhaus von Evangeline in Detroit der kleine Charles Augustus Lindbergh geboren – ein stämmiges Baby von über acht Pfund und 55 Zentimeter groß. Der Onkel von Evangeline, der Arzt und Homöopath Dr. Edwin Lodge, ein gebürtiger Engländer, überwachte mit einer eigens engagierten Krankenschwester die problemlose Geburt des kleinen Lindbergh-Sohnes. Er wurde nach den Vornamen seines Vaters benannt, lediglich dem »August« wurde die lateinische Nachsilbe »-us« angehängt.

Der kleine Lindbergh verlebte zunächst äußerst behütete Jahre mitten in der Natur am Mississippi. Seine Eltern achteten darauf, dass er möglichst oft im Freien war – auch im Winter. Der Bub war umgeben von Tieren, die der Vater angeschafft hatte: Hunde, Katzen, Tauben, Ziegen, Schweine, Rinder, Schafe und Pferde.

C. A. konnte sich diese Luxus-Farm leisten, da er als arrivierter Anwalt rund 165000 Dollar im Jahr verdiente – für damalige Verhältnisse sehr viel Geld. Gleichzeitig verfügte C. A. über ausgedehnten Landbesitz rund um Little Falls.

Evangeline Lindbergh, die so gut wie keine Kontakte zur Kleinstadt-Bevölkerung von Little Falls pflegte und dort auch kaum Freundinnen hatte, war stark auf ihr Baby konzentriert, das sie den beiden Stieftöchtern deutlich bevorzugte.

Charles Lindbergh im Alter von sieben Jahren mit seinem Hund Spot (1909).

Im August 1905 erlitten die Lindberghs einen herben finanziellen Rückschlag: Ihr großes repräsentatives Wohnhaus auf der Farm brannte bis auf die Grundmauern nieder. Da C. A. einen Großteil seines Barvermögens in riskante Grundstücks- und Immobiliengeschäfte gesteckt hatte, blieb die Summe zum Wiederaufbau des Hauses bescheiden.

Das neue Haus, das an derselben Stelle des abgebrannten errichtet wurde, war wesentlich kleiner und weit weniger luxuriös geraten. Außerdem entließ C. A. die angestellten Landarbeiter und verkaufte fast den gesamten Tierbestand.

Evangeline war jetzt mit dem kleinen Charles immer häufiger im Hause ihrer Eltern in Detroit zu Gast. Dies lag nicht nur am Neubau der Farm in Little Falls: C. A. hatte – wie schon sein Vater – die Politik entdeckt. Er hatte sich der Republikanischen Partei angeschlossen, deren linken, progressiven Flügel er vertrat. C. A. agitierte massiv gegen die Macht der Großbanken, die für ihn das Grundübel der Epoche waren, und gegen einen schrankenlosen Kapitalismus, der die Arbeiter und die Bauern ausbeutete und um ihr Land brachte.

Das ökonomisch einschneidendste Ereignis, das zur Herausbildung des »linken Flügels« der Republikaner geführt hatte, war im Jahre 1890 ein Treffen des mächtigsten New Yorker Bankiers, J. P. Morgan, mit den Präsidenten der 17 wichtigsten Eisenbahngesellschaften Nordamerikas gewesen, bei dem man übereinkam, den Konkurrenzkampf einzustellen und ein Kartell zu bilden.

Innerhalb der nächsten 15 Jahre erreichte J. P. Morgan ähnliche Zusammenschlüsse riesiger Firmenverbände – darunter die United Steel, die International Harvester und der Guggenheim Kupfertrust. In den USA war damit das Zeitalter des monopolisierten Trust-Kapitalismus eingeläutet.

C. A. wurde in Minnesota schnell zum bekanntesten Redner gegen die Macht der Trusts und deshalb im Herbst 1906 zum Direktkandidaten der Republikaner für die Kongress-Wahlen nominiert. Auch diese Wahl gewann C. A., und so zog er 1907 für den »Progressiven Flügel« ins Repräsentantenhaus der Vereinigten Staaten in Washington ein. C. A. war zum Mitglied der politischen Klasse Amerikas aufgestiegen, wenngleich als Vertreter der bürgerlichen Linken.

Doch der Preis, den C.A. dafür bezahlte, war hoch. Seine Familie begann, sich schleichend aufzulösen. Seine jüngere Tochter Eva, eine große Verehrerin ihres Vaters, zog zu Verwandten nach Minneapolis. Die Ältere, Lilian, besuchte zunächst eine Privatschule in Detroit, später für kurze Zeit die Universität von Michigan, ehe sie wieder nach Little Falls zurückkehrte, dort heiratete und in jungen Jahren – sie wurde nur 28 – starb.

Für Evangeline und den kleinen Charles begann nun ein Nomadenleben, das sich zwischen Minnesota, Detroit und Washington abspielte. Vielleicht war dies auch der Grund, warum Charles Lindbergh in den späteren Autobiografien seine Jugend am Mississippi fast schwärmerisch verherrlichte. Bis 1917, dem Ende der politischen Karriere seines Vaters im Kongress, war er meist nicht mehr als drei Monate pro Jahr auf der idyllischen Farm von Little Falls.

Charles im Alter von neun Jahren mit seinem Vater Charles A. Lindbergh. Charakteristisch für beide: das »Lindbergh-Grübchen« im Kinn.

Obwohl Evangeline die politischen Ansichten ihres Mannes unterstützte, hatten sie sich privat mehr und mehr auseinander gelebt. Nur mit Rücksicht auf seine Karriere und die konservativ-puritanische Lebensauffassung seiner ländlichen Wähler traf sie mit C. A. eine Übereinkunft, sich nicht formal zu trennen oder scheiden zu lassen.

Ihre Ehe war aber spätestens ab 1907 nur noch Fassade. Charles hat darunter sehr gelitten, da er seine Mutter liebte und den politisch aufrechten Gang des Vaters immer verehrt hat. Als Kind bekam er auch schwere Ehekräche mit, unter anderem weil Evangeline herausgefunden hatte, dass C. A. ein Verhältnis mit einer Kongress-Stenografin in Washington hatte. Sie hielt ihm damals in maßloser Wut sogar ein geladenes Gewehr an den Kopf, drückte aber nicht ab. Andererseits beschimpfte C. A. seine Frau in Gegenwart des Jungen als »hysterische Blutsaugerin« und ohrfeigte sie.

So chaotisch das Eheleben der Lindberghs ablief, so unstet verlief die Schulkarriere von Charles. Da die Mutter ständig zwischen Little Falls, Washington und Detroit pendelte, besuchte Charles immer neue Schulen in den drei Städten und machte nie ein ganzes Schuljahr in einem einzigen Klassenverband mit. Entsprechend miserabel waren seine Leistungen, da er dem Wissensstandard immer hinterherhinkte.

Zwischendurch wurde er zur Verbesserung seiner Kenntnisse auch auf eine Privatschule geschickt. Dafür lernte Charles mit Begeisterung die praktischen Dinge des Lebens. Schon als Vierjähriger konnte er schwimmen, mit sechs Jahren brachte ihm sein Onkel in Detroit, Charles Land, genannt »Bruder«, das Schießen bei, und mit sieben bekam Charles sein erstes Gewehr, eine Repetierbüchse vom Typ Savage mit einem 22er-Kaliber.

Sein Vater war hocherfreut über die Treffsicherheit seines Juniors, der mit dem ersten Schuss eine Ente erlegte. Auch das Angeln erlernte Charles rasch.

Ein besonders beliebter Lehrer für Charles war sein Großvater Dr. Land, der ihn in seinem chemischen Laboratorium experimentieren ließ und ihm beibrachte, mit Werkzeugen aller Art umzugehen. Er lernte auch, das selbst gebastelte Radio seines Onkels fachgerecht zu zerlegen und wieder zusammenzubauen. Charles verstand sehr schnell und er war ein äußerst begabter Techniker.

Als Zehnjähriger wurde Charles in der Nähe von Washington zum ersten Mal Zeuge einer Flug-Show. Für ihn ein unvergesslicher Eindruck: »Meine Mutter und ich fuhren mit der Straßenbahn nach Fort Myer. Sie dachte, diese Angelegenheit verspreche nicht nur hochinteressant zu werden, sondern sie würde uns auch zu Zeugen eines wichtigen Ereignisses in der amerikanischen Geschichte machen. Ich sah dort, wie ein Flugzeug mit einem Automobil auf einer ovalen Rennstrecke um die Wette flog und wie der Pilot eines anderen Flugzeugs die mit Kalk markierten Umrisse eines Schlachtschiffes mit Orangen bombardierte, die er mit der Hand warf. Zwei oder drei Flugzeuge hatten schon am Boden Schwierigkeiten mit dem Motor; und eins musste kurz nach dem Start hinter einer Baumgruppe notlanden. Diese Erlebnisse waren für mich so intensiv und so faszinierend, dass ich unbedingt selbst fliegen wollte.«

Bereits ein Jahr später saß der jetzt elfjährige Charles hinter dem Steuer – allerdings keiner Flugmaschine, sondern eines Autos. Sein Vater hatte zu Wahlkampfzwecken einen Wagen gekauft – das Automobil jener Tage: ein T-Modell von Ford.

Der legendäre Autokonstrukteur Henry Ford hatte ein Massenvehikel geschaffen, das zwischen 1908 und 1927 insgesamt 15 Millionen Mal verkauft wurde. Das Vier-Zylinder-Auto mit Fußschaltung, Karbidscheinwerfern, Anlasser-Handkurbel und Klappverdeck leistete 20 PS und erreichte eine Höchstgeschwindigkeit von 40 Meilen (circa 72 km/h). Evangeline taufte das neue Auto auf den Namen »Maria«, aber fahren konnten weder Vater noch Mutter mit ihrer »Maria«. Der technisch versierte Charles lernte binnen weniger Tage das Starten, Lenken, Schalten, Vorwärts- und Rückwärtsfahren sowie das Reifenwechseln und die Wartung.

Da es damals noch keinen Führerschein gab, kutschierte der Elfjährige seinen Vater zu Wahlveranstaltungen und legte dabei fast tausend Meilen zurück.

Der Drang zur Mobilität und der Traum vom Verreisen erfuhren für den Jungen eine nochmalige Steigerung, als er kurz vor seinem elften Geburtstag im Januar 1913 mit seiner Mutter in New York an Bord des Dampfers *Colón* ging und für fast einen Monat nach Panama fuhr. Dort wurde in einem technischen Jahrhundertwerk gerade der Panama-Kanal gebaut.

Charles' Vater war als Kongress-Abgeordneter bereits fünf Jahre vorher dort gewesen. Seine Erzählungen hatten Charles so beeindruckt, dass er immer wieder bettelte, dorthin reisen zu dürfen – bis ihm der Vater diese Bitte gewährte.

Für Charles ging ein Traum in Erfüllung, vor allem weil ihm der Schiffskapitän die gesamte Technik der *Colón* zeigte und erklärte. Insgesamt 14 Tage verbrachte Charles auf See, und über zwei Wochen lang besichtigte er die Bauarbeiten am Panama-Kanal, wobei ihn die riesigen Dampf- und Schaufelbagger am meisten beeindruckten. Er machte Ausflüge in den Dschungel, sah Affen und Gürteltiere, Vogelspinnen und Schlangen, beobachtete aus der Nähe die Krokodile und Haie.

Technik und Natur – damit wollte er sich später einmal beruflich beschäftigen, erzählte er seiner Mutter vor dem Einschlafen.

Im folgenden Jahr erschütterten die Ereignisse in Europa auch die Vereinigten Staaten. Ausgelöst durch ein Attentat auf den österreichischen Thronfolger Franz Ferdinand am 28. Juni 1914 in Sarajewo und ultimative Drohungen von Österreich und Deutschland an Serbien und Russland, brach im August 1914 der Erste Weltkrieg aus. Europa wurde zum Schlachtfeld der Großmächte, und England betrieb massiv die Forderung um Unterstützung durch die Vereinigten Staaten.

In den USA war die dominierende Stimmung deutlich gegen einen Kriegseintritt. Der demokratische Präsident Woodrow Wilson verfolgte zunächst diesen antiinterventionistischen Kurs. Der Kongress-Abgeordnete Charles Lindbergh aber witterte eine von den Großbanken, den Trusts und England inszenierte Verschwörung. Er wurde jetzt zum leidenschaftlichen Redner gegen den Krieg und für eine isolationistische Grundposition der USA.

Zunächst stieß er damit auf große Zustimmung in der Bevölkerung. Um seinen politischen Einfluss zu vergrößern, beschloss

C. A., für den Senat zu kandidieren. Doch dazu musste er die Vorwahlen innerhalb der Republikaner gewinnen.

Er verkaufte seinen Ford und legte sich einen neuen Wagen, einen Saxon Six, zu, mit dem ihn Charles durch den gesamten Bundesstaat Minnesota chauffieren sollte. Im Frühjahr 1916 nahm C. A. deshalb den jetzt 14-jährigen Charles von der Schule, weil er ihn als Wahlhelfer und Autofahrer brauchte. 3000 Meilen spulte Charles mit dem Saxon Six herunter und unterstützte seinen Vater in den jeweiligen Veranstaltungsorten durch Plakatekleben und Flugblattverteilen.

Charles bekam mit, wie sein Vater unbeirrt an seiner antiinterventionistischen Haltung festhielt und sie sogar noch radikalisierte. Er forderte jetzt offen die Sozialisierung der Kriegsindustrie. »Ich hoffte, dass wir gewinnen«, sagte Charles später. »Und ich war tief enttäuscht, als wir verloren.«

Wir – Vater und Sohn gemeinsam. So begriff Charles sein Wahlkampfengagement, obwohl er auch darauf hingewiesen hat, sich nicht sonderlich für Politik zu interessieren. Aber er bekam einen Eindruck, wie die veröffentlichte Meinung die öffentliche Meinungsbildung beeinflusste. Immer mehr Zeitungen gingen auf Distanz zu C. A., beschrieben ihn als »Fanatiker« und »Radikalsozialisten«.

Am Ende gewann der gemäßigte Kandidat, Rechtsanwalt Frank Kellogg, die Vorwahl. Er hatte bereits anklingen lassen, dass ein Kriegseintritt der USA nicht bedingungslos auszuschließen sei.

Im ganzen Land schlug die Stimmung allmählich um. Woodrow Wilson, der die Präsidentschaftswahlen 1916 noch mit dem Slogan *He kept us out of the war* gewonnen hatte (»Er hat uns aus dem Krieg herausgehalten«), schwenkte unter dem immer stärker werdenden englischen Druck um.

Im Frühjahr 1917 stimmte das Repräsentantenhaus mit überwältigender Mehrheit für die Bewaffnung der US-Handelsflotte, einen Monat später trat Amerika in den Ersten Weltkrieg ein. In seiner letzten Rede im Kongress hatte C. A. nochmals die »kriegstreiberischen Banken« verurteilt und Amerikas Neutralität verteidigt. Er war hoffnungslos in der Minderheit. Die Kriegspropaganda rollte an.

Die *New York Times* bezeichnete den Abgeordneten Lindbergh als den »Bolschewiken aus Minnesota«. Fast resignierend schrieb C. A. über die Diffamierungs-Kampagne: »Der Presse zufolge ist man kein wahrer Amerikaner, wenn man nicht auf Seiten der Engländer steht. Wer aber wirklich für Amerika ist, einzig und allein für Amerika und vor allem für die Massen, den stuft die tonangebende, von den Spekulanten unterstützte Presse als deutschfreundlich ein.«

Bemerkenswerte Sätze, die später auch auf seinen Sohn Charles Anwendung finden sollten.

Als C. A. im Jahr darauf für die Non-Partisan League, eine progressive Bauern-Partei, bei den Gouverneursvorwahlen antrat, drohte ihm sogar die Lynchjustiz. Er musste Veranstaltungen abbrechen, weil er mit Eiern beworfen wurde, sein Auto wurde mit Steinen attackiert, in der Stadt Red Wing hing eine Lindbergh-Puppe symbolisch am Galgen.

Auch diese Wahl verlor C. A. – er war politisch ein isolierter, verbitterter Mann von 60 Jahren. Einst als Reformpolitiker und Kriegsgegner umjubelt, jetzt als Bolschewik und Defätist geschmäht.

Wie schnell die Mühlen der Propaganda doch mahlen konnten. Auch dies eine historische Parallele zur späteren politischen Karriere seines Sohnes.

Charles war in dieser Zeit, da sein Vater zurück auf die Farm in Little Falls gekommen war, vor allem damit beschäftigt, die Landwirtschaft auf dem eigenen Hof wieder in Schwung zu bringen. Es wurden Rinder und Schafe angeschafft, und Charles war fast den ganzen Tag als *farmer's boy* im Einsatz. Daneben besuchte er in Little Falls die Abschlussklasse der High School – mit den bekannten mäßigen Leistungen.

Durch seine ständigen Orts- und Schulwechsel der letzten zehn Jahre hatte er in der Stadt auch keine Freunde und Kameraden. Seine Bezugspersonen waren fast ausschließlich seine Mutter und sein Vater sowie die Familie Land in Detroit. Doch ausgerechnet der Sohn des Kriegsgegners C. A. profitierte vom Kriegseintritt der USA. Da durch die massenhaften Einberufungen in die Armee ein chronischer Mangel an Landarbeitern herrschte, legte die Regierung das *Food for Victory Program* auf. Alle Schüler, die sich an der Farmarbeit beteiligten, waren vom Unterricht freigestellt und erhielten automatisch den High-School-Abschluss. Charles gehörte zu den Gewinnern dieses staatlichen Programms »Lebensmittel für den Sieg« und so bekam er im Juni 1918 sein erfolgreiches Abschluss-Diplom.

C.A. war stolz auf seinen Sohn. Stolz vor allem, dass er fast im Alleingang sein schulisches und berufliches Pensum auf der Farm bewältigte. Der Pulitzer-Preisträger A. Scott Berg zitierte einen der seltenen Briefe, die C.A. an seinen Sohn schrieb:

»Mir gefällt es, dass du gerne arbeitest, aber ich will nicht, dass du es übertreibst. Auf eines bin ich vor allem stolz: dass du dich, wenn nötig, allein und unabhängig gegen die Welt wehren kannst. Ich schätze diese Fähigkeit an Menschen und besonders an dir, denn sie ist dir kaum aufgezwungen worden. Du hast sie selbst erlernt.«

»Allein und unabhängig« – hier war sie wieder, die revolutionäre Botschaft der *frontier*-Generation, deren höchstes Lob immer denen galt, die es *allein* geschafft hatten. Der *loner*, der einsame Kämpfer, ist bis heute eine der größten Auszeichnungen geblieben, die Amerikaner so schätzen. Die Eroberung und Kultivierung ihres Landes durch die Pioniere ist dafür die Basis.

Charles Lindbergh, den die Amerikaner später voller Hochachtung den *lone eagle*, den einsamen Adler, nannten, hat für seine Lebensphilosophie oft einen Spruch seines Vaters angeführt, den dieser von den alten Siedlern Minnesotas gehört hatte:

»Ein Mann ist ein Mann. Zwei Männer sind ein halber Mann. Drei Männer sind überhaupt kein Mann.«

Ein Mann ist ein Mann.

Deshalb stand es für Charles Lindbergh schon als 16-Jähriger fest, dass er sich nach der High School zum Militär melden würde, um sich als Pilot ausbilden zu lassen. Der Traum vom Fliegen ließ Lindbergh nicht mehr los.

Begeistert hatte er alles gelesen, was ihm unter die Finger kam, was das Hohelied der Fliegerei sang. Seit die Gebrüder Wright am 17. Dezember 1903 in Kitty Hawk/North Carolina mit dem Jungfernflug in ihrem selbst konstruierten Doppeldecker und einem 25-PS-Motor das Zeitalter der motorisierten Luftfahrt eröffnet hatten, waren die tollkühnen Männer in ihren fliegenden Kisten die Pop-Stars jener Zeit: der Franzose Louis Blériot etwa, der als Erster den Ärmelkanal zwischen Calais und Dover überflogen hatte, oder Amelie (»Melli«) Beese aus Deutschland, die erste fliegende Frau, die Amerikaner Frank Luke und Eddie Rickenbacker, der Engländer Mick Mannock, die Franzosen Charles Nungesser und René Fonck oder der deutsche Jagdflieger Manfred von Richthofen, den selbst die angloamerikanische Presse wegen seines roten Fokker-Dreideckers fast ehrfürchtig den »Red Baron« nannte.

Charles Lindbergh hatte viel gelesen über diese Helden der Lüfte, und zu seiner Lieblingslektüre zählte »Tam o' the Scoots«, eine fiktive Zeitschriftenserie über einen schottischen Fliegerhelden.

Doch die jugendliche Pilotenkarriere beim Militär zerschlug sich, noch ehe sie begonnen hatte. Als Lindbergh am 11. November 1918 bei einer Viehauktion einige Schafe ersteigern wollte, stürzte plötzlich ein Farmer auf den Platz und schrie: »Der Krieg ist vorbei! Die Deutschen haben kapituliert!«

So war es in der Tat.

Weit weg von Minnesota, im Wald von Compiègne in der französischen Picardie, hatte eine deutsche Verhandlungsdelegation unter Führung des Reichstagsabgeordneten Matthias Erzberger in einem Eisenbahnwaggon das alliierte Waffenstillstandsdiktat unterschrieben. Der Erste Weltkrieg, der vor allem ein europäischer Krieg war, hatte über zehn Millionen Menschen das Leben gekostet.

Und (fast) nichts mehr blieb, wie es vorher war.

Die Kriegsverlierer, das deutsche Kaiserreich und die österreichische k. u. k.-Monarchie, wurden zerschlagen. In Russland hatten die Kommunisten unter ihrem Strategen Wladimir Iljitsch Lenin die Macht übernommen und den Zarismus beseitigt.

In vielen Ländern Europas herrschten Hungersnot, Chaos und Inflation. Revolution und Konterrevolution lieferten sich blutige Schlachten. Im »Versailler Vertrag« vom Juni 1919 wurde Deutschland als Hauptschuldiger des Ersten Weltkriegs gebrandmarkt und musste ein milliardenschweres Reparationsprogramm unterschreiben. Die Lunte für den deutschen Nationalismus und Faschismus war gelegt.

In den USA wirkten die staatlichen Folgen der Kriegspropaganda auch nach dem Friedensschluss nach. Die Diffamierung angeblich »unamerikanischer Personen« und »Bolschewiken« gipfelte in den Palmer Raids, die zur Festnahme ohne Haftbefehl von tausenden von Linken, »Defätisten« und »Antipatrioten« führten.

Lindberghs Vater blieb davon zwar unbehelligt, aber er war politisch als »Wirrkopf« für immer kaltgestellt. Charles war dies eine Lehre, sich von der Politik fern zu halten. Am liebsten hätte er am Massachusetts Institute of Technology (MIT) Flugzeugbau studiert, doch dafür reichte sein High-School-Zeugnis nicht aus. Auch ein Studium der Medizin nach dem Vorbild des Vaters und des Onkels seiner Mutter schied aus, da Lindbergh dafür einen Lateinabschluss hätte nachholen müssen, wogegen er eine tiefe Aversion hatte. So entschied er sich im Sommer 1920 für ein Ingenieurs-Studium an der Universität von Wisconsin in Madison.

Sein Farmerleben in Little Falls war jetzt definitiv und für immer zu Ende. Sein Vater hatte das Gut verpachtet, und Charles machte sich mit seinem Excelsior-Motorrad, das er sich gekauft hatte, auf den Weg ins gut 600 Kilometer entfernte Madison, um sich dort am College einzuschreiben. Seine Mutter Evangeline hatte beschlossen, ihren jetzt 18-jährigen Sohn dorthin zu begleiten.

Sie fuhr mit dem Zug in die Universitätsstadt und mietete für sich und Charles in Campusnähe eine kleine Wohnung: Mutter und Sohn, wie schon in den Jahren davor, immer vereint.

Das Pauken naturwissenschaftlicher Theorie und die verschulte Organisation des Studiums machten Charles überhaupt keinen Spaß. Seine Leistungen in Physik und Chemie waren so schlecht, dass der Studienberater ernsthafte Zweifel an seiner College-Eignung anmeldete.

Dafür suchte sich Lindbergh einen Ausgleich in praktischer Freizeitgestaltung. Er trat dem Sportschützen-Team der Universität bei und errang auf Anhieb Medaillen und Meisterschaften. Er galt als der beste Allround-Schütze (Gewehr und Pistole) des Hochschulteams. Seine zweite Vorliebe gehörte der Artillerie-Ausbildung. Er schloss sich als Kadett dem »Reserve Officer Trainings Corps« (ROTC) an und trug zum ersten Mal eine Uniform. Diese musste für Charles aber eigens angepasst werden, da er bei einem Gardemaß von 1,88 Meter noch nicht einmal 70 Kilo wog. Bald hatte er seinen Spitznamen weg, der ihn lange begleiten sollte: *Slim* – der Schlanke.

Was Charles überhaupt nicht behagte, waren die Saufabende seiner Kameraden, von denen er sich weitgehend fern hielt. Da er als junger Mann nicht rauchte und fast keinen Alkohol trank, galt er später als Abstinenzler, was er mit Sicherheit nicht war. Als älterer Mann fing er sogar das Rauchen an.

Und sein Verhältnis zu Frauen?

Die schnellen Flirts und die großsprecherischen One-Night-Stands seiner Kommilitonen stießen ihn ab. Er ging nie Tanzen und in sämtlichen biografischen und autobiografischen Werken über Lindberghs Unizeit ist nie von einem Rendezvous die Rede. Manche Studentinnen lehnten ihn sogar explizit ab, weil er als *farmer's boy* keine gepflegten Umgangsformen hatte und meistens auch noch Motoröl unter seinen Fingernägeln. Lindbergh schraubte lieber an seinem Motorrad herum, als dass er Mädchen nachstellte. Sein einziger weiblicher Bezugspunkt blieb seine Mutter, zu der er jeden Abend heimging, um mit ihr gemeinsam zu essen.

Doch die Hoffnung von Evangeline, ihr Sohn würde mit akademischen Ehren sein Ingenieurs-Studium abschließen, erfüllten sich nicht. Kurz vor seinem 20. Geburtstag im Februar 1922 fiel Charles durch die Prüfungen in Mathematik, Physik und Maschinenbau. Er wurde mit sofortiger Wirkung vom Studium ausgeschlossen.

Bereits vor seinem unrühmlichen Ende als Ingenieurs-Student hatte Charles nach Alternativen gesucht. Sein Entschluss bei einem Scheitern an der Universität stand definitiv fest: Er wollte Flieger werden. So schrieb er mehrere Flugschulen an, um sich nach den Konditionen zu erkundigen.

Bereits einen Monat nach seiner Bruchlandung an der Uni machte sich Charles auf den Weg nach Lincoln, wo er bei der »Nebraska Aircraft Corporation« einen Flieger- und Mechanikerkurs für 500 Dollar belegen wollte. Das Geld hatte ihm sein Vater vorgestreckt in der Hoffnung, der Sohn würde bald genug haben von der aeronautischen Abenteuerei und sich an der Universität von Nebraska als Student einschreiben.

Ein Irrglaube, wie sich bald herausstellte.

Charles trennte sich von seiner besorgten Mutter, die in die Heimat ihrer Eltern nach Detroit zog und an der dortigen High School einen Job als Chemie-Lehrerin annahm.

Charles war jetzt entschlossen, seinen künftigen Weg allein zu gehen.

Sein Ausbilder in Lincoln war ein ruppiger Haudegen namens Ray Page, der gar keine Flugschule betrieb, sondern in erster Linie alte Maschinen umbaute und Piloten für seine »Flugschau« requirierte. Lindbergh war sein einziger »Schüler«, den er nur »Slim« nannte und der zunächst als Bordmechaniker ausgebildet wurde.

Nach acht Tagen durfte Charles zum ersten Mal in seinem Leben in einem Flugzeug mitfliegen. Es war eine »Lincoln Standard«, ein Doppeldecker, den Pages Chefingenieur und Kunstflieger Otto Timm testen sollte. Charles war mit ihm nur 15 Minuten in der Luft, doch es war eine Viertelstunde, die sein Leben ändern sollte. Hinterher berichtete Charles von dem Erleben eines absoluten Glücksgefühls, vom Verlassen der Vergangenheit, von »einem unsterblichen Raum, erfüllt von Schönheit und durchdrungen von Gefahr«.

15 Flugminuten hatten Lindbergh klar gemacht, wo seine berufliche und persönliche Perspektive lag – in der Luft, Richtung Himmel.

Angstgefühle hatte Charles zu keiner einzigen Sekunde seines Erstlingsflugs gehabt. Und auch in Zukunft sollte dies seine große psychische und mentale Stärke als Flieger auszeichnen:

Höhenangst, Schwindelgefühl, Absturztrauma – Lindbergh hat nie darunter gelitten. Niemals in seinem Leben.

Deshalb hatten ihn auch die Warnungen seiner Kommilitonen an der Universität kalt gelassen, die ihm aktuelle Statistiken vorlegten, nach denen ein Pilot maximal 900 Flugstunden überlebte – bis es zum tödlichen Absturz kam.

Nach seiner ersten Flugstunde bekam Charles einen neuen Lehrer zugeteilt, den früheren Armee-Ausbilder Ira Biffle, genannt »Biff«. Ein harter Hund und Schleifer, der völlig überrascht war von den spontanen, fast naturgegebenen Fliegerfertigkeiten seines großen schlaksigen Schülers. »Ich habe noch nie einen wie den gehabt, der ein solches Reaktionsvermögen hat«, brummte er.

Nach nur sieben Flugstunden sagte er zu Charles: »Du kannst jetzt deinen ersten Alleinflug machen.«

Ein größeres Kompliment hatte der alte Soldat wahrscheinlich noch nie ausgesprochen.

Doch zu dieser Premiere kam es nicht, weil Ray Page das Übungsflugzeug dem besten Kunstflieger Nebraskas, Erold Bahl, verkauft hatte. Bahl konnte es nicht glauben, dass ein blutiger Anfänger wie Charles bereits nach so kurzer Zeit imstande wäre, allein eine »Lincoln Standard« zu fliegen.

So bot ihm Bahl an, bei seiner Kunstfliegertruppe mitzumachen und über Land zu reisen. Mit anderen Worten: Sie tingelten von Kleinstadt zu Kleinstadt, von Jahrmarkt zu Jahrmarkt, um dort ihre Kunststücke vorzuführen. Auf Charles wartete sein erster Einsatz – als *Wing-Walker*. Er sollte während des Fluges aus dem Cockpit aussteigen und sich auf eine Tragfläche stellen und den Menschen unten auf dem Platz zuwinken. Die Verstrebungen zwischen den Doppeldeckern dienten als Haltegriffe.

Lindbergh willigte sofort ein.

Er hatte keine Höhenangst und wurde »Tragflächen-Geher«. Er war jetzt eine Jahrmarktattraktion, ein tollkühner Bursche, bei dessen luftigen Auftritten in der Höhe den Menschen unten auf dem sicheren Boden des Jahrmarkts schon beim Zuschauen schwindlig wurde. Es war auch ein gefährlicher Job: Mehrere

Wing-Walker stürzten in den diversen Flugschauen der 1920er-Jahre in den Tod.

Doch Lindbergh suchte noch eine Steigerung des Abenteuers: den Absprung mit dem Fallschirm von der Tragfläche. Bei einer anderen Stunt-Truppe, die über die Dörfer und Jahrmärkte tingelte, lernte er den gefährlichsten Fallschirmeinsatz kennen: den Doppelsprung.

Der Springer hatte dabei zwei Fallschirme umgeschnallt. Nachdem sich der erste Schirm geöffnet hatte, schnitt er mit einem Messer das Seil durch, das seinen Leibgurt mit dem Fallschirm verband. Der jetzt davonfliegende erste Fallschirm war mit einer Leine an den zweiten Fallschirm gebunden, den der Springer auf dem Rücken trug und der jetzt praktisch vom ersten Schirm aus dem Rucksack gezogen wurde – ein todesmutiger Sport.

Lindberghs allererster Fallschirmsprung war – natürlich – der Doppelsprung. Oder – wie sein Erfinder, Charley Hardin, ihn nannte – der *cutaway jump*. Ausgeführt aus einer Höhe von 600 Metern.

Obwohl sich der zweite Schirm sehr spät öffnete, brachte Lindbergh den Sprung unverletzt zu Ende – trotz knallharter Landung.

Mit einem neuen Kunstfliegerpiloten tourte Lindbergh den ganzen Sommer und Herbst 1922 durch den Mittelwesten bis nach Colorado Springs in den Rocky Mountains. Lindbergh fungierte in einer Person als Tragflächen-Geher, Fallschirmspringer und Bordmechaniker. Er schrieb seiner Mutter begeisterte Briefe über sein neues Abenteurerleben, wenngleich er ihr sicherheitshalber verschwieg, wie gefährlich sein Job war.

Eine Zeitung erfand seinen ersten Beinamen: »Lindbergh, der tollkühne Teufel der Lüfte«.

Doch dazu bedurfte es im realen Leben einer eigenen Maschine. Lindbergh schwor sich nach dem glücklichen Ende der Jahrmarktsaison, sich im kommenden Jahr ein Flugzeug zu kaufen.

Im Juni 1923 war es dann so weit: Charles hatte seinen Vater dazu bewegen können, für einen Kredit von 900 Dollar zu bürgen.

In dieser Zeit nach dem Ende des Krieges rangierte die US-Army ihr altes Fluggerät aus, das von geschäftstüchtigen Flugzeugtechnikern billig erworben, dann modernisiert und für Preise zwischen 500 und 1000 Dollar weiterverkauft wurde. Einen Pilotenschein zum Führen eines Flugzeugs gab es damals noch nicht.

Bei einer Flugzeugauktion im Mai 1923 in Americus im Bundesstaat Georgia, von der er erfahren hatte, kaufte sich Lindbergh eine Curtiss JN4-D, die in der Pilotensprache »Jenny« hieß. Es war eine klassische Übungsmaschine der US-Army, ein zweisitziger Doppeldecker mit offenem Cockpit. Dazu erhielt Lindbergh einen neuen Curtiss OX-5-Motor mit acht Zylindern und einen Zusatztank für 76 Liter Benzin. Lindbergh handelte einen sehr günstigen Preis aus: 500 Dollar. Der Kaufvertrag wurde unterschrieben, Charles war Besitzer seines ersten Flugzeugs.

Lindberghs Problem mit der maximal 100 km/h schnellen Maschine war nicht der leistungsschwache Motor und die starke Windanfälligkeit der »Jenny« bei Start und Landung.

Lindberghs Problem waren Start und Landung.

Nie zuvor hatte er eine Maschine als Einzelpilot geflogen und noch nie war er mit einem Flugzeug allein gestartet und gelandet.

Sein erster Versuch mit der »Jenny« ging gründlich daneben. Er hob nur einen guten Meter von der Startbahn ab, dann knallte er auf den Boden.

Lindbergh besaß zwar jetzt ein Flugzeug, aber wie sollte er es in die Luft bringen?

Rein zufällig traf er am Rande des Flugfeldes einen jungen Piloten, dem er sein Problem schilderte.

»Okay«, sagte der Mann namens Henderson. »Wir üben jetzt eine Stunde und fliegen zu zweit im Cockpit. Sie müssen versuchen, ein Gefühl für die Maschine zu kriegen.«

Nach sechs Starts und Landungen sagte ihm Lindbergh: »Ich habe die Maschine im Griff.«

Der junge Henderson war überrascht und antwortete nur: »Na dann, viel Glück.«

Charles Lindbergh (vorne) und ein Passagier in einem »Jenny«-Doppeldecker, aufgenommen im Jahre 1923.

Lindbergh war jetzt allein in der Maschine. Er dachte an die Worte seines Vaters.

Ein Mann ist ein Mann. Zwei Männer sind ein halber Mann. Drei Männer sind überhaupt kein Mann.

Dann rollte er auf das Flugfeld und gab Gas.

Es gelang ihm ein Bilderbuchstart ohne Wackler und Absacken. Er zog die Maschine bis auf 1500 Meter hoch und kreiste über Georgia. Er fühlte sich wie befreit, so als schwebe er auf einer Wolke des Glücks. Jetzt war er der Teufel der Lüfte.

Auch die Landung klappte problemlos.

Eine Woche lang blieb Lindbergh noch in Americus, um zu starten, zu landen und sich seine »Jenny« zurechtzufliegen.

Das ganze Jahr 1923 tourte Lindbergh als Kunstflieger durch die USA und verdiente gutes Geld damit, einzelne mutige Schaulustige für einige Minuten durch die Luft zu fliegen.

Erfahrene Piloten gaben ihm schließlich den Tipp, er solle mit der Kunstfliegerei aufhören und sich bei der Luftwaffe melden. Er bekäme dort eine solide Ausbildung und dürfte die modernsten Flugzeuge wie die 100-PS-starken De Havillands fliegen und nicht die ausrangierten Jennys oder Canucks.

Lindbergh ließ sich überzeugen, meldete sich zur Musterung und traf Mitte März 1924 in Brook Fields in der Nähe von San Antonio ein. Er war jetzt Kadett im *Air Army Service*. Lindbergh war mit seinen bis jetzt absolvierten 300 Flugstunden und 700 Flugschau-Auftritten der erfahrenste Pilot unter den über 100 Kadetten. Das Einzige, was ihn störte, war der große Block an theoretischer Ausbildung, den er neben der fliegerischen Praxis zu absolvieren hatte.

Am 24. Mai 1924 erreichte Charles ein Telegramm seiner Stiefschwester Eva, dass sein Vater C.A. einem Gehirntumor erlegen sei. Er war 66 Jahre alt geworden.

Charles schottete sich in seiner Kadetten-Klasse innerlich völlig ab, wenngleich er zu seinen Mitschülern ein kameradschaftliches Verhältnis hatte. Sein Enthusiasmus für die Fliegerei brachte es überraschenderweise mit sich, dass er auch in Theorie große Fortschritte machte und am Ende des ersten Ausbildungsjahres als Zweitbester abschnitt.

Kurz vor der Abschlussprüfung an der *Air Service Advanced Flying School* im März 1925 nahm Lindbergh an einem riskanten Flugmanöver teil. Lindbergh flog in einem einmotorigen Doppeldecker vom Typ SE-5 in einer Staffel, die von oben eine Doppeldecker-Havilland angreifen musste.

Beim Sturzflug kollidierte Lindberghs Maschine mit der eines Ausbilders und stürzte ab. Lindbergh kletterte auf sein senkrecht stehendes Cockpit und rettete sich mit dem Fallschirm.

Eine unglaubliche Aktion der Kaltblütigkeit.

Acht Tage später beendeten 18 Kadetten – von ursprünglich 104 – die Militär-Flugschule. Lindbergh absolvierte sie als Klassenbester und wurde zum Leutnant der Reserve ernannt. Nach

Charles Lindbergh (mit ausgekugelter Schulter) nach einem Sprung aus einem Flugzeug, das er für einen Freund getestet hatte (Lambert Field 1925).

seiner Entlassung aus der Armee arbeitete der frisch gebackene Leutnant Lindbergh noch bis Jahresende als Kunstflieger. Dann wartete eine neue Herausforderung auf ihn.

Der amerikanische Kongress hatte im Jahre 1925 das so genannte Kelly-Gesetz verabschiedet, das der staatlichen US-Post die Genehmigung gab, Beförderungsverträge mit Privatunternehmen abzuschließen, besonders auf dem Gebiet der Luftpost. Zwei Brüder aus Saint Louis, der Metropole des Bundesstaats Missouri, William und Frank Robertson, hatten die Gunst der Stunde erkannt und sich um eine Postfluglizenz für die Strecke St. Louis–Chicago beworben. Das Brüderpaar war Eigentümer der Robertson Aircraft Corporation mit fünf Havilland-Maschinen, klassische Aufklärungsflugzeuge mit offenem Doppelcockpit.

St. Louis, am Mississippi gelegen, war 1764 von franko-kanadischen Einwanderern gegründet und nach dem französischen König Louis IX., dem Heiligen, benannt worden. Jetzt galt die Stadt als »Tor zum Westen« und hatte bereits im Jahre 1904 die dritten Olympischen Spiele der Neuzeit ausgerichtet. Major Albert Bond Lambert, im Ersten Weltkrieg Leiter einer Schule für Ballonfahrer, hatte ein 170 Morgen großes Feld gekauft, das nach ihm benannte Lambert Field, um die Luftfahrt von St. Louis kostenfrei zu fördern.

Hier war auch schon Charles Lindbergh als Kunstflieger aufgetreten, und William Robertson war von seinem Können so beeindruckt gewesen, dass er jetzt Kontakt zu ihm aufnahm: Er bot Charles den Posten des Chefpiloten für die neue Luftpostlinie von St. Louis nach Chicago an. Lindbergh sagte zu.

Im April 1926 eröffnete Robertson Aircraft offiziell die neue Flugverbindung. Lindberghs Havilland wurde auf den Namen *St. Louis* getauft, und der Leutnant der Reserve hob ab.

Er war jetzt Postflieger geworden.

Ursprünglich hatte er einen anderen Plan gehabt. Er hatte sich bei einem der berühmtesten US-Piloten jener Zeit, Commander Richard E. Byrd, um einen Cockpitplatz in seiner dreimotorigen Fokker F VII beworben, mit der Byrd den Nordpol überfliegen wollte und wofür er zwei erfahrene Piloten suchte. Lindbergh war fest davon überzeugt, mit seinen über 1100 Flugstunden und seiner erstklassigen Kadetten-Ausbildung der Richtige zu sein – doch Byrd nahm zwei andere Piloten mit.

Der Nordpolflug, gestartet im norwegischen Spitzbergen, wurde am 9. Mai 1926 zu einem großen Erfolg, und Commander Byrd stieg in den Olymp der amerikanischen Fliegerhelden auf.

Lindberghs neue Aufgabe gehörte zu den risikoreichsten Jobs im ganzen Land. Statistisch gesehen gab es in den USA keinen gefährlicheren Beruf: Von den 40 bei der Regierung angestellten Postpiloten waren innerhalb weniger Monate bereits 31 Piloten ums Leben gekommen – eine Todesquote von 80 Prozent. Es gab keine Positionslichter oder Leuchtfeuer, die Piloten flogen bei Tag und bei Nacht nur auf Sicht. Die ständigen Nebelbänke auf der 460 Kilometer langen Route zwischen St. Louis und Chicago waren eine permanente Todesgefahr.

Wenn die Sicht zu schlecht wurde, mussten die Maschinen auf Wiesen und Äckern notlanden, und die Piloten mussten sich per

Charles Lindbergh (mit Krawatte) nach einem glücklich überstandenen Absturz mit seinem Postflugzeug (November 1926).

Anhalter zum nächsten Bahnhof durchschlagen, um die Briefe und Päckchen mit dem Zug weiterzutransportieren.

Wegen der hohen Absturzquote der Postflugzeuge trugen die Havillands den Beinamen »Fliegende Särge«. Die einzige bewilligte Sicherheitsmaßnahme, die Lindbergh für seine kleine Crew durchsetzen konnte, waren neue Sitzfallschirme aus Seide.

Es war eine lebensrettende Seide.

Innerhalb von sechs Wochen – zwischen Mitte September und Anfang November 1926 – stürzte Lindbergh zweimal ab, konnte sich aber in beiden Fällen mit dem Fallschirm retten. Bereits ein Jahr zuvor hatte sich Lindbergh zweimal mit dem Fallschirm vor einem tödlichen Absturz in Sicherheit bringen können: Im März 1925 beim Abschluss-Manöver an der Kadettenschule und zwei Monate später bei einem Testflug für die Nationalgarde.

Charles Lindbergh war damit der erste Flieger der USA, der vier Flugzeugabstürze ohne größere Verletzungen überlebt hatte.

Die Zeitungen feierten ihn als Wunderflieger und gaben ihm einen neuen Namen: *Lucky Lindy*.

Doch Charles im Glück, der mittlerweile wegen seiner fliegerischen Leistungen zum Captain der Nationalgarde befördert worden war und der trotz zweier Abstürze ein Plansoll als Postflieger von 98 Prozent erreichte, dachte an Abschied von diesem mörderischen Job.

Er favorisierte einen Fliegerposten bei der regulären Luftwaffe und ließ sich sicherheitshalber mustern – auch wenn er noch keine konkrete Stellung in Aussicht hatte. Und er hatte ein noch größeres Ziel vor Augen: einen Weltrekord.

Der in Frankreich geborene New Yorker Hotelier Raymond Orteig, ein großer Verehrer der Fliegerei, hatte einen Preis ausgeschrieben: 25 000 Dollar in bar sollte der Pilot erhalten, der in einem motorisierten Land- oder Wasserflugzeug die Strecke von New York nach Paris (oder umgekehrt) in einem einzigen Flug überquerte.

Als Lindbergh zeitgleich erfahren hatte, dass mit dem neuen Wunderflugzeug Bellanca-Wright eine Top-Maschine auf dem Markt war, ließ ihn der Gedanke nicht mehr los. Immer wieder, wenn er die Nachtroute St. Louis–Chicago flog, schoss es ihm durch den Kopf: »Warum sollte ich eigentlich nicht von New York nach Paris fliegen? Ich bin fast 25 Jahre alt. Mehr als vier Jahre Fliegen habe ich hinter mir, beinahe 2000 Stunden in der Luft. Über die Hälfte der 48 Staaten der USA bin ich gejagt, habe die Post durch die schlimmsten Nächte geflogen, kenne die Windwirbel um die Rocky Mountains und die Stürme im Tal des Mississippi wie kaum ein Zweiter ... Warum sollte ein Flug über den Ozean nicht genauso gut möglich sein? Ebenso, wie ich das andere geschafft habe, kann – nein, *will* ich mir auch dies vornehmen. Ich werde einen Flug nach Paris vorbereiten!«

8   Der Flug über den Atlantik

DAS ABENTEUER DES ATLANTIKFLUGES UND DIE PRÄMIE von 25000 Dollar ließen Lindbergh nicht mehr los. Er begann, konkrete Pläne zu schmieden, wie er einen Flug von New York nach Paris in die Praxis umsetzen könnte. Der wichtigste Punkt seiner Überlegungen stand von Anfang an fest: Er brauchte ein eigenes Flugzeug. Sein Problem: Er verfügte nur über eine zusammengesparte Barschaft von 2000 Dollar. Er benötigte also Sponsoren, da er von einem Grundkapital von 25000 Dollar – der Höhe des Preisgeldes – ausging.

Lindbergh, der Einzelgänger, hatte im Jahr 1926 einen für seine Verhältnisse revolutionären Schritt gemacht: Er hatte sich in einer Gemeinschaft organisiert. Er war in St. Louis der Freimaurer-Loge »Keystone Lodge Nr. 243« beigetreten, bei der er angesehene Unternehmer, Intellektuelle und Bankiers kennen lernte. Einer von ihnen war der Geschäftsmann Harry Knight, der bei Lindbergh Flugunterricht nahm. Mit ihm sprach »Slim«, wie er immer noch wegen seiner schlanken Figur genannt wurde, als Erster über das Transatlantikprojekt.

Knight, ein zwar unbegabter, aber flugbegeisterter Hobby-Pilot, fand den Plan keineswegs absurd, sondern realisierbar – vor allem in finanzieller Hinsicht. Zusammen mit dem Ballonfahrer Major Albert B. Lambert arrangierte Knight ein Treffen mit dem Chef der Handelskammer von St. Louis, Harold Bixby, um über die Finanzierung eines Flugzeuges für Lindbergh zu diskutieren.

Bixby war von der Idee fasziniert und schlug vor, mit dem Lindbergh-Flugzeug – nach erfolgreicher Landung in Paris – eine neue Postlinie von St. Louis nach New York einzurichten. Er kümmerte sich um weitere Sponsoren, die letztlich inklusive der Lindbergh'schen Ersparnisse ein Grundkapital von 15 000 Dollar einzahlten.

Der Pioniergeist des jungen Postfliegers und seine Organisierung bei den Freimaurern hatten die materielle Basis für das Atlantikprojekt geschaffen. Oder wie es Lindbergh nannte: »*The Spirit of St. Louis*«. Jener »Geist von St. Louis« sollte später als Name seines Flugzeuges in die Weltgeschichte der Aeronautik eingehen.

Doch zunächst wollte sich ein anderer Aeronautiker in die Annalen einschreiben: Der französische Pilot René Fonck meldete als Erster seine Anwartschaft für den Jahrhundertflug von New York nach Paris an. Er zählte zur internationalen Garde der mutigsten und arriviertesten Flieger, und er hatte einen der besten Flugzeugkonstrukteure seiner Zeit für sein Projekt gewonnen – den Exil-Russen Igor Sikorsky.

Die nach ihm benannte Sikorsky S-35 war das damals spektakulärste Flugzeug der Welt. Der Doppeldecker, ausgestattet mit drei Sternmotoren, die 425 PS Leistung brachten, hatte ein Doppel-Cockpit für vier Männer, ein ausziehbares Sofabett, einen Wärmeschrank für Fertigmenüs und eine eigene Kühlbox für Champagner, den René Fonck eingelagert hatte, »für den Fall, dass nach meiner Landung in Paris kein Schampus aufzutreiben ist«.

Doch Fonck erreichte Paris nicht.

Seine Champagnerflaschen gingen bereits kurz nach dem Start in New York zu Bruch. Als die völlig überladene Maschine am Morgen des 15. September 1926 von den Roosevelt Fields in New York abheben wollte, brachte Fonck die Luxus-Sikorsky nicht in die Höhe. Die Maschine raste über die Startbahn hinaus und ging in Flammen auf. Während Fonck und sein Copilot die Katastrophe überlebten, verbrannten der Navigator und der Bordmechaniker.

Das Rennen um den 25 000-Dollar-Preis des Hoteliers Raymond Orteig hatte bereits beim ersten Versuch zwei Todesopfer gefordert.

Charles Lindbergh hatte alle Berichte über Foncks Vorbereitungen und die technischen Details der Sikorsky-Maschine gelesen. Für ihn stand jetzt fest: Er hatte nur im Alleinflug eine Chance – und in einer Maschine, die auf jegliches Übergewicht verzichtete.

Sein Traum war noch immer der neue Prototyp eines Spitzenflugzeugs, die Bellanca. Konstruiert vom Italoamerikaner Giuseppe Bellanca und ausgestattet mit einem neuen Whirlwind-Sternmotor aus der Fabrik von Wright Aeronautical Corporation in New Jersey.

Im November 1926 machte sich Lindbergh mit dem Zug von St. Louis auf den Weg nach New York, um Giuseppe Bellanca zu treffen. Zum ersten Mal in seinem Leben und gegen seine Grundüberzeugung hatte sich Lindbergh auf dringendes Anraten seiner Sponsoren »in Schale geworfen«: Für 100 Dollar kaufte er sich einen neuen Anzug, einen Mantel, einen Hut und einen Seidenschal, um Eindruck auf den modebewussten Italiener zu machen, der ihn im New Yorker First-Class-Hotel »Waldorf Astoria« empfing. Doch das Treffen verlief im Sande.

Bellanca konnte Lindbergh keine Zusagen machen, und der von ihm genannte Preis von knapp 30 000 Dollar für ein dreimotoriges Flugzeug überstieg Lindberghs Budget.

Enttäuscht kehrte er nach St. Louis zurück und schrieb von dort alle ihm bekannten Flugzeughersteller der USA an: Wer war imstande, für maximal 15 000 Dollar ein Flugzeug zu bauen, das in der Lage war, von New York nach Paris zu fliegen und eine Mindest-Motorenleistung von 50 Stunden ohne Unterbrechung zu garantieren?

Noch einmal meldete sich Giuseppe Bellanca. Er bot Lindbergh einen nagelneuen Prototyp mit Wright-Sternmotor zum Vorzugspreis von 15 000 Dollar an, da er eine eigene Firma, die Columbia Aircraft, gegründet habe.

Wieder fuhr Lindbergh mit dem Zug nach New York. Und wieder erlebte er ein Fiasko. Der Scheck über 15 000 Dollar lag zwar schon auf dem Tisch, als ihm die »Columbia«-Chefs eröffneten, sie selbst würden entscheiden, welche Piloten-Crew von New York nach Paris fliegen würde. Abrupt stand Lindbergh auf, steckte den Scheck wieder in seine Brieftasche und erwiderte kurz: »Es wird keine Crew nach Paris fliegen, sondern nur ein einzelner Pilot. Und der bin ich selbst.« Dann verließ er die Firma und fuhr heim nach St. Louis. Dies geschah am 19. Februar 1927.

In der Zwischenzeit hatte Lindbergh erneut Post bekommen, diesmal aus Kalifornien. Eine kleine Flugwerft aus San Diego, die »Ryan Aeronautical Company«, bot ihm den Bau einer einmotorigen Eindeckermaschine zum Preis von 6000 Dollar ohne Motor an. Für einen neuen Neunzylinder-Wright-Sternmotor wären noch einmal 4580 Dollar fällig.

Lindbergh überlegte nicht lange.

Er kaufte sich für 75 Dollar ein Zugticket nach San Diego und traf dort am 25. Februar 1927 ein. Als er mit dem Taxi zum Hafen fuhr, wo »Ryan Airlines« beheimatet war, erlebte er eine Riesenenttäuschung. Die Flugzeugfabrik war in einem baufälligen, schäbigen Gebäude untergebracht. Der Putz rieselte von den Wänden, auf dem Boden waren Öl- und Benzinpfützen, es existierten weder ein Hangar noch ein Flugfeld. »Ryan Airlines« war eine Firma, die vor dem Bankrott stand. Ein Abbruchunternehmen.

Deshalb auch der kostengünstige Projektvorschlag.

Lindbergh war kurz davor, wieder umzudrehen und nach St. Louis zurückzufahren. Doch irgendetwas hielt ihn zurück. Er wollte wenigstens mit dem Chefingenieur sprechen.

Vielleicht war das kein Bankrotteur.

Der Mann war ein Volltreffer.

Donald Hall, so hieß der Mann, erklärte sich bereit, innerhalb von 24 Stunden alle technischen Details für ein Flugzeug zusammenzustellen, das in der Lage war, im Non-Stop-Flug von New York nach Paris zu fliegen. Außerdem sicherte er zu, das Flugzeug innerhalb von zwei Monaten zu bauen – »und keinen einzigen Tag länger«, wie er versicherte.

Lindbergh stimmte sofort zu und unterschrieb am 25. Februar 1927 den Kaufvertrag. Unter einer Bedingung: Er wollte an jedem Planungsdetail beteiligt sein. Hall willigte ein – und begann sich ab sofort nur noch zu wundern.

Lindbergh eröffnete ihm zunächst, er wolle ein Leichtbau-Flugzeug von minimalem Gewicht mit Mono-Cockpit. Hall fragte nach: »Wollen Sie allein nach Paris fliegen? Ohne Copilot und Navigator?«

Lindbergh nickte.

Daraufhin stellte Hall die einzige Frage, die Lindbergh aus dem Konzept brachte, weil sie so nahe liegend war. Nur Lindbergh, der pedantische Planer, hatte sie sich noch nie gestellt.

»Wie weit ist die Strecke von New York nach Paris und wie lange wollen Sie allein in der Luft sein?«, fragte Donald Hall.

Lindbergh zuckte mit den Schultern.

»Dann rechnen wir es aus«, sagte Hall und fuhr mit ihm in eine Leihbibliothek, wo ein Globus stand. Mit einem Bindfaden steckte Lindbergh die Strecke von New York bis Neufundland, dann über den Atlantischen Ozean bis Irland und von dort über den Ärmelkanal bis Paris ab. Mit Papier und Bleistift rechnete er die Bindfadenlänge entsprechend des Globus-Maßstabs in die reale Entfernung um.

»Es sind knapp 5800 Kilometer«, sagte Lindbergh.

Jetzt nahm Hall den Bleistift und begann zu rechnen. »Bei einer Durchschnittsgeschwindigkeit von 165 Stundenkilometern brauchen Sie 35 Stunden. Und Sie dürfen keine Minute schlafen. Schaffen Sie das?«

Lindbergh nickte. Das Projekt war abgesegnet.

Jetzt hatten der Konstrukteur und die Arbeiter das Wort. Für sie alle galt Lindberghs Devise: »An erster Stelle steht die Flugleistung und das Minimalgewicht, an zweiter Stelle steht die Stabilität der Maschine, an dritter und letzter Stelle steht mein Komfort.«

Lindbergh hatte durchgesetzt, dass der große Benzintank direkt vor dem Pilotensitz in das Cockpit eingebaut wurde. Lindbergh hatte also keine Sicht durch die Frontscheibe, weswegen ihm ein Mechaniker, der im Krieg zur U-Boot-Flotte gehört hatte, vorschlug, wenigstens ein Periskop einzubauen, damit er durch das Sehrohr nach vorne schauen konnte.

Während die Arbeiter der Ryan-Fabrik in Tag- und Nachtschicht aus Fichtenholz und zweifach geschlagenen Klaviersaiten ein Tragflächenskelett bauten, verkroch sich Lindbergh in das Mini-Büro von Donald Hall, um auf Marinekarten mit der so genannten Mercator-Projektion seine exakte Route auszurechnen und zu bestimmen. Die Mercator-Projektion berücksichtigte – im Unterschied zu normalen Landkarten – die Erdkrümmung und ermöglichte eine exakte Streckenberechnung.

Lindbergh teilte die Gesamtstrecke von 5776 Kilometern in Einzelabschnitte zu jeweils 100 Meilen ein, die er sich in 33 Karten zurechtlegte.

Mit einer Schere schnitt er alles übrige Papier der Landkarten weg, um Gewicht zu sparen. Gewicht sparen – das war Lindberghs Basisformel.

Alle Instrumente, die er für überflüssig und gewichtsträchtig hielt, wurden vom Equipment gestrichen: Funkgerät, Peilungsnavigator, Sextant, Innenheizung oder Fallschirm. Lediglich einem Propeller mit zwei Rotorenblättern aus Leichtmetall stimmte er zu, weil sie ihm widerstandsfähiger schienen als Holzkonstruktionen.

Für den Fall einer Notlandung im Atlantik, einer »Wasserung«, hatte Lindbergh nur ein Minimalpaket eingeplant: ein kleines Schlauchboot, ein Messer, ein Sägeblatt, vier Leuchtraketen mit Zündhölzern, eine Angel, Schokoladenproviant aus der »eisernen Ration« der US-Army und eine Feldflasche Wasser.

Der eigentliche metallene Luxus dieses Holzflugzeugs waren die riesigen Benzintanks mit insgesamt 1705 Liter Fassungsvermögen und der Wright-Whirlwind-Sternmotor J-5C, ein luftgekühlter Neun-Zylinder-Viertakter mit knapp 225 PS Leistung und einer Spitzengeschwindigkeit von gut 200 km/h.

Das Gesamtgewicht der Maschine, einschließlich voller Tanks, betrug 2330 Kilogramm.

Es war ein absolutes Leichtgewicht aus Holz mit lackierter Kunststoffbespannung von achteinhalb Meter Länge und einer Tragflächenspannweite von 12,50 Meter – ausgelegt auf eine Maximalreichweite von 7500 Kilometer Flugstrecke.

Eine traumhafte Zahl für ein Flugzeug, das die Mechaniker in New York vor dem Start zum Atlantikflug abschätzig als »fliegende Apfelsinenkiste« bezeichneten.

Wie es Donald Hall versprochen hatte, war das Flugzeug exakt nach zwei Monaten Bauzeit, am 25. April 1927, fertig gestellt. Lindbergh konnte zum Jungfernflug starten. Es war ein Traumflug über San Diego und die kalifornische Pazifikküste.

Charles Lindbergh in seiner klassischen Fliegerkluft mit Breeches (Reithosen) und Stiefeln vor seinem Flugzeug »Spirit of St. Louis« im Mai 1927.

Lindbergh wusste bereits nach dem ersten Test, dass die »Apfelsinenkiste« aus der Ryan-Flugwerft ein großer Wurf war – ein Spitzenflugzeug.

Bevor Lindbergh mit der Maschine, die inklusive Motor 10 580 Dollar gekostet und in 60 Tagen aus dem Nichts produziert worden war, sich in Richtung St. Louis verabschiedete, erschien noch »Gus, der Wappenmaler«, auf der Flugwerft.

Für zehn Dollar Honorar pinselte er mit riesigen Lettern das Zulassungskennzeichen auf die Ober- und Unterseite der Tragfläche: N-X-211.

N war das internationale Kennzeichen der USA, X stand für ein Versuchsflugzeug, 211 war die für Lindbergh zugeteilte Nummer aus New York.

An den beiden Außenseiten des Cockpits wurde der Name des Flugzeugs in Kursivschrift angebracht:

Spirit of St. Louis.

Und auf das Seitenruder am Heck der nagelneuen *Spirit* wurden die Initialen aufgemalt: »RYAN NYP«. Ryan New York–Paris.

Das Flugzeug für den Atlantikflug war fertig.

Lindbergh musste nur noch fliegen.

Während Lindbergh in jenen April-Tagen 1927 im hintersten Winkel von Kalifornien sein Spezial-Billigflugzeug bauen ließ, überschlugen sich in New York und Paris die Ereignisse. Der 25 000-Dollar-Preis des New Yorker Hoteliers Raymond Orteig für den Atlantikflug hatte die besten Piloten jener Zeit auf den Plan gerufen.

Der amerikanische Nordpol-Überflieger und Nationalheld Richard Byrd, der Liebling der New Yorker Society und protegierte Mann des Big Business (wie z. B. von John D. Rockefeller), hatte

Die drei Konkurrenten: Charles Lindbergh, Richard Byrd und Clarence Chamberlin (v. l. n. r.) vor der »Spirit of St. Louis« am 13. Mai 1927 in New York.

seine Kandidatur angemeldet und sich von Fokker ein dreimotoriges Superflugzeug für eine Vier-Mann-Crew konstruieren lassen. Doch bereits beim ersten Testflug am 16. April stürzte die Fokker, patriotisch auf den Namen *America* getauft, ab. Byrds Copilot Floyd Bennett überlebte schwerst verletzt.

Zehn Tage später wagten Commander Noel Davis und sein Navigator Stanton Wooster in einem Keystone-Doppeldecker den nächsten Test für die Atlantiküberquerung.

Ein Desaster.

Sie stürzten kurz nach dem Start in einen Sumpf und erstickten beide im Cockpit ihrer *American Legion*.

Kurz davor hatte Clarence Chamberlin mit dem Favoriten-Flugzeug, der Bellanca, eine totale Bruchlandung hingelegt.

Mit René Fonck, Dick Byrd, Noel Davis und Clarence Chamberlin waren jetzt bereits vier Piloten und ihre Crews gescheitert. Vier Abstürze mit vier Toten!

Doch ein neuer Herausforderer für den Orteig-Preis hatte sich in Paris gemeldet: Der französische Fliegerheld des Ersten Weltkriegs, Charles Nungesser, und sein Copilot François Coli wollten von Le Bourget in Paris starten und im Hafen von New York landen. Nungesser war von ähnlichen Voraussetzungen wie Lindbergh ausgegangen: möglichst wenig Gewicht an Bord. Deshalb wollte er nach dem Start sein Fahrwerk abstoßen und in New York auf dem Wasser landen.

Sein Levasseur-Doppeldecker hatte keinerlei Komfort an Bord – allerdings zwei Piloten.

Und eine Delikatesse.

Nungesser hatte der französischen Presse verraten, er nehme zwar im Unterschied zu René Fonck keinen Champagner mit, aber er werde sich an Bord von Bananen und Kaviar ernähren.

Am 8. Mai 1927 starteten Nungesser und Coli mit ihrer *Oiseau Blanc*, dem »Weißen Vogel«, in Paris – verabschiedet von zehntausenden von Zuschauern und mit einem gigantischen Presse-Echo.

La Grande Nation war sich sicher: Der Atlantik-Weltrekord würde nach Frankreich gehen. Am Morgen des 10. Mai wollten Anwohner in Neufundland den »Weißen Vogel« gesehen haben. In

Paris überschlug sich die Massenpresse mit Schlagzeilen: »Nungesser hat es geschafft!« oder »Der Atlantik ist ein Franzose!«

Es war eine Ente, eine Falschmeldung.

Der »Weiße Vogel« hatte den amerikanischen Kontinent nie erreicht. Irgendwo zwischen Irland und Kanada stürzten Nungesser und Coli ins Meer und starben den Fliegertod.

Das Rennen um den Orteig-Preis hatte jetzt fünf Abstürze und sechs Tote zu beklagen.

Am selben Tag, als Nungesser und Coli starben, bestieg Charles Lindbergh in San Diego seine *Spirit of St. Louis,* um zum gefährlichsten Flug der Welt aufzubrechen. Im Alleingang – und das war das absolute Novum. Keiner hatte das vor ihm gewagt.

Lindbergh flog zunächst nach St. Louis.

Über den Rocky Mountains bekam er die ersten Probleme. Der Motor fing zu stottern an, weil das Öl-Benzin-Gemisch offensichtlich nicht stimmte. Eine Notlandemöglichkeit im größten Gebirge der USA gab es nicht, doch Lindbergh schaffte es, den Motor während des Fluges richtig einzustellen.

Problemlos landete er auf den Lambert Fields nach einer Rekordzeit von 14 Stunden und 25 Minuten für die rund 2000 Kilometer von San Diego nach St. Louis. In »Louie's Snack Bar« am Flugplatz der Stadt orderte er sein Lieblingsfliegeressen, Schinken mit Eiern, und ging schlafen. Am nächsten Morgen verabschiedete er sich von seinen Sponsoren und Freunden, um nach New York aufzubrechen. Unter dem Rumpf der Maschine klebte er seine freimaurerischen Dokumente der »Keystone Lodge« an – sie sollten ihm Glück bringen.

Nach knapp siebeneinhalb Stunden traf Lindbergh auf Curtiss Field in New York ein. Wieder ein Rekord.

Lindbergh war – die Schlafunterbrechung in St. Louis abgezogen – in weniger als 22 Stunden von der West- zur Ostküste durchgeflogen.

Die New Yorker Presse hatte einen neuen Helden.

Vor allem einen, der mit seinem jugendlichen Charme und dem Grübchen im Kinn verdammt gut aussah. Über Lindbergh brach eine wahre Interview-Welle herein.

Charles mit seiner Mutter Evangeline Land Lindbergh in New York am 14. Mai 1927, knapp eine Woche vor dem Atlantikflug. *Ein Kuss-Foto für die Reporter lehnten beide entschieden ab.*

Ob er lieber Blondinen oder Brünette bevorzuge? Welche Lieblingsspeise er habe? Welches Rasierwasser er benutze? Wer seine Traumfrau sei?

Der 25-jährige *farmer's boy* aus Minnesota, der noch nie mit einer Frau geschlafen hatte, verstand die Welt nicht mehr. Alles für den Parisflug hatte er bis ins Detail genau geplant. Aber an die Interessen der Boulevardpresse hatte er keinen einzigen Gedanken verschwendet. Was wollte die Journaille von ihm?

Als kurz nach Lindberghs Ankunft in New York seine Mutter Evangeline Land eintraf, wurde er von Fotoreportern um ein Abschiedskuss-Foto gebeten. Lindbergh lehnte empört ab.

Am nächsten Tag erschien in der Boulevardpresse die erste Fotomontage der amerikanischen Pressegeschichte. Auf die Körper eines sich küssenden Paares waren die Köpfe von Lindbergh und seiner Mutter hineinretuschiert worden.

Am meisten erzürnte Lindbergh allerdings die Tatsache, dass er bei Probestarts entdeckte, dass sich Fotoreporter am Ende des Flugfelds postiert hatten, um einen eventuellen Crash ins Bild bannen zu können. »Das sind die Botschafter der Niederlage und des Todes«, schrie er außer sich vor Zorn zu den Mechanikern im Hangar. »Diese Journalisten sind wie Aasgeier!«

Eine Position, die Lindbergh bis an sein Lebensende aufrechterhalten hat – eine Todfeindschaft.

Trotzdem machte Lindbergh mit der Nicht-Boulevard-Abteilung der amerikanischen Presse einen lukrativen Deal. Er verkaufte die Exklusivrechte seines Parisflugs an die *New York Times* für die stolze Summe von 5000 Dollar.

Ein mutiger Schritt.

Denn bei den Londoner und New Yorker Wettbüros standen die Quoten für eine Atlantiküberquerung Lindberghs bei 10 : 1.

Zehn zu eins – für einen Absturz.

Die Öffentlichkeit hielt es für ausgeschlossen, dass ein Postflieger in einem selbst gebastelten Flugzeug nach den Tragödien von Davis und Nungesser im Alleingang den Atlantik überfliegen könnte.

Findige Reporter hatten einen alten Spitznamen aus Lindberghs Stuntman-Zeit als Tragflächen-Geher ausgegraben: »*The flying fool*« – der fliegende Narr!

Lindbergh, der Irre!

Ein sympathischer Narr, dieser Abenteurer aus dem Mittelwesten, aber ein Verrückter, der offenbar in den Tod fliegen wollte.

Das war die Ausgangsposition, als am Morgen des 20. Mai 1927 die *Spirit of St. Louis* auf die vom Regen aufgeweichte Startbahn des Roosevelt Field in New York rollte.

Der Narr wollte tatsächlich nach Paris fliegen.

Fünf Weltklasse-Piloten waren vor ihm bereits gescheitert: Fonck, Byrd, Davis, Chamberlin und Nungesser. Jetzt also der *flying fool*.

Um mit einem historischen Missverständnis aufzuräumen: Lindbergh war keineswegs der erste Atlantikflieger in der Geschichte der Luftfahrt.

Bereits acht Jahre vorher, am 14. Juni 1919, hatten zwei englische Piloten in einer zweimotorigen Vickers den Flug über den Atlantik von Neufundland nach Irland bewältigt. Hauptmann John Alcock und sein Copilot Arthur Whitten-Brown waren in einem Non-Stop-Flug von St. John's nach Clifden fast 3400 Kilometer über den Atlantik unterwegs.

Wie in einem Action-Film à la Hollywood war Whitten-Brown in 3000 Meter Höhe bei finsterer Nacht über dem tobenden Atlantik aus dem Cockpit ausgestiegen, hatte sich auf der Tragfläche nach vorne gerobbt, um den vereisten Vergaser zu reparieren. Es gelang ihm nach mehreren Versuchen.

Die beiden Engländer legten in Irland zwar eine Bruchlandung hin, überlebten aber und kassierten als Belohnung die für damalige Verhältnisse horrende Summe von 10000 Pfund Sterling der Tageszeitung *Daily Mail*. Danach wurden sie vom englischen König George V. in den Adelsstand erhoben – mit einem traurigen Ende. Kurz nachdem er Adelstitel und Geld erhalten hatte, stürzte John Alcock in Nordfrankreich tödlich ab.

Lohn der Angst – aber nie verfilmt.

Fünf Jahre später überflog ein Deutscher erstmals den Atlantik. Hugo Eckener fuhr im Oktober 1924 mit dem Zeppelin »LZ 126« in knapp 72 Stunden von Friedrichshafen am Bodensee direkt nach New York. Das Luftschiff war ein Bestandteil der deutschen Reparationszahlungen an die USA.

Die Besonderheit des Lindbergh-Fluges war nicht die Erstmaligkeit einer fliegerischen Atlantiküberquerung. Sie lag in der Tatsache des Alleinflugs. Lindbergh verwirklichte mit seinem Vorhaben einen amerikanischen Traum: Er flog *nonstop and alone*. Lindbergh realisierte den Geist der Pionier- und *frontier*-Generation: allein gegen die Herausforderungen der Natur, der Wildnis, der Realität.

Aus dem *flying fool* wurde der *lone eagle* – vom »Fliegenden Narren« zum »Einsamen Adler«. Eine größere Ehrenbezeichnung für einen Mann hat es im Amerika des 20. Jahrhundert nie mehr gegeben. Der deutsche Amerikanist, Professor Gerd Raeithel, hat

Lindbergh als den »möglicherweise repräsentativsten Helden in der Geschichte der Vereinigten Staaten« bezeichnet. Weil er als einsamer Amerikaner das fast aussichtslose Abenteuer des Atlantikflugs wagte.

Nur mit einem *joy stick*, einem Steuerknüppel in den Händen, über 5800 Kilometer von New York nach Paris zu fliegen – das war für die Amerikaner nicht nur die Verwirklichung eines Traums. Es war die Realisierung des amerikanischen Pragmatismus – ein Triumph des Willens und des Vertrauens in die Technik. Lindbergh war Amerikas Christopher Columbus der Neuzeit. Ein Mann der Moderne. Ein Idol des 20. Jahrhunderts. Ein Held der USA.

Am 20. Mai 1927 wagte Lindbergh den großen Flug.

Wochenlang hatte es in New York geregnet, jetzt klarte es auf. Vor allem für die Küste war gutes Flugwetter angesagt. In letzter Minute hatte sich Lindbergh noch einen zweiten Kompass einbauen lassen, der über seinem Sitz angebracht war. Er brauchte einen Spiegel auf der Instrumententafel, um die Daten lesen zu können. Die Anekdote ist verbürgt, dass ihm eine junge Frau unter den Zuschauern auf dem Flugfeld ihren Handspiegel aus der Puderdose zusteckte, den Lindbergh mit einem Kaugummi so anbrachte, dass er die spiegelverkehrte Skala des Induktionskompasses lesen konnte.

Um zwei Uhr nachts jenes historischen Tages, dem 20. Mai 1927, stand Lindbergh in seinem Hotel auf und zog sich an: Militärbreeches, Stiefel, Hemd und Fliegerjacke. Dazu ein wollgefütterter Helm und die Fliegerbrille. Dann ließ er sich zum Flugplatz der Roosevelt Fields bringen. Aus Gewichtsgründen lehnte er jeglichen Koffer mit Ersatzklamotten oder Unterwäsche ab. Er hatte nicht einmal ein Zahnbürste oder Rasierzeug dabei.

Neben seinem Pass nahm er nur noch einen Scheck über 500 Dollar mit, für den Fall, dass er in Paris einen Anzug oder ein Hotel brauchte oder ein Rückfahrtticket mit dem Schiff.

Der Regen über New York hatte aufgehört, als gegen fünf Uhr morgens mit dem Betanken der Maschine begonnen wurde. Insgesamt 1705 Liter Sprit wurden in den Haupttank und in die Zusatztanks gefüllt.

Summa summarum ging Lindbergh, einschließlich seiner 75 Kilo Lebendgewicht (mit Kleidung), mit knapp 2,2 Tonnen Gesamtgewicht an den Start.

Um 7.40 Uhr bestieg Lindbergh das Cockpit seiner *Spirit of St. Louis*. Ein Zuschauer hatte ihm noch eine Christopherus-Medaille zugesteckt, die Lindbergh in seiner Hosentasche verstaute.

Der zweite Glücksbringer neben seinen freimaurerischen Dokumenten am Rumpf der Maschine.

Dann schnallte er sich an und versank für etwa zehn Minuten in eine stumme Konzentrationsphase.

Lindbergh hatte sich einen Drei-Stufen-Plan zurechtgelegt, den er gedanklich noch einmal durchging.

Stufe 1 war der Start.

Wenn er die voll getankte Maschine rasch hochziehen konnte, würde er weiterfliegen. Ansonsten hatte er an einen Abbruch des Fluges gedacht.

Stufe 2 war der Flug von New York nach Neufundland. Er würde zwar bereits das Meer überfliegen, war aber immer noch in Sichtkontakt mit dem Festland. Sollte der Motor stottern, würde er den Flug abbrechen.

Stufe 3 war der Flug über den Ozean. Lindbergh hatte sich als *point of no return* die Marke von 1500 Ozean-Kilometern gesetzt, nachdem er St. John's an der nordamerikanischen Ostküste überflogen und den Flug über das freie Meer begonnen hatte. Wenn bis dahin alles glatt ging und der Motor einwandfrei funktionierte, würde er bis Irland durchfliegen. Bei jeglichem Anzeichen eines Havarie-Verdachts wollte er umkehren.

Mit anderen Worten: Lindbergh ging den Flug nicht als besessener Abenteurer, sondern als kühler Rechner an. Von *flying fool* konnte keine Rede sein.

Um 7.50 Uhr New Yorker Zeit startete Lindbergh den Motor, stopfte sich zwei Wattestöpsel in die Ohren und rollte auf die aufgeweichte Startbahn des Roosevelt Field. Rund 500 Zuschauer waren gekommen, dazu Dutzende von Journalisten und mehrere Kamerateams.

Eine Minute später hob Lindbergh die Hand und wies die Mechaniker an, die Bremsklötze unter den Rädern zu entfernen. Die *Spirit of St. Louis* jagte unter Vollgas über das 1500 Meter lange Rollfeld.

Kurz vor dem Ende der Bahn zog Lindbergh das Flugzeug hoch. Den kritischen Punkt, die Telefonleitungen, überflog er mit einem Abstand von sechs Metern. Dann gewann die Maschine sofort an Höhe. Das schwierigste Manöver der mit 1705 Liter Benzin voll getankten Maschine, der Start, war geglückt. *Lucky Lindy* nahm Kurs auf Paris.

In New York unterbrachen die Radiosender ihr Morgenprogramm: »Lindbergh ist in der Luft! Er hat den Start geschafft!«

Die *Spirit of St. Louis* flog durch Nebelschwaden die nordamerikanische Küste entlang. Der Motor lief völlig ruhig, die Benzinpumpe arbeitete normal, die Fluggeschwindigkeit betrug 180 Stundenkilometer.

Doch Lindbergh hatte ein Problem: seine Fitness.

Die Nachricht von der plötzlichen Wetterbesserung hatte ihn am Vorabend erreicht, und er hatte keinen Schlaf mehr finden können. In der Nacht war er zudem mehrmals geweckt worden. Als er am 20. Mai 1927 um 7.51 Uhr an den Start ging, hatte er bereits 24 Stunden nicht mehr geschlafen.

Aus Gewichtsgründen hatte er es abgelehnt, eine Thermoskanne mit heißem Kaffee zum Wachhalten mitzunehmen. Sein Proviant bestand aus einer Feldflasche mit kaltem Wasser und fünf belegten Broten, die er sich aus der Flieger-Kantine mitgenommen hatte.

Lindbergh begann, Selbstgespräche zu führen, um sich wach zu halten. Er redete fast ununterbrochen mit seiner Maschine, »seinem Floh«, »seiner Apfelsinenkiste«.

Am Mittag erreichte er Neuschottland – er war exakt auf Kurs geblieben. Am frühen Abend überflog er Neufundland und deren Hauptort St. John's. Er zog die Maschine nach unten und sah auf den Straßen die Leute winken. Es war das letzte Lebenszeichen auf seiner bevorstehenden schwierigsten Etappe: dem Flug über dem Ozean. Zwölf Stunden hatte er jetzt hinter sich – und 15 harte Stunden bei Nacht, Nebel und Eis über den Atlantik bis zur irischen Küste hatte er noch vor sich.

In den Theatern und Kinos von New York wurden die Vorstellungen unterbrochen, nachdem die Nachricht aus St. John's eingegangen war: »Lindbergh hat Amerika verlassen! Jetzt fliegt er über den Atlantik!«

Die erschütterndste Szene spielte sich im Yankee-Stadion in der Bronx ab. Vor 40000 Zuschauern duellierten sich im Schwergewicht die beiden Profi-Boxer Jack Sharkey (der spätere Weltmeister und Max-Schmeling-Gegner) und Jim Maloney. Doch vor dem Kampf bat der Ringrichter um eine Schweigeminute für Lindbergh, der in diesen Stunden mit dem Atlantik kämpfte.

40000 Zuschauer erhoben sich von den Plätzen und beteten gemeinsam das »Vater unser« für Lindbergh. Danach flogen die Fäuste im Ring, wo Jack Sharkey einen K.-o.-Sieg in der fünften Runde errang.

Unterdessen stand Lindbergh 3000 Kilometer nordöstlich des Box-Rings vor seinem eigenen Knock-out. Mitten über dem Atlantik.

In 3000 Meter Höhe tobte ein eisiger Sturm. Es war völlige Finsternis, Lindbergh sah nichts mehr. Als er das Fenster öffnete und die Hand hinaushielt, war sie in Sekunden von pfeilscharfen Eisnadeln zerstochen.

Das Flugzeug war in akuter Gefahr zu vereisen und abzustürzen. Lindbergh änderte den Kurs, umflog die Tieffront und kam wieder in eine ruhigere Thermik.

Doch jetzt, nach 17 Stunden in der Luft und fast 40 Stunden ohne Schlaf, konnte er sich kaum mehr wach halten. Immer wieder nickte er ein.

Die Maschine steuerte im Tiefflug auf das Meer zu, als eine hochspritzende Wassergischt durch das offene Fenster den Flieger weckte.

Geistesgegenwärtig zog Lindbergh das Flugzeug wieder hoch, das sich den Atlantikwellen bereits bis auf fünf Meter genähert hatte.

In der 22. Stunde des Fluges begann Lindbergh, Gespenster zu sehen. Er befand sich jetzt in einem Extremzustand zwischen Wachsein und Schlaf. Seit zehn Stunden hatte er das amerikanische Festland verlassen, eine Umkehr war unmöglich. Unter ihm war nur noch der Ozean. Über ihm Wolken, Nebel, Nacht.

Die entscheidende Phase des Fluges hatte begonnen.

»Während der überirdischen Spanne Zeit, in der ich – halb wach, halb im Schlaf – auf die Instrumente starre, füllt sich die Kabine hinter mir mit Geistern – verschwommenen, transparenten Gestalten, die sich schwebend regen und mich gewichtlos begleiten. Ihre Erscheinung überrascht mich nicht, weil ihr jede Plötzlichkeit fehlt ... Die Phantome sprechen mit menschlicher Stimme – freundliche Schatten, wie Nebel ohne Substanz, jederzeit in der Lage, zu erscheinen und zu verschwinden. Die Wände des Rumpfes sind für sie keine Wände. Bald stehen sie dicht gedrängt hinter mir; bald sind nur ein paar von ihnen da. Erst lehnt der eine, dann ein anderer sich nach vorne, an meine Schulter, um über das Motorengeräusch mit mir zu sprechen, und zieht sich danach wieder auf die Gruppe dahinter zurück. Zuweilen kommen die Stimmen direkt aus der Luft, deutlich, doch von weit her, nach einer Reise durch Räume, für die eine menschliche Meile kein Maßstab ist; vertraute Stimmen, die meinen Flug mit mir besprechen, mir technische Ratschläge erteilen, Probleme der Navigation mit mir diskutieren; die mich beruhigen; die mir Botschaften überbringen, wie sie im wirklichen Leben unerhältlich sind ...

Bin ich mehr Mensch oder mehr Geist in diesem Augenblick? Werde ich meine Maschine weiter nach Europa fliegen, weiterleben in Fleisch und Blut wie zuvor, weiter den Hunger, den Schmerz, die Kälte fühlen? Oder bin ich im Begriff, zu jenen geisterhaften Gestalten zu treten, selbst ein Bewusstsein im Raum zu werden – allsehend, allwissend, von der Materie der Erde und ihren Fesseln nicht mehr gehindert?«

In der nächsten Stunde hatte Lindbergh, der die Maschine nur noch reflexhaft steuern konnte, regelrechte Halluzinationen. Er sah plötzlich eine Küste mit Bergen, Bäumen und Klippen.

Irland konnte es nicht sein. War es Grönland? Hatte er sich vollständig verflogen? Lindbergh öffnete das Fenster, um durch die eisige Luft zu Bewusstsein zu kommen. Er bemerkte, dass er einer Sinnestäuschung aufgesessen war. Es waren Nebelinseln, irreale Gebilde, die er für die Küste gehalten hatte.

Aber wo war er jetzt nach fast 25 Stunden Flug durch Nacht und Nebel? Er erinnerte sich plötzlich seines Erste-Hilfe-Koffers, den er trotz Gewichtsbedenken mitgenommen hatte. Er brach eine Ammoniakkapsel mit Riechsalz auf – doch er roch nichts mehr. Seine Sinne waren zu abgestumpft, sein Körper war zu müde. Lindbergh war nach fast 50 Stunden ohne Schlaf am Ende seiner Kräfte.

Um sich wach zu halten, holte er die Christopherus-Medaille aus seiner Hosentasche. Er rieb sie mit den Fingern und strich mit ihr über seine Stirn.

Lindbergh war kein gläubiger Mensch, aber vielleicht half ihm ja jetzt in dieser bitteren Stunde der Schutzpatron der Reisenden.

Allmählich riss die Nebelwand auf.

Lindbergh sah unter sich das Meer – und einen sich ständig bewegenden Punkt. Wieder eine Fata Morgana? Lindbergh zog die Maschine tiefer. Dann sah er den Punkt genauer: Es war ein riesiger Fisch, ein Tümmler, der sich fast spielerisch über das Wasser bewegte. Zehn Minuten später hörte er das Kreischen eines Vogels – es war eine Möwe.

Jetzt war er wieder hellwach.

Lindbergh zitterte am ganzen Körper. Nicht vor Kälte – vor Freude, vor einem Gefühl des Enthusiasmus.

Die Möwe bedeutete Küste. Land. Irland.

Er hatte es geschafft.

Er hatte den Atlantik überflogen.

Die schemenhaften Gestalten in seinem Cockpit waren verflogen. Sein Bewusstsein war zurückgekehrt. Auch das Wetter hatte vollständig aufgeklart. Und plötzlich sah er unter sich Schiffe. Kleine Schiffe wie Fischerboote.

Lindbergh ging bis auf 100 Meter herunter und konnte an Bord eines Bootes einen Fischer sehen – mit Mütze und Bart. Lindbergh war außer sich vor Freude. Er umkreiste das Boot und schrie aus Leibeskräften: »Wo geht's nach Irland?«

Der Fischer starrte stumm zum Himmel und auf das Flugzeug. War da ein Irrer unterwegs?

Lindbergh flog weiter – und sah vor sich eine zerklüftete Küstenlinie mit Fjorden und grünen Feldern. Er holte seine Mercator-Karte und verglich die eingezeichnete Struktur mit dem Bild, das er über sein Periskop sah. Es konnte keinen Zweifel geben: Vor ihm lag die Südwestküste Irlands.

Nach 27 Stunden Flug hatte Lindbergh Europa erreicht. Er war noch nicht am Endziel, aber er hatte im Alleinflug den Atlantik überquert. Dieser Rekord stand jetzt fest.

Die Müdigkeit war weg, Lindbergh hatte nur noch ein Ziel: An diesem Abend wollte er in Paris landen. In sechs Stunden würde er dort sein. Und er hatte sich nur um drei winzige Meilen verflogen.

Irland und die englische Südküste passierte Lindbergh im Tiefflug. Überall sah er winkende Menschen. Wie ein Lauffeuer verbreitete sich die Kunde: »Lindbergh hat es geschafft!«

Bei Lloyd's in London brachen die Wetten völlig ein, zuletzt war die Quote bei 10:3 gestanden – für einen Absturz Lindberghs. In New York wurden stündlich die Radio-Sendungen unterbrochen, um die Ankunft Lindberghs in Europa zu melden. Auf der Fifth Avenue umarmten sich wildfremde Menschen. Es herrschte Ausnahmezustand. Der *flying fool* hatte es allen gezeigt. Er war im Begriff, amerikanische Geschichte zu schreiben.

Die französische Regierung hatte unterdessen angeordnet, die Flugstrecke von der Küste bis nach Paris mit Leuchtfeuern zu illuminieren. Man erwartete Lindbergh zwischen 22 und 23 Uhr in der Metropole an der Seine.

Als Lindbergh gegen 21 Uhr die Normandie erreichte und Deauville überflog, hatte er – ohne es zu wissen – den Langstreckenrekord als Einzelflieger bereits gebrochen. Doch jetzt bekam er Hunger. Nach über 32 Stunden Flugzeit aß er sein erstes Sandwich. Das Brotpapier steckte er unter seinen Pilotensitz, da es ihm peinlich war, den Mini-Müll über Frankreich aus der Luft zu entsorgen.

Kurz nach 22 Uhr sah Lindbergh unter sich die französische Hauptstadt Paris. Er hatte keine Ahnung, wo genau der Flugplatz

Lindberghs »Spirit of St. Louis« nach der Landung am 21. Mai 1927 auf dem Flugfeld von Le Bourget in Paris – umringt von zehntausenden von Menschen.

von Le Bourget war, und so machte er sich nachts in seiner *Spirit of St. Louis* auf die Suche. Er wusste nur, dass das Flugfeld im Nordosten außerhalb der Stadt war.

Lindbergh drehte eine Ehrenrunde um den Eiffelturm, den er als »beleuchteten Bleistift« in Erinnerung behielt, und wunderte sich über die nördlichen Ausfallstraßen von Paris, die von Autos geradezu verstopft waren. Er konnte zu diesem Zeitpunkt nicht erahnen, dass 150 000 Einwohner von Paris auf dem Weg nach Le Bourget waren, um den »verrückten Amerikaner« zu begrüßen. Zum ersten Mal in der Pariser Geschichte war am 21. Mai 1927 der Straßenverkehr vollständig zusammengebrochen.

Um 22.24 Uhr Ortszeit, exakt 33 und eine halbe Stunde nach dem Start in New York, setzte Lindbergh seine *Spirit of St. Louis* auf die Landebahn von Le Bourget und rollte mit der bremslosen Maschine aus.

Der Jahrhundertflug war geglückt.

Was sich danach abspielte, ist mit Worten nicht mehr zu beschreiben. Zehntausende von Menschen durchbrachen die polizeilichen Absperrungen, um den Jahrhundertflieger persönlich zu begrüßen.

Souvenirjäger rissen Teile der Kunststoffverkleidung vom Flugzeug. Und immer wieder kamen die Sprechchöre: *»Vive l'Américain! Vive Lindbergh!«*

Zwei französischen Piloten verdankte Lindbergh, dass er einigermaßen heil diesem Chaos entkam. Michel Détroyat und George Delage waren als Erste zum landenden Flugzeug gesprintet und hoben den völlig konsternierten Lindbergh, der stockend nach einem Mechaniker verlangte, auf ihre Schultern.

Als ihn hunderte enthusiastischer Zuschauer ebenfalls tragen wollten, riss Détroyat dem amerikanischen Flieger die Mütze vom Kopf und stülpte sie einem völlig überraschten Journalisten über. Von dieser Sekunde an wurde der Reporter für Lindbergh gehalten, die Menge stürzte sich auf ihn, während Lindbergh in einen Renault am Rande des Flugfelds gelotst wurde, um dem Ansturm der Massen zu entkommen.

Man brachte Lindbergh in einen geschützten Hangar, wo der *flying fool* unter dem Gelächter der Anwesenden nach der Passkontrolle fragte und nach einem Taxi verlangte, das ihn zu einem »einfachen Hotel in Paris« bringen sollte, weil er wenig Geld dabeihabe. Détroyat klopfte ihm nur auf die Schulter und sagte: »Mister Lindbergh, ab heute gehört Frankreich Ihnen. Sie brauchen keinen Pass.«

Auf Umwegen war auch der amerikanische Botschafter in Paris, Myron T. Herrick, eingetroffen, der den völlig verdutzten Lindbergh zu seinem persönlichen Staatsgast erklärte und ihn in einer Diplomaten-Limousine in die US-Botschaft in der Pariser Innenstadt chauffieren ließ.

Die Fahrt in die Avenue d'Iéna wurde kurz am Arc de Triomphe für eine Gedenkminute am »Grab des unbekannten Soldaten« unterbrochen.

Lindbergh war zu diesem Zeitpunkt bereits jenseits von sich. Er handelte nur noch mechanisch wie eine Marionette. Mittlerweile war er nach 33 $^1/_2$ Stunden Flug fast 60 Stunden ohne Schlaf.

Im Diplomatenhaus angekommen, verlangte Lindbergh nur nach einer Suppe mit Ei und einem Bad. Anschließend gab er in einem geliehenen Schlafanzug noch eine kurze Pressekonferenz, nachdem Botschafter Herrick den Korrespondenten der *New York Times* überzeugt hatte, auf die Exklusivrechte an der Lindbergh-Story zu verzichten, da er sonst – was seine Kollegen betreffe – sein Leben riskiere.

Um kurz nach vier Uhr morgens durfte Lindbergh endlich ins Bett. Er versprach zwar, um neun Uhr wieder auf den Beinen zu sein, doch er schlief fast zehn Stunden durch.

Am 22. Mai 1927 um 14 Uhr saß der frisch geduschte Lindbergh am Frühstückstisch bei Grapefruit, Eiern mit Speck, Toast und Kaffee.

Der Botschafts-Butler hatte bereits frische Unterwäsche, Hemden und Krawatte, einen neuen Anzug, einen Smoking und einen Cut geordert.

Auf dem Frühstückstisch lag das Telegramm des amerikanischen Präsidenten Calvin Coolidge: »Mit mir freut sich das amerikanische Volk über den glänzenden Verlauf Ihres heldenhaften Fluges. Der erste Non-Stop-Flug eines einzelnen Piloten über den Atlantik ist die Krönung der bisherigen amerikanischen Luftfahrt.«

In diesem Moment erst dämmerte Charles Lindbergh, dass nichts mehr war wie vorher. Das Abenteuer eines 25 000-Dollar-Preisfluges war völlig sekundär. Ab heute war er vom Präsidenten persönlich zum Nationalhelden erklärt worden. Er war der weltweite Vorzeige-Amerikaner. Er war nicht mehr der *farmer's boy* aus Minnesota, er gehörte jetzt mit Haut und Haaren der amerikanischen Öffentlichkeit. Er war *Uncle Sam* oder *Mister USA*.

Sein Privatleben hatte von diesem Moment an aufgehört zu existieren.

Lindbergh war amerikanisches Gemeineigentum.

Zunächst war er französisches Gemeineigentum.

Vor der amerikanischen Botschaft hatten sich 25 000 Menschen versammelt, um Lindbergh zu sehen. Botschafter Herrick drängte Lindbergh mit der französischen Trikolore in der Hand auf den Balkon, um zu den Massen zu sprechen.

»Der Gedanke, mich zur Schau zu stellen, machte mich verlegen und verwirrt«, schrieb Lindbergh später.

In den USA überboten sich die Gazetten in der Berichterstattung. »Lindbergh does it!«, titelte die seriöse *New York Times* und brachte einen sechsseitigen Sonderbericht über den Atlantikflug.

In Frankreich wurde Lindbergh von einem zum anderen Empfang herumgereicht. Zum ersten Mal in seinem Leben trank er Champagner. Er gastierte beim französischen Präsidenten im Élysée-Palast und beim diplomatischen Korps.

Einladungen des belgischen Königs Albert I. und von George V. von England folgten. Lindbergh war praktisch über Nacht zum berühmtesten Mann der Welt geworden.

Mit der reparierten *Spirit of St. Louis* flog Lindbergh nach London, wo er im Buckingham Palace wie ein Staatsgast empfangen wurde. König George V. nahm ihn sofort zur Seite, um ihm die brennendste Frage zu stellen, die ihn interessierte: »Sagen Sie mal, junger Mann, wie haben Sie während des Fluges eigentlich gepinkelt?« Lindbergh behalf sich mit einer höflichen Notlüge. Er habe Papierbecher an Bord gehabt und sie während des Fluges dann entsorgt.

Seinem Freund, dem amerikanischen Luftfahrtminister Gene Vidal, hat Lindbergh später die Wahrheit erzählt: »Irgendwie taten mir die Franzosen Leid, die mich nach der Landung in Paris auf ihren Schultern trugen. Ich hatte in die Hosen gepisst ...«

Nach einem dreiwöchigen Aufenthalt in Europa wurde Lindbergh auf Anordnung des US-Präsidenten Coolidge im Triumphzug in die Heimat zurückgeholt. Die *Spirit of St. Louis* wurde fachgerecht zerlegt, in Kisten gepackt und mit Lindbergh auf das Nobel-Schiff *USS Memphis* gebracht.

Am 10. Juni 1927 traf Lindbergh in Washington ein – als Staatsgast des Präsidenten und begrüßt von 250 000 Menschen. Vor 30 Millionen Radiohörern hielt der neue Nationalheld eine kurze Ansprache, danach erhob ihn Präsident Coolidge in den militärischen Status des Oberst. Er war jetzt *Colonel of the US Reserve Corps.*

Drei Tage später erwartete Lindbergh beim offiziellen Empfang in New York die größte Konfetti-Parade in der Geschichte der USA. Vier Millionen Menschen waren auf den Straßen, um den Atlantikflieger zu begrüßen. Lindbergh war jetzt endgültig zum Nationalhelden und zum ersten Pop-Star Amerikas aufgestiegen.

Drei Wochen lang dauerten die Feierlichkeiten und Empfänge, auf denen Lindbergh, der schüchterne Junge aus dem Mittelwesten, herumgereicht wurde.

Jeder Industrielle, jeder Politiker, jeder Verleger war stolz darauf, mit einem Foto an der Seite Lindberghs veröffentlicht zu werden.

Lindbergh lernte in diesen Tagen auch Menschen der Highsociety kennen, die ihn beschworen, den publizistischen Rückenwind für die Aeronautik zu nutzen, um in Amerika ein flächendeckendes Netz von Flugplätzen anzulegen. Er sei der genuine Protagonist für ein solches Projekt.

Dies leuchtete Lindbergh, der mehrere hoch dotierte Filmangebote bereits abgelehnt hatte, ein. Er freundete sich mit dem Industriellen Harry Guggenheim an, der ihm den Vorschlag eines nationalen Rundflugs quer durch die Vereinigten Staaten machte. Lindbergh sollte mit seiner wieder zusammengebauten *Spirit of St. Louis* alle Staaten der USA anfliegen und für die Idee der nationalen Zivilluftfahrt werben.

Harry Guggenheim entstammte einer jüdischen Milliardärsfamilie. Sein Großvater, Meyer Guggenheim, war als Hausierer aus der Schweiz in die USA eingewandert und hatte mit einem Ofenreinigungsmittel viel Geld verdient, das er in Beteiligungen an Kupferminen anlegte. Innerhalb weniger Jahrzehnte stiegen die Guggenheims als Kupfermonopolisten zu den reichsten Familien Amerikas auf.

Meyers Enkel, Harry Guggenheim, hatte 1926 einen mit 500000 Dollar ausgestatteten »Fonds zur Förderung der amerikanischen Luftfahrt« gegründet und jetzt Charles Lindbergh als dessen Zugpferd gewonnen. Er bot ihm ein steuerfreies Honorar von 50 000 Dollar für die »Guggenheim-Tour« quer durch die USA an. Lindbergh willigte sofort ein.

Am 20. Juli 1927 startete Lindbergh mit der *Spirit of St. Louis* zu seinem legendären Rundflug durch alle 48 Staaten der USA. In drei Monaten landete Lindbergh in 82 Städten, legte fast 45 000 Kilometer zurück und hielt 147 Reden. Insgesamt erreichte Lindbergh auf der »Guggenheim-Tour« über 35 Millionen Zuschauer, was damals einem Viertel der gesamten Einwohnerzahl der USA entsprach.

Kein Präsident und kein Sportler Amerikas hatten jemals zuvor derart viele Menschen mobilisiert.

Lindbergh war nach seinem Atlantikflug und durch die »Guggenheim-Tour« zum berühmtesten Mann seines Landes aufgestiegen.

Und zum meistfotografierten Menschen.

Charles Lindbergh mit seinem Freund und Förderer Harry Guggenheim (1927).

Allein 1927 erschienen rund 50 000 verschiedene Fotos von Lindbergh in den amerikanischen Print-Medien.

Und doch war der *lone eagle* ein einsamer Mann.

Seinem Tagebuch vertraute er die Sätze an: »Ich bin wahrscheinlich der bekannteste Amerikaner, aber die Frau meines Herzens habe ich noch nicht gefunden. Ich glaube, es wird jetzt Zeit.«

9   Anne Morrow

NACH SEINER UMJUBELTEN RÜCKKEHR VON DER
»Guggenheim-Tour« wurde Lindbergh in der New Yorker Society
als Star herumgereicht. Er erhielt Einladungen von John D.
Rockefeller und anderen Industriellen, bei einem Herrenabend
traf er mit dem Komponisten George Gershwin zusammen.
Der erste offene Tanzstil, der mit der Musik des Swing geboren wurde, erhielt nach dem Atlantikflieger den Namen »Lindy
Hop«, Benny Goodman macht ihn später als »Jitterbug«, den Vorläufer des Boogie Woogie, weltberühmt.

Im fernen Deutschland war der linke Literat Bertolt Brecht
derart von Lindberghs Parisflug begeistert, das er ihm ein eigenes Radio-Hörspiel widmete: *Der Lindberghflug*, zu dem zwei der
bekanntesten Avantgarde-Komponisten ihrer Zeit, Kurt Weill
und Paul Hindemith, gemeinsam die Musik schrieben. Kurt Weill
hat später das Stück noch einmal allein vertont. Lindbergh war
nicht nur zum Objekt der Literatur- und Musikgeschichte geworden, er ging jetzt auch selbst unter die Autoren.

Er schloss sich ins Gästezimmer von Harry Guggenheims Villa
in Sands Point ein und schrieb in drei Wochen mit der Hand das
150-Seiten-Buch *We*, womit er seine *Spirit* und sich selbst meinte
(deutscher Titel: *Wir zwei*), ein etwas holpriger biografischer Abriss seiner Jugend, seiner Postfliegerzeit und seines Parisflugs.

Das Buch verkaufte sich gleich im ersten Erscheinungsmonat
rund 200 000-mal, stürmte die Bestsellerlisten und wurde in alle
wichtigen Sprachen der Welt übersetzt – mit riesigen Auflagen.
Allein an der amerikanischen Edition verdiente Lindbergh fast
300 000 Dollar in einem Jahr.

Der Parisflug und seine Folgen in den USA hatten den jetzt 25-jährigen Lindbergh zu einem reichen Mann gemacht, der sein Geld im noblen Bankhaus J.P. Morgan & Co. in New York anlegte, ausgerechnet bei jener Bank, die für den Kongress-Abgeordneten Charles A. Lindbergh, den Vater des Fliegers, zum Inbegriff des unsozialen Trust-Kapitalismus geworden war.

Dabei hatte Lindbergh viele lukrative Angebote ausgeschlagen, wie eine Filmrolle in einem Projekt des Medien-Moguls William Randolph Hearst, der ihm 500000 Dollar geboten hatte, oder einen Schallplattenvertrag über 300000 Dollar.

»Mir ist das alles zu sensationslüstern«, erklärte Lindbergh. »Ich bin kein Mann für die Medien.«

Eine Fehleinschätzung.

Lindbergh war *der* Mann der Medien. Es gab keinen Empfang, keine Party, kein Dinner, wo er nicht im Mittelpunkt stand und fotografiert wurde.

Die amerikanische Regierung kam auf Lindbergh zu, um ihn als Berater für den Ausbau des inneramerikanischen Flugnetzes zu engagieren. Gleichzeitig bat man ihn, als fliegender Botschafter für die USA tätig zu werden. Sein erster Auftrag: ein Alleinflug mit der *Spirit of St. Louis* nach Mexiko, wo seit kurzem der neue amerikanische Botschafter Dwight Whitney Morrow seinen Dienst angetreten hatte. Morrow, ein Bankier der J.-P.-Morgan-Bank und Studienfreund des US-Präsidenten Calvin Coolidge, hatte Lindbergh über seinen Freund Harry Guggenheim kennen gelernt und bat ihn, für einen Freundschaftsflug nach Mexico City zu kommen.

Die mexikanisch-amerikanischen Beziehungen waren damals sehr angespannt, was mit den US-Erdölinteressen und den mexikanischen Schulden zusammenhing.

Im Regierungsauftrag ging Lindbergh am 13. Dezember 1927 mit der *Spirit of St. Louis* in Washington an den Start. Der Non-Stop-Flug über rund 3800 Kilometer sollte 24 Stunden dauern – immerhin rund zwei Drittel des Parisfluges – und mit 1425 Liter Benzin an Bord.

Während der Flug von der amerikanischen Ost- zur Westküste völlig glatt verlief, bekam Lindbergh in Mexiko auf Grund ständiger Nebelbänke große Orientierungsprobleme. Lindbergh entschied sich, im Tiefflug den Eisenbahnschienen zu folgen und sich an den Bahnhöfen zu orientieren.

Beim ersten Bahnhof las er das Schild »Caballeros«, ein Ort, der nicht auf seiner Karte eingezeichnet war. Auch beim zweiten und dritten Bahnhof las er das Schild »Caballeros« – bis ihm allmählich klar wurde, dass er sich fälschlicherweise an dem spanischen Namen für die Herren-Toiletten orientiert hatte.

Auf Umwegen und mit über zwei Stunden Verspätung erreichte er schließlich Mexico City, wo Botschafter Dwight Morrow zusammen mit 150000 Menschen voller Nervosität auf Lindbergh warteten.

Die Mexikaner bereiteten dem amerikanischen Atlantikhelden einen begeisterten Empfang. Unter ständig skandierten »Viva Lindbergh!«-Rufen konnte sich der Pilot nur mühsam einen Weg durch die Menge zum Diplomatenauto bahnen.

In den folgenden Tagen war Lindbergh auf Dinner-Empfängen, Rodeos und Stierkämpfen der gefeierte Held. Lindbergh wohnte auf Einladung des Botschafters im Haus der Morrows, das auch noch die beiden jüngeren Kinder, den 19-jährigen Dwight junior und die 14-jährige Constance, beherbergte.

Die pubertierende Constance verliebte sich sofort in den schüchternen, schlanken Piloten und backte ihm Schokoladenplätzchen.

Kurz vor Weihnachten 1927 kamen die beiden älteren Töchter Morrows nach Mexico City zu Besuch: die 23-jährige bildhübsche Elisabeth Reeve und die 21-jährige zierliche, nur 1,55 Meter große Anne Spencer Morrow. Anne studierte am vornehmen *Smith College* in New York, wo sie besonders im Fach »Literaturwissenschaft« überdurchschnittlich gut war.

Sie schrieb regelmäßig Tagebuch und verfasste als junges Mädchen bereits viel beachtete Essays in der Universitätszeitung. Anne war eine aparte, dunkelhaarige junge Frau von großer Schüchternheit – darin dem scheuen Lindbergh nicht unähnlich.

Als sie ihm zum ersten Mal vorgestellt wurde, wagte sie nicht, ihm länger in die Augen zu blicken. Ihrem Tagebuch vertraute sie an, wie viel Ruhe »Oberst Lindbergh« ausstrahle, welch lange

und elegante Finger er habe und wie »süß« sie sein Grübchen im
Kinn und seine blauen Augen fand.

Anne Morrow hatte sich sofort in ihn verliebt.

»Es war ein vollkommenes, ein ungeheuer starkes Erlebnis«,
schrieb Anne Morrow.

Lindbergh waren die verliebten Blicke der jungen Botschafter-
tochter nicht entgangen. Ihn wiederum faszinierte ihre bescheidene, schüchterne, sympathische Art. Doch zu einer tiefer ge-
henden Begegnung, einem ersten intimen Rendezvous kam es
nicht.

Im Auftrag der US-Regierung flog Lindbergh am 28. Dezember 1927 als »Botschafter der Freundschaft« weiter und besuchte
16 lateinamerikanische Länder, darunter Guatemala, Honduras,

Costa Rica, Venezuela, Kolumbien, Panama und Kuba. In Haitis Hauptstadt wurde sogar eine Hauptstraße in »Lindbergh Avenue« umbenannt.

Zwei Monate lang blieb Lindbergh, der *flying ambassador*, in Mittelamerika, bevor er nach St. Louis zurückkehrte. Dort gab er seinen Entschluss bekannt, endgültig Abschied von der *Spirit of St. Louis* zu nehmen und sie dem »Smithonian National Air and Space Museum« in Washington als Dauerausstellungsstück zur Verfügung zu stellen.

Dort steht die *Spirit* auch heute noch.

Die Ehrungen für den Flieger-Helden gingen praktisch ohne Unterbrechung weiter. Besonders pikant war die Verleihung der juristischen Ehrendoktorwürde ausgerechnet durch jene Universität, die ihn sechs Jahre zuvor in Unehren entlassen hatte – die University of Wisconsin.

Das neu gegründete Nachrichtenmagazin *Time* kürte Lindbergh als ihren ersten Prominenten zum *Man of the Year,* zum Mann des Jahres.

Zusammen mit seinem alten Sponsorenkreis aus St. Louis, den Männern um Harold Bixby, Harry Knight und den Robertson-Brüdern, ging Lindbergh jetzt daran, eine nationale transkontinentale Zivilfluglinie von New York an die Westküste zu planen.

Er konnte den größten Autobauer des Landes, Henry Ford, gewinnen, in den Flugzeugbau einzusteigen und mehrmotorige Eindecker zu produzieren, die vollständig aus Leichtmetall, dem Material der Zukunft, gefertigt waren. Als Dachorganisation der neuen Fluglinie hatte Lindbergh die *Transcontinental Air Transport (TAT)* aufgetan, die dem Unternehmer Clement M. Keys gehörte. Lindbergh wurde technischer Berater der neuen Linie – bei einem Jahressalär von 10 000 Dollar plus 250 000 Dollar Abschlussbonus. Aus werbewirksamen Gründen führte *TAT* die Bezeichnung *Lindbergh Line* im Titel. Die »Lindbergh Linie« war geboren.

Gleichzeitig stieg Lindbergh als *Consultant* bei dem Luftfahrtunternehmer Juan Trippe ein, der für seine neue Gesellschaft, die *Pan American Airways*, die Luftpostrechte zwischen Amerika und Kuba erworben hatte. Am Ende der 1920er-Jahre gab es in den USA in zivilen Luftfahrtangelegenheiten praktisch keine Frage, die nicht von Lindbergh direkt oder indirekt mitentschieden wurde.

Entschieden hatte sich Lindbergh auch in seinen Gefühlen. Er rief mehrmals bei den Morrows in ihrer Sommerresidenz an der Ostküste an, um sich mit Anne Morrow zu verabreden. Im Oktober 1928 traf sich das Paar in New York zum ersten Mal allein, und Lindbergh lud Anne Morrow zu einer Spritztour in einem kleinen offenen Doppeldecker ein.

Für Lindbergh stand schon nach dem ersten Flug fest: diese Frau – oder keine.

Er arrangierte mehrfach kleine, »zufällige« Teffen mit Anne und reiste ihr im November nach Mexico City hinterher, wo sie ihre Eltern besuchte. Dort ging der *lone eagle* aufs Ganze: An einem Sonntagmorgen hielt er bei Botschafter Dwight Morrow und seiner Frau Betty Reeve Morrow offiziell um die Hand von Anne an. Danach teilte die Mutter ihrer verliebten Tochter den Heiratsantrag Lindberghs mit.

Anne war begeistert, umarmte die Mutter und sagte: »Ich bin so glücklich!«

Obwohl Lindbergh und Anne ihre zarte Beziehung nach außen geheim zu halten versuchten, hatte die New Yorker Boulevardpresse bereits Lunte gerochen. Die häufigen Besuche Lindberghs im Hause Morrow konnten kein Zufall sein. Die Reporter waren sich nur unsicher, ob *Lucky Lindy* mit Elisabeth oder mit Anne angebandelt hatte. Auf jeden Fall: Hier schien sich die Lovestory des Jahres zu entwickeln.

Am 12. Februar 1929 entschied sich Botschafter Dwight Morrow, in die Offensive zu gehen und dem Versteckspiel ein Ende zu machen. Während sein künftiger Schwiegersohn für Juan Trippe in der Luft war und die Post nach Kuba flog, bat Dwight Morrow zu einer kleinen Pressekonferenz, auf der er »die Verlobung meiner Tochter Anne Spencer Morrow mit Oberst Charles A. Lindbergh« bekannt gab.

Die Nachricht über das Liebespaar der Nation machte innerhalb weniger Stunden die Runde in der amerikanischen Presse,

*Das fliegende Ehepaar: Charles Lindbergh und Anne Morrow
vor ihrem Alaska-Flug (1931).*

die die News in allen Zeitungen auf der Seite 1 positionierte. Selbst Nachrichtensendungen brachten die Meldung, zum Teil noch vor den Aufmachern aus Politik und Wirtschaft. Das einzige Problem aller Redaktionen war, dass es zu diesem Zeitpunkt kein einziges Foto von Charles und Anne gab. Manche Gazetten druckten versehentlich Fotos aus Mexico City, die Lindbergh mit Annes jüngster Schwester Constance, damals 15 Jahre alt, zeigten.

Anne, die mittlerweile ihren College-Abschluss als *Bachelor of Arts* erfolgreich bestanden hatte, traf sich – trotz anfänglicher Flugangst – immer wieder mit Charles, um mit ihm allein in die Lüfte zu gehen. Es war eine richtige Fliegerliebe geworden.

Mit den bekannten Risiken für Leib und Leben. Bei einem Flug mit einem Eindecker in der Nähe von Mexico City löste sich eines der beiden Räder des Fahrwerks. Lindbergh musste versuchen, die Maschine auf einem Rad zu landen. Um eine mögliche Explosion beim Aufprall zu vermeiden, flog Lindbergh zunächst den Tank leer und erklärte der tapferen, aber sehr blassen Anne Morrow, wie er zu landen gedachte. Da die Maschine keine Sicherheitsgurte hatte, wurde Anne mit den Sitzkissen zugepolstert und das Seitenfenster geöffnet, damit sie nach der Landung herausspringen könnte.

Lindbergh brachte die Maschine zu Boden – auf einem Rad, bis sie sich am Ende des Rollfeldes überschlug. Anne Morrow kletterte unverletzt aus dem Cockpit, Charles hatte sich die Schulter ausgekugelt. »Ich glaube, beim nächsten Mal lande ich«, sagte Anne, und Charles musste schmerzverzerrt lachen. Er war stolz auf seine mutige Copilotin.

Am 27. Mai 1929 heirateten Charles und Anne im Privathaus der Morrows in New Jersey mit einer kleinen kirchlichen Trauungszeremonie. Lindbergh hatte alles getan, die Hochzeit völlig geheim zu halten und die Journalisten abzulenken.

In den Hochzeitsurlaub fuhr das junge Paar – Charles war jetzt 27, Anne knapp 23 Jahre – nicht mit dem Flugzeug. Während eine Armada von Fotoreportern das Lindbergh-Flugzeug im Hangar von Roosevelt Field belagerte, reiste Lindbergh in der

Der tollkühne Pilot: Charles Lindbergh steigt ins Flugzeug (Juni 1927).

Lindbergh mit Anzug und Krawatte vor der »Spirit of St. Louis« in New York (Mai 1927).

Der Held kehrt heim: Charles Lindbergh bei der großen Konfetti-Parade in New York am 13. Juni 1927.

Millionen feiern Lindbergh: »New York ticker tape parade« am 13. Juni 1927.

Lindbergh und Anne Morrow verlassen im Ruderboot die Shetland Islands, um mit dem Wasserflugzeug ihren großen Nordatlantik-Flug fortzusetzen (August 1933).

Anne Morrow mit den Kindern Jon, Land und Anne (auf dem Schoß) im Jahre 1942.

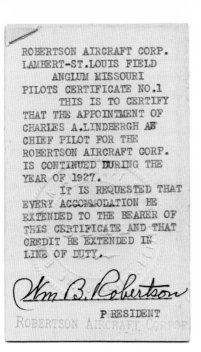
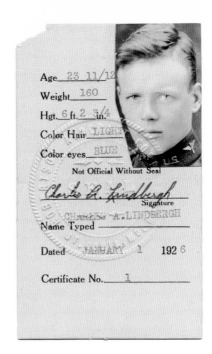

ROBERTSON AIRCRAFT CORP.
LAMBERT-ST.LOUIS FIELD
ANGLUM MISSOURI
PILOTS CERTIFICATE NO.1
THIS IS TO CERTIFY
THAT THE APPOINTMENT OF
CHARLES A.LINDBERGH AS
CHIEF PILOT FOR THE
ROBERTSON AIRCRAFT CORP.
IS CONTINUED DURING THE
YEAR OF 1927.
IT IS REQUESTED THAT
EVERY ACCOMMODATION BE
EXTENDED TO THE BEARER OF
THIS CERTIFICATE AND THAT
CREDIT BE EXTENDED IN
LINE OF DUTY.

Wm B. Robertson
PRESIDENT
ROBERTSON AIRCRAFT CORPOR

Age 23 11/12
Weight 160
Hgt. 6 ft. 2 3/4 in.
Color Hair LIGHT
Color eyes BLUE
Not Official Without Seal

Charles A. Lindbergh
Signature

Name Typed CHARLES A. LINDBERGH

Dated JANUARY 1 1926

Certificate No. 1

Fliegerausweis von Charles Lindbergh als Chefpilot der Postflug-Linie von »Robertson Aircraft« in St. Louis, ausgestellt am 1. Januar 1926.

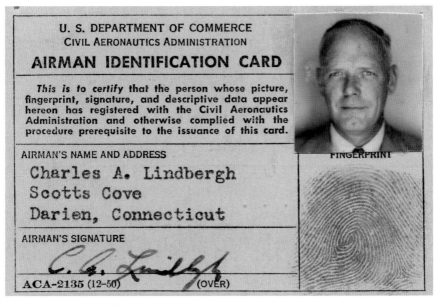

U. S. DEPARTMENT OF COMMERCE
CIVIL AERONAUTICS ADMINISTRATION

AIRMAN IDENTIFICATION CARD

This is to certify that the person whose picture, fingerprint, signature, and descriptive data appear hereon has registered with the Civil Aeronautics Administration and otherwise complied with the procedure prerequisite to the issuance of this card.

AIRMAN'S NAME AND ADDRESS

Charles A. Lindbergh
Scotts Cove
Darien, Connecticut

FINGERPRINT

AIRMAN'S SIGNATURE

C. A. Lindbergh

ACA-2135 (12-50)   (OVER)

US-Fliegerausweis Lindberghs mit Foto und Fingerabdruck vom Juli 1951.

Öko-Expedition 1: Lindbergh auf Peutjang Island, Java, Indonesien, im Juni 1967.

Öko-Expedition 2: Lindbergh auf Peutjang Island, Java, Indonesien im Juni 1967.

Die »Münchner Lindbergh-Kinder« Dyrk Hesshaimer, Astrid Bouteuil, David Hesshaimer (v. l. n. r.), aufgenommen im August 2003 am Flughafen München.

Bituschs heimlicher Schatz: Briefe von Charles Lindbergh an Brigitte Hesshaimer.

Der letzte Brief von Charles Lindbergh an Brigitte Hesshaimer,
geschrieben am 16. August 1974 in einem New Yorker Krankenhaus,
zehn Tage vor Lindberghs Tod. Der Schluss-Satz lautet:
»Hold the utmost secrecy.« (Bewahre die äußerste Geheimhaltung.)

Nacht mit seiner Angetrauten nach Long Island, bestieg ein kleines Boot und ruderte zu einer fast 40 Meter langen Motoryacht, der *Mouette*, die er für die Flitterwochen gemietet hatte. Während die Reporter weiter das Flugzeug im Auge hatten, tuckerten Charles und Anne bereits die Küste nach Maine hinauf – eine romantische Bootsfahrt zweier verliebter Menschen ohne jegliche Öffentlichkeit.

Das Versteckspiel vor der Presse konnte das Paar allerdings nicht lange durchhalten, und so entschloss sich Lindbergh, seine junge Frau bei allen wichtigen beruflichen Anlässen vorzustellen und sich mit ihr auch fotografieren zu lassen. Die Journalisten hatten jetzt ihre Bilder, und die Medien feierten Charles und Anne als das glamouröseste Paar der USA.

Innerhalb weniger Monate brachte Lindbergh seiner Frau das Fliegen, das Navigieren und das Funken bei. Einen besonderen Spaß hatte Anne am Segelfliegen. Sie machte als erste Frau Amerikas im März 1930 den Segelflugschein. Ein Jahr später bekam sie – ebenfalls als erste Amerikanerin – die Fluglizenz als Privatpilotin.

Obwohl die Lindberghs im Haus von Annes Eltern eine Wohnung hatten, reisten sie monatelang durch die Vereinigten Staaten. Im Oktober 1929 klagte Anne über ständiges Übelsein und Erbrechen. Ein ärztlicher Test ergab, dass sie schwanger war.

Doch eine Ruhepause gab es für Anne nicht.

Lindbergh flog mit ihr weiter durch die Lande und kaufte sich im April 1930 eine nagelneue Lockheed-Sirius, die mit ihrem 450 PS starken Pratt & Whitney-Motor auch für Höhenflüge von 4500 Metern geeignet war. Die Maschine hatte ein Tandem-Cockpit mit Doppelsteuerung, einen Zusatzgenerator an Bord und alle wichtigen Navigationsinstrumente.

Der Tiefdecker kostete knapp 20000 Dollar, die Lindbergh bar bezahlte.

Am Ostersonntag, dem 20. April 1930, startete Lindbergh in Los Angeles seinen neuen Supervogel für ein Rekordvorhaben. Er wollte den Geschwindigkeitsrekord von der West- zur Ostküste, der bei 18 Stunden lag, unterbieten. Sein spezieller Plan war, die alte Fliegerregel »tief und langsam« zu brechen und zu beweisen, dass man mit guten Navigationsinstrumenten in großer Höhe schneller vorankam. Anne sollte den bewährten Part der Navigatorin spielen.

Ein gefährliches Unterfangen, denn die zierliche Frau war bereits im siebten Monat schwanger. Ein Flug in 4500 Meter Höhe unter Extrembedingungen konnte schädlich für die Gesundheit von Mutter und Baby sein. Doch Anne stieg zu Charles in die Maschine. Sie wagten den Flug.

Für Anne wurde es ein Horrorflug.

Abgase waren immer wieder ins Cockpit gedrungen, und ihr war ständig übel. Der Lärm der Motoren und die ungewohnte Höhe brachten sie an den Rand eines physischen Zusammenbruchs. Doch die Frau des Adlers hielt durch bis New York. Sie wollte den Rekord nicht gefährden.

Als die Maschine nach 14 Stunden und 45 Minuten sicher landete, hatten die Lindberghs den transkontinentalen Geschwindigkeitsrekord um drei Stunden unterboten.

Anne Morrow war zu schwach, um selbstständig auszusteigen. Sie war bleich im Gesicht und hatte verweinte Augen. Ein Reporter erlebte die Szene, und im Nu verbreitete sich das Gerücht, Lindberghs Frau habe einen Nervenzusammenbruch erlitten. Es wurde öffentlich sogar über den Tod des Babys im Mutterbauch spekuliert.

Lindbergh fühlte seine alten Vorurteile gegen die journalistischen »Aasgeier« bestätigt und verhängte eine Nachrichtensperre. Das Paar zog sich in die Abgeschiedenheit des elterlichen Morrow-Hauses in New Jersey zurück, wo sich Anne in aller Ruhe auf die Entbindung vorbereitete.

Am 22. Juni 1930, ausgerechnet an ihrem 24. Geburtstag, wurde Anne Morrow von einem gesunden Jungen entbunden, der den Namen des Vaters tragen sollte: Charles Augustus Lindbergh junior. Es war eine schwere und lange Hausgeburt von fast elf Stunden, überwacht von drei Ärzten und Krankenschwestern. Charles Lindbergh war von Anfang an dabei, als die Wehen bei Anne einsetzten, und er hielt seiner Frau bis zum Abnabeln des kleinen Buben rund elf Stunden lang die Hand.

Anne Morrow Lindbergh mit dem kleinen Charles Augustus junior, kurz nach der Geburt des »Lindbergh-Babys« am 22. Juni 1930.

Auf Anraten von Dwight Morrow, der mittlerweile für die Republikaner in den Senat gewählt worden war und seinen Botschafterposten in Mexiko aufgegeben hatte, wurde eine kurze Pressemeldung herausgegeben. Einen Fototermin mit Mutter und Kind verweigerte Lindbergh.

Eine wahre Flut von tausenden Telegrammen und Glückwunschschreiben erreichte jetzt das Morrow-Haus in Next Day Hill. Aber Lindbergh wartete 17 Tage lang, bis er eine Pressekonferenz abhielt und ein selbst fotografiertes Bild seines kleinen Sohnes verteilen ließ.

Zuvor hatte er persönlich fünf Boulevardzeitungen von der Pressekonferenz ausgeschlossen, weil sie im Vorfeld »menschenverachtende Sensationen« über die Familie Lindbergh verbreitet hätten. Die anwesenden Journalisten der »konstruktiven Presse«, wie sie Lindbergh nannte, mussten sich verpflichten, das Babyfoto nicht an die ausgeschlossenen Zeitungen weiterzugeben – was übrigens schon am nächsten Tag missachtet wurde.

»Wir lassen uns von Lindbergh nicht zensieren«, hieß die Presse-Devise.

Im Spätsommer 1930 beschlossen die Lindberghs, nach den Monaten ihres fliegerischen Nomadentums und der Aufregung um die Geburt des kleinen Charlie in New Jersey sesshaft zu werden und sich ein Haus zu bauen.

Charles Lindbergh kaufte in einer völlig einsamen Gegend nahe der Stadt Hopewell in den Sourland Mountains ein bewaldetes Grundstück von 200 Hektar, auf dem das neue Familienanwesen errichtet werden sollte.

Ein Teil des Waldgebiets wurde gerodet, weil Lindbergh einen eigenen Privatflugplatz mit Start- und Landebahn anlegen wollte. Da für den Hausbau ungefähr zwölf Monate projektiert waren, mieteten die Lindberghs im benachbarten Mount Rose ein dreigeschossiges Bauernhaus mit acht Zimmern, damit auch die Hausangestellten – ein Kindermädchen, eine Köchin und ein Butler – einziehen konnten. Als Schutz vor zudringlichen Reportern war um das Anwesen ein hoher Palisadenzaun errichtet worden. Auf einem benachbarten Feld konnte Lindbergh mit seiner Doppeldecker-Maschine, in der er Anne Morrow weiterhin Flugunterricht gab, problemlos starten und landen.

Die Lindberghs hatten jetzt zwar ihr erstes eigenes Familiennest, doch den rastlosen Adler trieb es weiter zu neuen Zielen. Sein nächstes Unternehmen hatte nichts mit der Fliegerei zu tun: Lindbergh hatte die Faszination der Wissenschaft entdeckt und einige ihrer Protagonisten persönlich kennen gelernt.

Der Himmelsstürmer landete im Labor.

10 Robert Goddard und Alexis Carrel

MANCHMAL SPIELT DER ZUFALL DEN GEBURTSHELFER der Geschichte. Wenn es denn Zufälle im Leben gibt ...

An einem August-Wochenende des Jahres 1929 waren Charles und Anne bei ihren Freunden, dem Ehepaar Harry und Carol Guggenheim, in deren Haus auf Long Island zu einem Kurzurlaub eingeladen.

Lindbergh erinnerte sich später: »Ich stand an einem Fenster in dem eichengetäfelten Wohnzimmer, blickte über den Sund und verglich die Geschwindigkeit eines Flugzeugs mit der trägen Vorwärtsbewegung einer Reihe von Lastkähnen mit Sand, die von Schleppern gezogen wurden.

›Hör dir das an!‹, rief Carol, die auf einem Sofa in der Nähe des großen Kamins saß und in der Zeitschrift *Popular Science Monthly* las ...«

Guggenheims Frau hatte einen Artikel über einen amerikanischen Forscher entdeckt, den seine Zeitgenossen für einen Spinner hielten, weil er es für machbar hielt, eine Rakete zum Mond zu schicken.

Die Schlagzeile in dem zitierten Magazin lautete: »ER SCHICKT RAKETE AN DAS DACH DES HIMMELS!« Und im Untertitel stand zu lesen: »Goddard testet neues Geschoss, um die höheren Schichten der Atmosphäre wissenschaftlich zu erforschen«.

Dem Text des Artikels, den Carol Guggenheim vorlas, war zu entnehmen, dass in Worcester/Massachusetts die Polizei von aufgeregten Augenzeugen alarmiert worden war, die einen explodierenden Meteor am Himmel gesehen haben wollten. Daraufhin jagten Krankenwagen durch die Stadt und ein Suchflugzeug war aufgestiegen.

Es stellte sich als blinder Alarm heraus.

Ein Physiker namens Robert Hutchings Goddard, geboren am 5. Oktober 1882, hatte von der Farm seiner Tante Effie eine Flüssigkeitsrakete mit einem Treibstoffgemisch aus Sauerstoff und Benzin in die Luft geschossen.

Es war ein ziemlich jämmerlicher Versuch gewesen, wie die Polizei nach einer kurzen Vernehmung feststellen konnte. Das knapp vier Meter lange Projektil flog keine 30 Meter hoch und war bei einer Spitzengeschwindigkeit von 80 km/h nach rund zweieinhalb Sekunden schon wieder auf der Erde zurück und zerschellt.

Doch dies war kein Scherz eines verrückten Physikers gewesen, auch wenn er vor den Journalisten ironisch erklärt hatte, seine Mondrakete habe ihr Ziel um knapp 360 000 Kilometer verfehlt.

Professor Robert Goddard, Ordinarius an der Clark University Worcester, arbeitete seit 1912 an der Entwicklung von Düsenantrieben und der Weiterentwicklung herkömmlicher Pulverraketen.

Parallel zu dem sowjetischen Raumfahrttheoretiker Konstantin Ziolkowski und dem deutschen Physiker Hermann Oberth, die lange Zeit völlig autonom voneinander ihre fast identischen Raketenforschungen entwickelten, hatte Goddard verschiedene mathematische Formeln für die Raumfahrt entdeckt (zum Beispiel die Raketengrundgleichung) und mit Flüssigkeitstreibstoffen in extrem dünnen Verbrennungskammern aus Duraluminium experimentiert.

Goddard war ein praktischer Visionär seiner Zeit, doch im Unterschied zur Sowjetunion und zu Deutschland schenkte man in den USA der Entwicklung der Raketentechnik keine große wissenschaftliche Aufmerksamkeit – außer in journalistischen Artikeln über den »Verrückten, der zum Mond fliegen will«. Die Tatsache, dass Goddard die Sciencefiction-Literatur von H. G. Wells und Jules Verne schon als Kind fasziniert hatte, tat ihr Übriges, den Mann als kauzig und irrational abzuqualifizieren.

Harry Guggenheim (links), der Raketenforscher Robert Goddard (Mitte) und Charles Lindbergh (1935).

Lindbergh, der Flugzeugpionier, kam zu einem völlig entgegengesetzten Schluss. Als Carol Guggenheim den Artikel zu Ende gelesen hatte, stand für ihn fest: Er musste Goddard unbedingt kennen lernen.

Lindbergh und seine *Spirit of St. Louis* hatten die Grenzen der bisherigen Luftfahrt gesprengt, aber Goddard und seine Theorie öffneten dem Menschen das Tor zum Himmel. Auch wenn die bisherige Raketenpraxis des Professors nur die Resultate eines Neujahrsknallkörpers erreicht hatte.

Am 23. November 1929 trafen sich der Pilot und der Physiker zum ersten Mal in Worcester.

Es begegneten sich zwei von Grund aus scheue und misstrauische Menschen, die sich aber sehr schnell vertrauten. Goddard zeigte Lindbergh seine Laboratorien und entwickelte ihm bei

Kaffee und Kuchen eine stringente Theorie der Raketen-Zukunftstechnologie. Fast ironisch ließ er dann einfließen, dass er eine mehrstufige Mondrakete bauen könne, »aber sie kostet eine Million Dollar. Das Patent dafür habe ich schon«.

Lindbergh musste lachen.

Gut 15 Jahre später war Lindbergh das Lachen vergangen, als er bei einem Besuch im zerstörten Nachkriegs-Deutschland von einem Entwicklungs-Ingenieur der Hitler-»Wunderwaffe« V2 erfuhr, dass die Deutschen in den 1930er-Jahren alle Goddard-Patente seiner Raketenforschung heimlich geklaut und zu wesentlichen Teilen für ihre militärische Produktion genutzt hatten. »Ihr Amerikaner habt euren eigenen Mann für einen Spinner gehalten«, hatte der Ingenieur zu Lindbergh gesagt. »Wir aber hatten erkannt, dass er genial war.«

Lindbergh wusste damals schon, dass Goddard ein genialer Kopf war. Er fragte ihn, wie viel Zeit und Geld er für seine Raketenforschung brauche. Goddard antwortete, dass er wegen seiner Vorlesungsverpflichtungen nicht richtig zum Forschen käme. Er benötige ein abgeschiedenes Testgelände und eine Summe von jeweils 25000 Dollar für ein Vier-Jahres-Projekt. Nur gäbe es niemanden in Amerika, der bereit sei, das zu finanzieren. Lindbergh versprach, das Geld aufzutreiben. Und fügte hinzu: »Als ich über den Atlantik fliegen wollte, hat man mich als *flying fool* bezeichnet. Aber ich habe 15000 Dollar aufgetrieben und bin geflogen. Sie brauchen etwas mehr Geld, aber für ein Projekt, das meinen Parisflug als sehr klein erscheinen lässt.«

Der erste Versuch, einen Sponsor zu finden, misslang. Die DuPont Company, der größte Sprengstoffproduzent der Welt, lehnte dankend ab. Mit dem seltsamen Professor wollte man nichts zu tun haben. Doch bei seinem Freund Harry Guggenheim hatte Lindbergh mehr Glück. Er verwies ihn an seinen Vater, Daniel Guggenheim, der in eine Stiftung zur Förderung der Luftfahrt fünf Millionen Dollar investiert hatte.

Lindbergh stellte dem Kupferindustriellen, einem der reichsten Amerikaner, das Raketenkonzept Goddards vor – und Daniel Guggenheim willigte ein.

Er erklärte sich bereit, in den folgenden vier Jahren insgesamt 100000 Dollar an Goddard zu zahlen, wobei sich der bescheidene Professor mit einem Jahresgehalt von 5000 Dollar zufrieden gab. Der Rest von 80000 Dollar floss in die praktische Wissenschaft. In Roswell im Bundesstaat New Mexico forschte und experimentierte Goddard in den nächsten Jahren und entwickelte Raketenprototypen, die bis zu 14000 Kilometer ins All und mit annähernder Schallgeschwindigkeit flogen.

Doch den öffentlichen Durchbruch schaffte er erst kurz vor seinem Tod im August 1945. Aufgeschreckt durch die Erkenntnisse über die deutschen »Wunderraketen« V1 und V2, mit denen Hitler kurz vor Kriegsende noch eine Wende herbeiführen wollte, und überrascht von Spionageberichten, die große Fortschritte in der sowjetischen Raketentechnik meldeten, wurde Goddard wissenschaftlich rehabilitiert.

Rückblickend kann man sagen, dass das gesamte amerikanische Weltraum- und Raketenprogramm nach 1945 ohne die Pionierleistungen Robert Goddards kaum denkbar wäre. Selbst das Apollo-Mondlandungsprojekt der Nasa, das bevorzugt dem Deutsch-Amerikaner Wernher von Braun zugeschrieben wird, ging auf Goddards Grundlagenforschung und seine Raketenexperimente zurück.

Und – was bis heute noch übersehen wird:

Es war Charles Lindbergh, der als erster amerikanischer Aeronautiker die Bedeutung der Arbeiten Goddards für die Zukunft der USA erkannte und über die Guggenheim-Stiftung die finanziellen und materiellen Ressourcen für die Arbeit des Raketen-Visionärs organisierte.

Der *flying fool* und der »verrückte Mond-Mensch« haben so einen ganz wesentlichen Beitrag für Amerikas weltweite Spitzenstellung in der Luftfahrt- und Weltraumtechnologie geleistet.

Ein zweiter – wenn auch sehr trauriger – Zufall brachte Charles Lindbergh mit einem anderen großen Wissenschaftler der 1920er- und 1930er-Jahre des vorigen Jahrhunderts zusammen: dem Medizin-Nobelpreisträger Dr. Alexis Carrel.

Kurz vor der Geburt von Charles junior hatte Lindberghs Schwägerin Elisabeth Reeve, die älteste Schwester von Anne, einen leichten Herzinfarkt erlitten. Die Ärzte stellten bei der 26-Jährigen einen chronischen Herzklappenfehler fest und erklärten der völlig deprimierten Frau, dass sie nicht operiert werden könne. Sie rieten ihr außerdem dringend davon ab, jemals Kinder zu bekommen, und ließen durchblicken, dass sie nurmehr eine begrenzte Lebenserwartung haben würde.

Wie sich später herausstellen sollte, war dies eine (leider) richtige Diagnose. Elisabeth Reeve Morrow, verheiratete Morgan, starb im Dezember 1934 im jungen Alter von 30 Jahren.

Als Lindbergh von der Herzerkrankung seiner Schwägerin erfahren hatte, ließ ihn der Gedanke nicht mehr los, warum es technisch nicht möglich sein könnte, ein menschliches Gewebestück wie eine Herzklappe operabel zu korrigieren oder durch eine gesunde Herzklappe zu ersetzen. Lindbergh fragte mehrere Ärzte aus seinem Bekanntenkreis nach den medizinischen Gründen, doch zu seiner Überraschung konnte keiner diese Frage beantworten.

Während Anne Morrow in den Wehen lag und gegen die Schmerzen eine Narkose bekam, unterhielt sich Lindbergh auch mit dem Anästhesisten seiner Frau, Dr. Paluel Flagg, über dieses Problem. Auch er konnte Lindberghs Fragen nicht beantworten, versprach aber, ihn mit einem persönlichen Bekannten am renommierten *Rockefeller Institute of Medical Research* in New York zusammenzubringen.

So kam es zum Treffen von Lindbergh mit Dr. Carrel.

Alexis Carrel war zu diesem Zeitpunkt als Medizin-Professor und Leiter des chirurgischen Forschungslabors der Rockefeller University tätig. Der 1873 in Sainte-Foy-les-Lyon geborene Franzose galt damals als der bedeutendste Experte in noch wenig erforschten Disziplinen der modernen Medizin: der Gefäßchirurgie und der Transplantationschirurgie. Der Enkel eines Leinwandhändlers hatte bereits als Kind das Handwerk der Seidenstickerei erlernt. Er war auf diesem Gebiet so begabt, dass er schon als Jugendlicher Papiernähte mit Nadel und Faden set-

Charles Lindbergh mit dem Medizin-Nobelpreisträger Alexis Carrel in New York.

zen konnte, die mit dem freien Auge nahezu unsichtbar waren. Nach seiner Promotion zum Arzt (1900) spezialisierte sich Carrel am Krankenhaus von Lyon auf Gefäßchirurgie und chirurgische Nahttechniken.

In einem epochemachenden Fachbeitrag aus dem Jahre 1902 beschrieb Alexis Carrel seine neue Technik der speziellen Mehrfachnaht, die als *Carrel'sche Naht* in die Medizingeschichte einging. Damit wurden erstmals neue Möglichkeiten in der Herz- und Gefäßchirurgie und der noch jungen Disziplin der Organtransplantation eröffnet.

Doch der körperlich klein gewachsene Arzt mit den begnadeten Händen schuf sich durch seine resolute Art nicht nur Freunde in der eitlen Mediziner-Zunft. Er war überzeugter Katholik und schaltete sich mit dogmatischen Aufsätzen in die damals äußerst kontrovers diskutierten Themen über Mystik und übersinnliche Wahrnehmung ein.

Der für ihn prägende Anlass war die Auseinandersetzung um das »Wunder von Lourdes«. In einer einsamen Waldgrotte nahe Lourdes in den französischen Pyrenäen war der 14-jährigen Bernadette Soubirous, Tochter eines bettelarmen Müllers, eine weibliche Gestalt auf einer goldschimmernden Wolke erschienen. Im folgenden halben Jahr erlebte Bernadette die rätselhaften Erscheinungen in der Grotte noch weitere 17-mal.

Die Frau auf der Wolke gab sich als Maria Mutter Gottes zu erkennen und forderte Bernadette auf, vor der Grotte eine Wallfahrtskirche zu bauen und aus einer verborgenen Heilquelle in der Grotte zu trinken.

Bernadettes Berichte über ihre Marienerscheinung lösten spontane Prozessionen in Lourdes aus, die in regelrechte Massenwallfahrten mündeten, nachdem ein blinder Mann wieder sehen konnte, als er vom Wasser aus der Quelle getrunken hatte.

Nach heftigen Kontroversen in der katholischen Kirche über Bernadettes Visionen wurde unter dem marianischen und erzkonservativen Fundamentalisten Papst Pius IX. die Echtheit der Erscheinungen und der Wunderheilungen von Lourdes bestätigt.

Bernadette ging als Nonne Marie Bernard ins Kloster und starb am 16. April 1879 im frühen Alter von 35 Jahren an Knochentuberkulose. Papst Pius XI. sprach Bernadette Soubirous im Jahre 1933 heilig. Lourdes entwickelte sich zum größten Marien-Wallfahrtsort der katholischen Welt.

Die Kontroversen um die Authentizität der Visionen von Lourdes und die per Konzil-Dogma erklärte »Unfehlbarkeit des Papstes« (1870) hatten in Frankreich um die Jahrhundertwende zu einem neuen Höhepunkt geführt, als Progressive und Laizisten die strikte Trennung von Kirche und Staat und eine Zurückdrängung des Einflusses der katholischen Kirche forderten. Alexis Carrel, der Revolutionär der Medizin, schlug sich auf die Seite der katholischen Fundamentalisten und publizierte ein Buch und mehrere Artikel über das »Wunder von Lourdes«, das für ihn der Inbegriff der Einheit von Wahrheit und Glauben war: »Mein größter Wunsch und das höchste Ziel meiner Bemühungen sind es, zu glauben, tief und blind zu glauben und niemals mehr weder zu diskutieren noch zu kritisieren.«

Der letzte Satz galt für Carrel allerdings nur hinsichtlich seines Religionsverständnisses, nicht für seine medizinische Forschung. Seinen Kollegen ging dieser katholische Radikalismus erheblich zu weit, und Carrel konnte seine Ambitionen, Chef der Chirurgie an der Lyoner Universitätsklinik zu werden, sofort begraben.

Er verließ Frankreich, ging nach Kanada, dann an die Universität von Chicago, schließlich landete er im Jahre 1906 am Rockefeller-Institut in New York.

Carrel verzichtete dort auf jede katholisch-politische Äußerung und stürzte sich wie ein Besessener auf die experimentelle Forschungsarbeit zur Gefäßchirurgie.

Im Jahre 1912 wurde er als erster Arzt der Welt mit dem ungeteilten Nobelpreis in Medizin und Physiologie ausgezeichnet »als Anerkennung seiner Arbeiten über die Gefäßnaht sowie über Gefäß- und Organtransplantationen«.

Carrel waren die ersten Nierentransplantationen bei Hunden gelungen, außerdem hatte er ein Verfahren entwickelt, Teile eines Hühnerherzens mittels einer Nährlösung in einer Hartglasflasche am Leben zu erhalten. Carrel hatte so den Beweis geliefert, dass die lebendige Zelle (und damit auch Organe) außerhalb des Körpers funktionsfähig bleiben konnten, wenn sie den richtigen Nährboden hatten und alle Probleme der Sterilität beseitigt waren.

Der katholische Doktor aus Lyon hatte somit eine wesentliche Grundlage für die spätere Transplantationsmedizin menschlicher Organe gelegt. Da er durch seine spezielle Nahttechnik auch durchtrennte Blutgefäße miteinander verbinden konnte, gilt er bis heute als ein Protagonist der modernen Herz- und Organchirurgie.

Auch seine Arbeiten als Sanitätsoffizier im Ersten Weltkrieg zur antiseptischen Wundbehandlung und zur Verhinderung von Infektionen bei verletzten Soldaten gelten bis heute als bahnbrechend.

Beim ersten Treffen von Carrel mit Lindbergh hörte sich der Nobelpreisträger geduldig die Fragen des Piloten zu den Gesundheitsproblemen seiner Schwägerin und der Möglichkeit eines Kunstherzens an. Er fand die Ernsthaftigkeit Lindberghs sympathisch. Und Lindbergh war von Carrel beeindruckt.

Der Arzt schilderte dem Laien die Probleme der Blutgerinnung und seinen ständigen Kampf mit Infektionen. Noch nie war es gelungen, einem Lebewesen über einen längeren Zeitraum ein funktionstüchtiges Organ zu transplantieren.

Ein Hauptproblem, erklärte Carrel, sei die Erhaltung eines kompletten Organs außerhalb des Körpers, weil die Durchspülung der Gewebekulturen mit Nährlösung immer wieder zu Infektionen führe.

Den dafür notwendigen Apparat nannte Carrel eine »Perfusionspumpe«. Alle bisherigen Pumpen waren nicht perfekt.

Nachdem Carrel dem neugierigen Lindbergh sein ganzes Laboratorium gezeigt hatte, fragte ihn Charles: »Ich bin kein Mediziner, aber ein sehr technikinteressierter Mensch. Dürfte ich Ihnen helfen, eine neue Perfusionspumpe zu konstruieren?« Carrel stimmte zu.

Lindbergh war ab sofort wissenschaftlicher Mitarbeiter im Team von Dr. Carrel.

Lindbergh, der passionierte Ingenieur, entwarf noch in derselben Nacht ein einfaches Modell für eine Perfusionspumpe aus Hartglas. Es war eine schwenkbare Pumpe mit einer Rohrschlange, die aus Pyrexglas geblasen war.

Der erste Lebendversuch mit Lindberghs Pumpe glückte einen Monat lang. Carrel tötete ein Versuchstier, ein Huhn, und durchspülte einen Teil der Halsschlagader des Tieres in dem sterilen Pyrexglas mit einer Nährlösung. Nach rund vier Wochen ließ der Druck nach – und es stellte sich die unvermeidliche Infektion ein.

Lindbergh war trotz immer neuer Rückschläge fasziniert von der wissenschaftlichen Arbeit im Laboratorium des Rockefeller-Instituts. Die Mitarbeiter schätzten ihn jetzt als ernsthaften gleichberechtigten Kollegen. Bei seinem ersten Besuch im Institut waren sie noch alle von ihren Stühlen und Laborplätzen aufgestanden, um sich ehrfürchtig vor dem Fliegerhelden zu verneigen.

Obwohl Lindbergh seine Arbeit im Institut durch seine anderen beruflichen Missionen, etwa für die »Lindbergh Linie« TAT (die spätere TWA) oder für Pan Am, ständig unterbrach und oft monatelang abwesend war, kam er immer wieder ins Laboratorium zu Carrel zurück.

Lindbergh begründete seine Faszination so: »Die Männer, die ich im Zusammenhang mit meinen medizinischen Forschungen kennen lernte, waren ganz anders als jene, die ich bei der Fliegerei kennen gelernt hatte. Sie waren viel mehr mit dem menschlichen Körper selbst befasst als mit dessen materiellen Errungenschaften, viel mehr mit den Grundphänomenen des Lebens und mit der Behandlung der Abnormitäten des Lebens. Anstatt über Lilienthal, Wright und Blériot begann ich über die Bedeutung von Harvey, Bernard und Pasteur nachzudenken ... Im Rockefeller-Institut fühlte ich mich als Mitglied eines Teams. Ich war von einer menschlichen Organisation umgeben. Fast alles, was ich tat, hing von der Zusammenarbeit und den Leistungen anderer ab, von der Intelligenz und der Hingabe vergangener Generationen genauso wie von der Hilfe von Zeitgenossen.«

Bei der ständigen Neukonstruktion seiner Perfusionspumpen ging Lindbergh im Prinzip ähnlich vor wie beim Bau der *Spirit of St. Louis*. Er schloss sich mit einem Chefkonstrukteur zusammen und arbeitete im Team mit. In diesem Fall hieß der Mann Otto Hopf, ein hervorragender Handwerker und Glasbläser, mit dem er das Hauptproblem der hundertprozentigen Sterilität systematisch zu lösen versuchte.

Rund fünf Jahre verbrachte Lindbergh – sämtliche anderweitigen Intermezzi eingeschlossen – am Rockefeller-Institut. Dann hatte Lindbergh einen (fast) perfekten Durchströmungsapparat konstruiert, der bis heute in der medizinischen Forschung nach ihm benannt ist: die »Lindbergh-Pumpe«.

Am 5. April 1935 tötete Dr. Carrel ein Versuchstier, diesmal eine Katze, entfernte ihre Schilddrüse und konservierte das Organ mit Hilfe der »Lindbergh-Pumpe«. Achtzehn Tage lang wurde

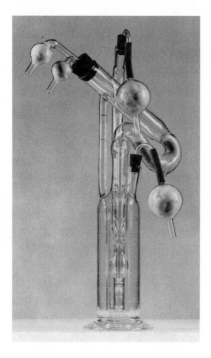

die »lebende Schilddrüse« durchspült, ohne dass die geringste Infektion auftrat. Es war erstmals gelungen, ein ganzes Organ außerhalb des Körpers am Leben zu erhalten. Eine Revolution für die internationale Transplantationsmedizin.

Im Interview für dieses Buch sagte einer der weltberühmtesten Transplantationsmediziner, der Münchner Herzchirurg Professor Bruno Reichart, über Lindbergh und seine Pumpe: »Es bleibt eine großartige Leistung, wie ein Mann, der weder Medizin oder Biologie studiert hatte, einen solchen Apparat konstruieren konnte, der die vitale Funktionsfähigkeit von Zellen und Organen außerhalb des menschlichen Organismus aufrechterhielt. Nach unseren heutigen Maßstäben ist das Gerät zwar viel zu kompliziert und unpraktisch, und es war noch ein weiter Weg bis zur Herz-Lungen-Maschine als Voraussetzung für die moderne Chirurgie der Herztransplantation. Aber Lindbergh gehört historisch zu unserer Zunft.«

Ihre bahnbrechende wissenschaftliche Arbeit fassten Carrel und Lindbergh in dem 1938 erschienenen Medizin-Klassiker *The Culture of Organs* zusammen. Nur der historischen Vollständigkeit halber sei an dieser Stelle angemerkt: Die erste menschliche Nierentransplantation gelang am 23. Dezember 1954 bei den amerikanischen Zwillingsbrüdern Richard und Ronald Herrick. Der Spender, Ronald, lebt heute noch, sein Bruder starb acht Jahre nach der Nierenverpflanzung. Die erste Transplantation eines menschlichen Herzens führte der südafrikanische Professor Christiaan Barnard am 3. Dezember 1967 im Groote-Schur-Hospital von Kapstadt durch. Sein späterer Nachfolger als Chef der Herzchirurgie war übrigens der oben zitierte Professor Bruno Reichart.

Und noch eine historisch-biografische Fußnote:
Rund 30 Jahre nach seiner Erfindung erhielt Lindbergh von zwei amerikanischen Medizinern, die auf dem Gebiet der Organ-Perfusion arbeiteten, einen Brief, in dem sie ihm mitteilten, die alte Lindbergh-Pumpe funktioniere immer noch – doch bei sehr tiefen Temperaturen sei sie nur mehr bedingt brauchbar. Lindbergh besuchte die Forscher und baute eine neue *Lindbergh-Pump* mit modernen Steril-Materialien aus Glas und Plastik, geeignet und geprüft für größere Organe und niedrige Temperaturen. Das Gerät gibt es heute noch.

Die medizinische Forschung hatten aus dem katholischen Fundamentalisten Alexis Carrel und dem späteren Pantheisten Charles Lindbergh ein erfolgreiches Tandem gemacht. Und doch war es eine Art Vater-Sohn-Beziehung. Lindbergh verehrte Carrel, er genoss die Gespräche beim Essen mit dem in jeder Hinsicht außergewöhnlichen Arzt, der von der Organ-Perfusion über die westliche Technikgläubigkeit bis hin zur Kritik an der »Metzgerei der Chirurgen« ständig neue Themen auf Lager hatte.
Einmal beobachtete Lindbergh von seinem Laborplatz aus, wie zwei leibhaftige Nobelpreisträger sich im Smalltalk über Mystik und übersinnliche Wahrnehmung unterhielten: Alexis Carrel hatte Besuch von Albert Einstein bekommen.

Während sich Carrel gegenüber dem eher ungläubigen Pragmatiker Lindbergh mit seinen katholischen Lourdes-Eingebungen auffallend zurückhielt, äußerte er sich wesentlich prononcierter über die Gefahr für die Gesellschaft und die »weiße Rasse« durch Erbkrankheiten. Carrel war Anhänger einer in den USA und den europäischen Ländern, vor allem in den sozialdemokratischen Staaten Skandinaviens, verbreiteten Pseudo-Wissenschaft: der Eugenik.

Der aus dem Griechischen stammende Begriff (von *eugenes* = wohlgeboren) war von dem englischen Anthropologen Francis Galton (1822 bis 1911), einem Vetter des berühmten Naturforschers und Evolutionstheoretikers Charles Darwin (*Über die Entstehung der Arten*), geprägt worden.

Galton verstand unter Eugenik eine Wissenschaft, deren Ziel es war, durch »gute Zucht« den Anteil »positiver Erbanlagen« zu vergrößern. Recht schnell entwickelten sich die eugenischen Theorien in den USA zum blanken Sozialdarwinismus (*Survival of the fittest*), der der Begünstigung der Fortpflanzung gesunder Menschen das Verhindern der Fortpflanzung so genannter Kranker, Anormaler, Schwachsinniger oder Epileptiker gegenüberstellte. Auch die rassistische Theorie von den »angeborenen Defekten der Negersklaven« und ihrer Nachkommen hatte in der US-Eugenik ihre Legitimation gefunden. In vielen amerikanischen Bundesstaaten wurden Gesetze über ein Heiratsverbot für Taubstumme und Zwangssterilisation von »Epileptikern und Geistesschwachen« durchgesetzt, von dem rund 100 000 Menschen betroffen waren. Das »Eugenik-Komitee«, von der Vereinigung der amerikanischen Rinderzüchter gegründet, ging sogar davon aus, dass zehn Millionen Amerikaner an der Fortpflanzung gehindert werden müssten.

Auch in anderen westlichen Demokratien wie in Schweden, Finnland, Norwegen oder Deutschland spielte nach dem Ersten Weltkrieg die »negative Eugenik« eine nicht unerhebliche Rolle, durch gesetzliche Maßnahmen eine Fortpflanzung »erbgeschädigter Menschen« zu verhindern.

Der internationale Umschlag in der Diskussion über die so genannte Erbgesundheitslehre erfolgte erst nach dem Zweiten

Weltkrieg, als die Ausmaße der »völkischen Eugenik« bekannt wurden, die zur systematischen Liquidierung und Vergasung von rund 200 000 »lebensunwerter Menschen« in Hitler-Deutschland geführt hatte.

Alexis Carrel, der sich während des Krieges immer als Anti-Nazi begriff, hatte seine lebensphilosophischen und eugenischen Positionen in dem 1935 erschienenen US-Bestseller *Der Mensch. Das unbekannte Wesen* zusammengefasst, in dessen Schlusskapitel er unter der Rubrik »Einen neuen Menschen schaffen« für Schwerverbrecher und kriminelle Geisteskranke die Euthanasie forderte – »auf humane und wirtschaftliche Weise in kleinen Anstalten für schmerzlose Tötung, wo es die dazu geeigneten Gase gibt«.

Lindbergh hat diese Ansichten Carrels nie geteilt, aber dessen biologistischer Ansatz fand sich in seinen Theorien über den »Lebensstrom« wieder, wenn er von der »natürlichen Auslese« oder der »Vermehrung durch Auswahl und Wettkampf« sprach. Auch seine jüngste amerikanische Tochter Reeve Morrow berichtete in ihren Memoiren öfter von den Vorträgen ihres Vaters über die Bedeutung der Erbgesundheit bei der Auswahl des Partners.

Den Carrel'schen Rassismus von der Überlegenheit der »weißen Rasse« und der »christlichen Wertegesellschaft« aber hat Lindbergh in seiner Autobiografie *Stationen meines Lebens* einer weitgehenden Kritik unterzogen – ohne seinen medizinischen Lehrmeister namentlich zu nennen.

Die Freiheit des Individuums à la Thoreau, die »Weisheit der Wildnis« Afrikas und die kosmische Harmonie des von ihm sehr geschätzten chinesischen Philosophen Laotse schienen Lindbergh letztlich doch überzeugender als die eugenischen Lehren des Doktor Carrel.

11   Die Entführung

DAS LEBEN IM NEST WAR NICHT DIE PERSPEKTIVE DES Adlers. Bereits kurz nach der Geburt des kleinen Charlie bereitete Lindbergh sein nächstes Abenteuer vor. Er fand, dass der Parisflug und die anschließende Guggenheim-Tour zu lange zurückgelegen waren, und neue Abenteuer lockten.

Lindbergh wollte als Kontrapunkt zum Atlantikflug diesmal eine Route über den Pazifischen Ozean fliegen. Sein Traumziel: China.

Das »Reich der Mitte« war noch nie von einem amerikanischen Flieger angeflogen oder überflogen worden. Lindbergh wollte – wieder einmal – der Erste sein.

Dreizehn Monate nach der Geburt von Charles junior machten sich Lindbergh und seine Copilotin und Navigatorin, Anne Morrow, zur Reise nach China auf. Das Baby, mittlerweile ein blond gelockter, kräftiger Bub, wurde unter der Obhut des neuen Kindermädchen Betty Gow bei den Eltern von Anne Morrow, Betty und Dwight Morrow, untergebracht.

Ende Juli 1931 begannen die Lindberghs in Long Island ihren Langzeitflug mit einem Novum: Charles startete aus dem Wasser. Er hatte sein Lockheed-Flugzeug, mit dem er den Transkontinentalrekord von Los Angeles nach New York aufgestellt hatte, zu einem Wasserflugzeug umgerüstet. Außerdem hatte er sich den neuesten Wright-Motor, einen Cyclone mit 575 PS, einbauen lassen.

Lindbergh und Anne Morrow flogen von New York zunächst nach Ottawa, dann über den Nordwesten Kanadas bis nach Alaska. Sie überquerten die Beringsee und erreichten einen Monat nach ihrem Start in New York die japanische Insel Hokkaido.

Bei einer weiteren Landung in der Hauptstadt Tokio wurden sie von über 100 000 Einwohnern frenetisch gefeiert. Lindbergh fand den Verlauf der Reise und die Leistung des Flugzeug so hervorragend, dass er seine Frau, die zeitweise Heimweh nach ihrem Baby hatte, überredete, die Reise bis nach Afrika auszudehnen.

Ihr nächstes Etappenziel war China, das in jenen Tagen von einer Naturkatastrophe betroffen war. Das verheerende Hochwasser des Jangtsekiang hatte rund 30 Millionen Menschen obdachlos gemacht. Die Lindberghs landeten zunächst in Nanking, wo sie vom chinesischen Staatschef Tschiang Kai-schek mit allen Ehren empfangen wurden. Sie boten dem Präsidenten und dem nationalen Hilfskomitee für die Flutkatastrophe ihre Hilfe an, nahmen zwei Ärzte mit großen Mengen Impfserum an Bord und flogen weiter.

Bei einer Zwischenlandung in Hinghwa wäre es beinahe zu einer Katastrophe gekommen. Der wassernden Lockheed-Ma-

Lindberghs Sohn Charles junior mit den beiden Hunden Bogey und Skean im Sommer 1931. Ein halbes Jahr später wurde das Kind entführt und getötet.

schine näherten sich hunderte von Booten mit verzweifelten Flutopfern, die um Lebensmittel bettelten. Doch die Lindberghs hatten nur medizinische Hilfe an Bord. Den Sturm auf das Flugzeug konnte Lindbergh nur dadurch verhindern, dass er zu seinem Revolver griff und in die Luft feuerte. Während die Menschenmassen zurückwichen, startete Charles die Lockheed-Sirius und flog von dannen. »Zum ersten Mal«, bekannte Lindbergh später, »hatte ich richtig Angst um mein Leben.«

Die Aufregungen in China häuften sich. In Hankow havarierte die Maschine, als sie von einem britischen Flugzeugträger zu Wasser gelassen wurde. Die Lockheed kenterte, und die beiden Piloten schwammen im schlammigen Jangtse um ihr Leben, bis sie von einem Rettungsboot geborgen werden konnten. Die Maschine war stark beschädigt und sollte in Shanghai repariert werden, als am 5. Oktober 1931 eine neue Unglücksmeldung eintraf. Anne Morrows Vater, Senator Dwight Morrow, hatte in seinem Haus in New Jersey völlig überraschend einen Gehirnschlag erlitten und war am Tag darauf gestorben.

Der 58-jährige Selfmade-Man hatte sich aus kleinen Verhältnissen zu einem der einflussreichsten Bankiers der USA emporgearbeitet, war als enger Freund des amerikanischen Präsidenten Coolidge zum US-Botschafter in Mexiko ernannt worden und zuletzt für die Republikaner in den Senat eingezogen. Seiner Frau Betty und seinen vier Kindern (Elisabeth, Anne, Dwight junior und Constance) hinterließ er neben mehreren Immobilien ein zweistelliges Millionenvermögen.

Da wegen der noch nicht reparierten Maschine an einen sofortigen Rückflug zur Beerdigung Dwight Morrows nicht zu denken war, entschieden Charles und Anne, ihren Flug abzubrechen, die Maschine in Kisten zu verpacken und nach Amerika verschiffen zu lassen. Sie selbst nahmen ebenfalls ein Schiff und reisten in die USA zurück. Zuvor war Lindbergh von Präsident Tschiang Kai-schek noch mit dem chinesischen Nationalorden ausgezeichnet worden, da er als erster amerikanischer Flieger nach China gekommen war.

In der letzten Oktoberwoche traf das Ehepaar Lindbergh in New Jersey ein, um den kleinen Charlie wieder in die Arme schließen zu können. Drei Monate hatte der Alaska-, Nordpazifik- und Chinaflug gedauert. Anne Morrow schrieb über dieses Abenteuer der »Great Circle Route« ihren ersten Bestseller *North to the Orient*, der Mitte der 1930er-Jahre zum besten Sachbuch der USA gewählt wurde (und dem in den nächsten Jahrzehnten weitere zwölf Bestseller Anne Morrows folgen sollten).

Jetzt wartete auf sie zu Hause ein fast fertig gebautes Nest. Ihr repräsentativer Neubau in den Sourland Mountains bei Hopewell stand vor dem Abschluss. Spätestens zu Jahresbeginn 1932 würde die Lindbergh-Familie mit ihren Hausangestellten das neue Heim beziehen können.

Und noch eine Neuigkeit gab es: An Weihnachten teilte Anne Morrow ihrem Mann mit, dass sie wieder schwanger war. Im Spätsommer 1932 sollte der Nachwuchs kommen. Das Familienglück der Lindberghs schien – trotz des plötzlichen Todes von Annes Vater – eine gute Zukunft zu haben.

Doch dann schlug das Schicksal wieder zu.

Der Umzug der Lindberghs in ihr neues Haus in Hopewell vollzog sich in Etappen. Ende Januar war das Haus bezugsfertig, doch Anne Morrow zog es vor, den Luxus ihrer Suite in der riesigen Villa ihrer Mutter in Next Day Hill in Englewood möglichst lange auszukosten. Da Englewood wesentlich verkehrsgünstiger zu New York City lag als das völlig abgeschiedene neue Haus bei Hopewell und Charles während der Woche meistens in der Stadt zu tun hatte, trafen die Lindberghs folgende Übereinkunft: Am Wochenende, Samstag bis Montagmorgen, weilte die Familie samt Kindermädchen, Butler und Koch im neuen Haus in Hopewell, während der Woche wohnte sie in Next Day Hill.

Am Samstag, dem 27. Februar 1932, war wieder einmal »Hopewell-Tag«, und der Lindbergh-Tross fuhr im Auto von Englewood in die repräsentative Einöde in den Sourland Mountains. Doch am selben Tag begann Charlie, mittlerweile 20 Monate alt, zu husten und zu niesen. Er hatte sich eine Erkältung eingefangen.

Nichts Schlimmes, doch die Lindberghs beschlossen, ausnahmsweise ihren Hopewell-Aufenthalt nicht – wie gewohnt – am Montagmorgen abzubrechen, sondern so lange dort zu bleiben, bis der kleine Charlie wieder völlig gesund war.

Als Charles Lindbergh am Dienstagabend um kurz nach 20 Uhr mit dem Auto von einem arbeitsreichen Tag aus New York zu seinem einsamen Landsitz nach Hopewell kam, schlief Charles junior schon in seinem Himmelbett im Kinderzimmer, das sich im ersten Stock befand. Die Erkältung war abgeklungen.

Sicherheitshalber hatte das Kindermädchen Betty Gow dem kleinen Charlie ein wärmendes Flanellhemdchen unter dem Schlafanzug angezogen. Da der kleine Charlie ohne Schnuller aufwuchs, aber gerne Daumen lutschte, hatte Lindbergh schon vor Wochen angeordnet, seinem Sohn vor dem Einschlafen kleine Metallkappen über den Daumen zu ziehen, weil er Daumenlutschen für eine Unart hielt.

Lindberghs Erziehungsmethoden ...

Ansonsten vergötterte Lindbergh seinen Kleinen – wie er auch am Abend des 1. März 1932 auf Anraten von Anne nicht mehr ins Kinderzimmer ging, um Charlie nicht zu wecken.

An jenem Abend waren in dem riesigen Anwesen von Hopewell neben der Lindbergh-Familie noch Betty Gow und das alte Butler-Ehepaar Olly und Elsie Whateley anwesend – und der gutmütige Foxterrier »Wahgoosh« (benannt nach Lindberghs Hund aus seiner eigenen Kindheit).

Nachdem Lindbergh eine Kleinigkeit gegessen hatte, setzte er sich mit Anne ins Wohnzimmer, als er gegen 21 Uhr ein lautes Geräusch hörte – als wäre eine Holzkiste zu Boden gefallen. Lindbergh schenkte dem keine Bedeutung, da draußen ein fürchterliches Wetter herrschte. Es stürmte und regnete, der Wind pfiff um das einsame Haus.

Kurz nach 22 Uhr ging Betty Gow ins Kinderzimmer, um nach dem kleinen Charlie zu sehen und zu prüfen, ob die Windeln gewechselt werden müssten. Da sie das Kind nicht wecken wollte, machte sie kein Licht und tastete das Kinderbett ab.

Es war leer.

Betty Gow rannte die Treppe hinunter, wo sie Anne auf dem Flur traf: »Haben Sie das Kind, Mrs. Lindbergh?«

Anne schüttelte überrascht den Kopf.

Betty stürzte ins Wohnzimmer und rief mit sich überschlagender Stimme zu Lindbergh, der an seinem Schreibtisch saß: »Mr. Colonel, haben Sie das Kind? Es ist weg!«

Lindbergh sprang auf, raste die Treppe hoch und sah das leere Himmelbett. Im Raum wehte eine kühle Luft. Lindbergh bemerkte sofort, dass das Fenster, das eigentlich geschlossen sein sollte, einen Spalt geöffnet war. Und auf dem Fensterbrett lag ein weißer Briefumschlag.

»Nicht berühren!«, herrschte er die völlig verzweifelte Betty an. Dann ließ er den alten Butler Olly Whateley aus dem Bett holen und befahl ihm, sofort den Sheriff von Hopewell anzurufen.

Anne, wachsbleich im Gesicht, war mittlerweile ins Zimmer getreten. Lindbergh streichelte ihr über die Wange und sagte ihr mit stockender Stimme: »Sie haben unser Kind gestohlen.«

Dann stürzte er aus dem Raum, nahm sein Gewehr und lief aus dem Haus. In der finsteren, stürmischen und regnerischen Nacht sah Lindbergh überhaupt nichts. Er kehrte schnell wieder um, ging zum Telefon und rief seinen Rechtsanwalt Henry Breckinridge in New York an.

Breckinridge war ein erfahrener und umsichtiger Anwalt, den Lindbergh nach seinem Atlantikflug durch Harry Guggenheim kennen gelernt hatte. Der einflussreiche Jurist im militärischen Rang eines Obersts war während des Ersten Weltkriegs als Staatssekretär im Kriegsministeriums der Regierung von Woodrow Wilson tätig gewesen, hatte danach als Anwalt den Guggenheim-Konzern vertreten und war seit 1927 engster Berater von Charles Lindbergh. Er war das, was man heute einen Staranwalt nennt.

Breckinridge riet Lindbergh, sofort die Staatspolizei einzuschalten: »Die Polizisten in Hopewell haben wahrscheinlich noch nie eine Straftat untersucht, die über einen Ladendiebstahl hinausging.«

Innerhalb einer halben Stunde wurde in New Jersey der Großalarm ausgelöst. Sämtliche Straßen und Brücken wurden polizeilich gesperrt, alle Autos systematisch kontrolliert, auch in New York wurde Fahndungsalarm gegeben.

Während Anne verzweifelt und weinend in ihrem Bett lag, blieb Charles völlig cool. Er gab den anwesenden Polizisten sogar Dienstanweisungen, wo und wie sie zu suchen hätten. Schließlich traf noch vor Mitternacht der Polizeipräsident von New Jersey, H. Norman Schwarzkopf, im Lindbergh-Haus ein.

Sein gleichnamiger Sohn war übrigens der Oberbefehlshaber der US-Streitkräfte im ersten Irak-Krieg gegen Saddam Hussein im Jahr 1991.

Obwohl Lindbergh versuchte, Ruhe zu verbreiten, brach unter den Polizisten zum Teil blinder Aktionismus aus. Das gesamte Umfeld des Hauses wurde zertrampelt, was sich bei Anbruch des Tageslichts als wenig vorteilhaft für die Spurensuche herausstellen sollte.

Als wirklich heiße Spur gab es nur den weißen Briefumschlag, der zunächst auf Fingerabdrücke untersucht wurde – die es nicht gab.

Der Täter hatte offenbar Handschuhe getragen. Polizeioberst Frank Kelly öffnete danach den Umschlag und entnahm ihm ein Blatt Papier.

In krakeliger, fast kindlicher Handschrift und in schlechtem Englisch stand Folgendes zu lesen (im Versuch einer adäquaten Übersetzung):

Sehr geehrter Herr! [Original: *Dear Sir!*]
Halten Sie 50 000 $ bereit, 25 000 $ in 20 $-Scheinen, 15 000 $ in 10 $-Scheinen und 10 000 $ in 5 $-Scheinen. In 2–4 Tagen informieren wir Sie, wo Sie das Gelt hinbringen solln.
Wir warnen Sie davor an die Öffentlichkeit oder zur Polizei zu gehen. Das Kind ist in guten Händen. [Original: *The child is in guter care.*]
Kennzeichen für alle Briefe sind Singnature
Und 3 Löcher.

Auffallend war auf den ersten Blick die mangelnde Orthografie, die auf einen schlecht Englisch sprechenden Einwanderer schließen ließ. Auch der Begriff »*singnature*« (für »Unterschrift«) war falsch geschrieben und das deutsche Adjektiv »*guter*« ließ darauf schließen, dass möglicherweise ein deutscher Immigrant den Kidnapper-Brief verfasst hatte.

Besonders auffallend aber war das Erkennungszeichen am Ende des Briefes: Es waren zwei Kreise, die sich überschnitten. Das überschnittene Oval war rot, die beiden Restkreise blau ausgemalt. Und in alle drei Flächen war jeweils ein quadratisches Loch gestanzt.

Der (oder die) Täter wollte damit sichergehen, dass er mit diesem Kennzeichen auch bei künftigen Erpresserbriefen unverwechselbar war – sofern die Polizei den Brief nicht an die Presse weitergab.

Dies geschah auch nicht.

Im Gegenteil: Der sonst so pressescheue Lindbergh empfing noch in der Nacht eine große Anzahl von Journalisten in seinem Wohnzimmer zu einer improvisierten Pressekonferenz. Er begrüßte jeden einzelnen Reporter per Handschlag und informierte sie über den Raub des kleinen Charlie. Den Bekennerbrief verschwieg er.

Was dann folgte, stellte selbst den Lindbergh-Flug über den Atlantik in den Schatten. Alle Rundfunkprogramme wurden unterbrochen, um die Sondermeldung zu publizieren. Sämtliche amerikanische Zeitungen wechselten noch in der Nacht die Schlagzeilen. Selbst die seriöse *New York Times*, die die Eskalation des japanisch-chinesischen Krieges mit der Besetzung Shanghais durch japanische Truppen als ursprünglichen Aufmacher hatte, räumte die Weltpolitik zur Seite und titelte: LINDBERGH-BABY ENTFÜHRT! EINFACH AUS DEM BETT GERISSEN – UMFANGREICHE SUCHAKTIONEN!

In den folgenden Tagen beherrschte die gesamte Öffentlichkeit der USA nur noch ein Thema: die Entführung des Lindbergh-Babys. Präsident Herbert Clark Hoover bot Lindbergh und den Ermittlungsbehörden die volle Unterstützung des Landes an. Rechtsanwalt Breckinridge hatte zudem seinen alten Freund, den FBI-Chef Edgar Hoover, eingeschaltet, um über dessen Agentennetz Kontakte zur Unterwelt und zur Mafia herzustellen. Vielleicht wusste die »Ehrenwerte Gesellschaft«, wer aus ihren Reihen dieses Verbrechen begangen hatte.

Sämtliche Flughäfen und Häfen der Vereinigten Staaten wurden kontrolliert, alle Einwanderungsbehörden des Landes waren alarmiert. An der landesweiten Großfahndung waren jetzt nahezu 100 000 Kripoleute und Polizeiagenten beteiligt. Selbst aus dem Gefängnis meldete sich Amerikas Mafia-Boss Nr. 1, Al Capone, um seine Unterstützung anzubieten – am besten für eine Freilassung gegen Kaution, was die Justizbehörden ablehnten. Das Lindbergh-Haus in Hopewell wurde zu einer Polizeifestung umfunktioniert und mit sämtlichen Fernmeldeeinrichtungen ausgestattet.

Auch die amerikanische Innenpolitik zog sofort nach: Der Kongress verabschiedete innerhalb weniger Tage ein Gesetz, das Kidnapping ab sofort unter Todesstrafe stellte – dies war der so genannte »Lindbergh Act«.

Doch vom Baby fehlte jede Spur.

Die Kripo-Beamten auf dem Lindbergh-Grundstück hatten in mühevoller Sucharbeit in dem vom Regen und den Stiefeln der Einsatzkräfte völlig zerwühlten Grundstück drei neue Indizien gefunden: eine Metallkappe vom Daumen des kleinen Charlie, einen Meißel mit Holzgriff und eine dreiteilige, etwa sechs Meter lange Holzleiter.

Mit der zusammensteckbaren Leiter war der Kidnapper offensichtlich in das Kinderzimmer im ersten Stock eingestiegen, mit dem Meißel musste er das Fenster geöffnet haben. Merkwürdig war nur, dass die Sprossen der Leiter teilweise fast 50 Zentimeter Abstand aufwiesen. Mit einem Kind im Arm und bei Regen und Sturm – wie in der Entführungsnacht – auf dieser Leiter herunterzusteigen musste halsbrecherisch gewesen sein. Außerdem fanden die Ermittler eine Leitersprosse, die gebrochen war.

Mittlerweile überbot sich die öffentliche Meinung in Spekulationen über den oder die Täter. Die USA durchlebten zu diesem Zeitpunkt eine tiefe Wirtschaftsdepression mit hoher Arbeitslosigkeit.

Wollten sich vielleicht sozial Deklassierte durch ein lukratives Kidnapping am reichen Flieger und seiner Ehefrau, die

Polizeibeamte untersuchen mit Hilfe der von den Entführern verwendeten Holzleiter das Fenster des Kinderzimmers im ersten Stock des Lindbergh-Hauses in Hopewell/New Jersey.

von ihrem Vater ein Millionenerbe zu erwarten hatte, schadlos halten?

Andererseits hatte das verhängnisvolle Prohibitions-Gesetz in den USA, das Produktion und Verkauf aller alkoholischen Getränke unter Strafe stellte, zu einer neuen heimlichen Macht geführt: der vor allem von Italoamerikanern kontrollierten *Cosa nostra*, der in Clans organisierten Mafia. Kein amerikanisch-puritanisches Gesetz hat bis heute die organisierte Kriminalität derart befördert wie die Prohibition. Ein Umdenken hatte mittlerweile eingesetzt, nachdem den USA mit der Mafia ein Staat im Staat erwachsen war. Das pseudo-moralische Antialkoholismus-Gesetz sollte schleunigst wieder aufgehoben werden, während sich unterdessen die organisierten Banden, besonders in Chicago, neue Betätigungsfelder gesucht hatten: das Kidnapping von Millionären oder deren Kindern. War das Lindbergh-Baby ein Opfer der *Cosa nostra*?

Lindbergh, der ohne jegliche äußere Erregung den Entführungsfall seines Sohnes durchstand und seiner Frau Anne verboten hatte, vor Journalisten zu weinen, tendierte in die Richtung, die Täter seien mafiös organisiert. Zum Entsetzen der Kripo nahm Lindbergh Kontakt mit einem Mafia-Mann, Mickey Rosner, auf, dem er als Anzahlung 2500 Dollar aushändigte und ihn bat, im Milieu zu recherchieren.

Nach Bekanntwerden dieser Tatsache boten sich weitere Kriminelle bei Lindbergh an, die angeblich bereits Kontakt zu der Entführer-Gang geknüpft hatten. Lindbergh ging jedem Angebot nach.

Er glaubte, dass es die »Ganoven-Ehre« verbiete, ein 20 Monate altes Kind kaltblütig umzubringen, wenn er selbst bereit war, mehrere zehntausend Dollar ohne polizeiliche Einmischung als Preis für die Wiederbringung seines geliebten Charlie zu zahlen.

Doch dann tauchte ein neuer Erpresserbrief auf – in derselben krakeligen Handschrift und in schlechtem Englisch mit vielen Rechtschreibfehlern geschrieben. Und wieder unterzeichnet mit den zwei verschlungenen Farbkreisen.

Dear Sir!
Wir haben Sie gewarnd nix an die Zeitung oder die Polizei zu geben Jetzt müssen Sie die folgen tragen. Keine angsd um das Kint, aber wir müssen jetzt 70 000 $ verlangen. Wir haben die entführung seid Jahren vorbereitet, deswegn sind wir vorbereidet auf alles. Wir melden uns wieder, wen die polizei draußen ist aus dem fall und die Zeitungen sint still.

Lindbergh wusste nicht mehr, was er machen sollte. Breckinridge riet zum Abwarten.

Dann trat Kommissar Zufall auf den Plan.

Sein Name war John F. Condon, ein 71-jähriger, früherer Mathematiklehrer aus dem New Yorker Stadtteil Bronx. Der äußerst korpulente Mann aus dem übel beleumdeten Stadtviertel war ein glühender Lindbergh-Fan und passionierter Schreiber kleiner

Stadtteilgeschichten für die *Bronx Home News*, einer unbedeutenden Zeitung des Viertels.

Ohne jemals mit Lindbergh gesprochen zu haben, setzte er einen Leserbrief in die Zeitung, in dem er sich als patriotischen Lindbergh-Anhänger ausgab, der alles tun werde, um das »Baby des Oberst« wieder zurückzubringen, und der auf jede geforderte Lösegeldsumme noch persönlich 1000 Dollar aus seinem Sparbuch drauflegen würde.

Kurz danach wurde Condon tatsächlich kontaktiert: In derselben Krakelschrift und mit den bekannten Kreisen der *»Singnature«* wurde er gebeten, als Mittelsmann für die Lösegeldzahlung tätig zu werden. Nachdem Lindbergh von Condon darüber informiert worden war, gab er ihm über seinen Anwalt Breckinridge sofort grünes Licht. Und tatsächlich: Condon traf den Kidnapper.

Über mysteriöse Anrufe und versteckte Zettel wie in einer Schnitzeljagd wurde Condon (heimlich begleitet von einem Vertrauten des Anwalts Breckinridge) spätabends zu einem Friedhof in der Bronx gelotst.

Ein Mann ganz in Schwarz und mit tiefem Filzhut auf dem Kopf sprach mit ihm zwischen den Grabsteinen über die Modalitäten der Lösegeldzahlung.

Er nannte sich »John«, mit deutlich deutschem Akzent, und ging später in die amerikanische Kriminalgeschichte als *Cemetery John* ein. Als der »Friedhof-Hans«.

Condon überzeugte den *Cemetery John* davon, dass Lindbergh ein irgendwie geartetes Lebenszeichen des kleinen Charlie brauche, bevor er Lösegeld zahle. Und der »Friedhof-Hans« willigte ein.

Kurz darauf traf bei Condon ein Päckchen ein, das einen gewaschenen und gebügelten Baby-Schlafanzug enthielt. Es war – wie sich Lindbergh, Anne und Betty Gow überzeugten – der Schlafanzug von Charlie.

Nach weiteren Vermittlungen Condons – ohne Wissen der Kripo – und zumeist eingefädelt über Zeitungsinserate mit dem Pseudonym »Jafsie«, das sich der dicke Mathematiklehrer gegeben hatte, kam es schließlich am 2. April 1932 an einem Friedhof in der Bronx zur Lösegeldübergabe. Condon hatte *Cemetery John* auf 50000 Dollar heruntergehandelt, und Lindbergh fuhr Condon mit dem Geld persönlich zum Friedhof. Als Lindbergh ausstieg, wurde er aus großer Entfernung mit dem Ruf angesprochen: »Hey, Doktor!« Lindbergh glaubte, einen Akzent zu hören, und überließ Condon die Übergabe.

In einem Karton waren die gebündelten Dollarnoten verstaut, großteils in Goldzertifikaten, die wie normales Papiergeld aussahen, aber bei Lindberghs Bank nummeriert worden waren.

Cemetery John prüfte das Geld, gab Condon einen verschlossenen Briefumschlag und sagte in gebrochenem Englisch: »Öffnen Sie den Brief erst in sechs Stunden. Dort steht drin, wo Sie das Baby finden.« Dann verschwand er zwischen den Gräbern.

Lindbergh und Condon fuhren im Auto um wenige Häuserecken und öffneten dann den Brief. Demnach war der kleine Charlie auf einem Boot namens *Nelly* versteckt, das zwischen Horseneck Beach und Elizabeth Island vor dem Festland von Massachusetts liegen sollte.

Noch vor Sonnenaufgang orderte Lindbergh ein Wasserflugzeug und flog zu dem angegebenen Gewässer. Gleichzeitig wurde die Polizei alarmiert.

Den gesamten Tag überflog Lindbergh im Tiefflug die Gegend, während die Wasserpolizei dazu überging, jedes einzelne Schiff zu kontrollieren.

Eine *Nelly* aber gab es nicht.

Am Abend stand fest: Lindbergh war reingelegt worden. Die Fahndung ging weiter.

Ergebnislos. Keine Spur von Charlie. Dabei suchte jetzt ganz Amerika.

Das Lindbergh-Baby war seit zwei Monaten der tägliche Aufmacher oder die tägliche Spitzenmeldung auf der Seite eins jeder US-Zeitung.

Am Nachmittag des 12. Mai 1932 fuhr ein Lkw von Hopewell nach Princeton. In einer abgelegenen Seitenstraße stoppte das Fahrzeug, weil der Beifahrer ein dringendes Bedürfnis hatte. Er ging etwa 50 Meter in einen nahe gelegenen Wald, um sich zu erleichtern, als er plötzlich im morastigen Unterholz den leblosen Kopf eines Kindes sah.

Er lief zum Lkw zurück und berichtete seinem Kollegen von der grässlichen Entdeckung.

Dann fuhren sie zur nächsten Polizeistation.

Eine Streife wurde sofort an die Fundstelle beordert, die etwa sieben Kilometer vom Haus der Lindberghs in Hopewell entfernt war. Am Straßenrand fanden die Polizisten im Morast einen blutbefleckten Leinensack. Dann entdeckten sie im Schlamm des Unterholzes die Leiche eines kleinen Kindes, fast noch ein Baby. Die Haare waren blond gelockt, doch der Torso bot einen Anblick des Grauens. Das linke Bein fehlte, ebenso ein Arm und die rechte Hand. Der Bauch war aufgerissen und die Eingeweide angenagt. Offensichtlich war das tote Kind von Tieren des Waldes angefressen worden.

Die Polizisten alarmierten die Polizeidirektion. Kurz darauf traf Oberst Schwarzkopf ein, der die Leiche des Babys bergen ließ. Da Lindbergh nicht zu Hause war, wurde das Kindermädchen Betty Gow gebeten, sich den Leichnam anzusehen. Obwohl sie kurz vor der Ohnmacht stand, identifizierte sie den Torso eindeutig als Charlie.

Das Kind trug noch das Flanellhemdchen, das ihm Betty wegen der Erkältung angezogen hatte. Der Schlafanzug aber war weg.

Die blonden Locken, das Grübchen im Kinn – eindeutig: Es war der kleine Charlie.

Als Lindbergh in Hopewell ankam, wurde er ins Leichenschauhaus beordert, um den Corpus zu identifizieren. Auch er war sich völlig sicher, dass es sich um Charlie handelte. Er bat aber, den Anblick der entstellten Leiche seiner mittlerweile im fünften Monat schwangeren Ehefrau Anne zu ersparen.

Schwarzkopf willigte ein und erfüllte auch die nächste Bitte Lindberghs: Er wollte, dass die Leiche des kleinen Charlie sofort verbrannt werde. Es sei für ihn und seine Frau unzumutbar, dass es noch ein offizielles Begräbnis gebe, bei dem sich die gesamte Presse der USA und zehntausende von Schaulustigen um den

DAILY NEWS

NEW YORK'S PICTURE NEWSPAPER

Vol. 13. No. 276   92 Pages   New York, Friday, May 13, 1932*   2 Cents

LINDY'S BABY FOUND—SLAIN

—Story on Page 3

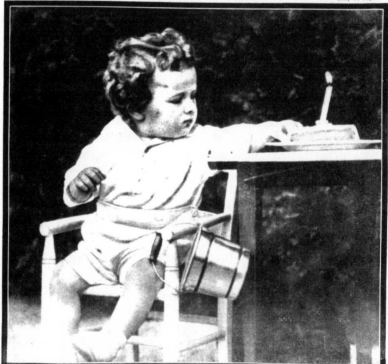

DEATH ENDS LINDBERGH QUEST!—Body of Charles A. Lindbergh Jr. was found yesterday in a shallow grave four miles from Hopewell home where he was kidnaped 72 days ago. It lay under a bush, so badly decomposed police believe that 20-month-old child was slain soon after he was kidnaped.—*Other pics. pp. 33, 34, 35, 37, 68.*

»Lindys Baby gefunden – erschlagen«:
Die Schlagzeile der »Daily News« vom 13. Mai 1932, nachdem der
kleine Charles Lindbergh tot aufgefunden worden war.

besten Platz am offenen Grab balgten. Er wolle irgendwann die Urne mit der Asche seines kleinen Sohnes still und allein beisetzen.

Die Autopsie ergab, dass das Kind weder erwürgt noch erschossen worden war. Die Blutspuren am Kopf ließen auf die Einwirkung stumpfer Gewalt schließen. Die Wahrscheinlichkeit lag nahe, dass der kleine Charlie, eingehüllt in einen Leinensack, dem Entführer beim Abstieg auf der wackligen Leiter aus den Händen geglitten und mit dem Kopf auf dem Boden aufgeschlagen war.

Wahrscheinlich hatte dann der Kidnapper in Panik die Leiche des Kindes in einem angrenzenden Wald versteckt, aber dem toten Baby noch den Schlafanzug ausgezogen, um ein sicheres Beweisstück für die Lösegelderpressung zu haben.

Als Charles nach der Identifizierung spätnachts wieder zu Hause ankam, schloss er seine hemmungslos weinende Anne in die Arme. Sie hatte von Betty Gow von dem Leichenfund erfahren und war völlig geschockt. Charles versuchte sie mit großem Einfühlungsvermögen zu trösten. Er sprach wie ein Psychiater auf sie ein, bis sie schließlich in seinen Armen einschlief.

Später jedoch, nachdem Anne den tiefen Schock einigermaßen überwunden hatte, äußerte sie sich schockiert über Charles. Ihrem Biografen A. Scott Berg teilte sie mit, es hätte sie entsetzt, dass Charles nicht einmal im Angesicht der Leiche ihres gemeinsamen Sohnes fähig war, zu weinen.

Er sei bis zum Schluss fast gefühllos gefasst gewesen. Wahrscheinlich war dies nur sein Panzer.

Denn bis zu seinem Lebensende ist Lindbergh nichts so schwer gefallen, als über die Entführung und den Tod von Charlie zu reden. Es war nicht nur ein Tabu-Thema. Es war eine Urangst, dass dieses Drama sich noch einmal wiederholen könnte.

Psychologisch hat diese menschliche Katastrophe mit Sicherheit eine Trotzreaktion bei Lindbergh erzeugt: »Ihr habt mir mein erstes Kind genommen, aber ich werde noch viele Kinder in die Welt setzen!«

Die Wochen nach diesem furchtbaren Tag im Mai waren geprägt von einer Welle des Mitleids, die nicht nur Amerika erfasste. Hunderttausende von Briefen und Beileidstelegrammen überschwemmten förmlich das Lindbergh-Haus in Hopewell. Es gab sogar junge Mütter, die ihr Baby den Lindberghs zur Adoption anboten. Die Anteilnahme war grenzenlos.

Natürlich auch der Rückenwind des Lindbergh-Dramas. Passend zum fünften Jahrestag des historischen Atlantikflugs nach Paris startete die amerikanische Fliegerin Amelia Earhart, genannt »Lady Lindy«, am 21. Mai 1932 zur ersten Atlantiküberquerung einer Frau. Als sie in Irland sicher gelandet war und Lindbergh davon erfuhr, hatte er seinen alten ironischen Witz wiedergefunden und kommentierte den Atlantikflug von »Lady Lindy« so: »Wie ich höre, ist Amelia gut gelandet – einmal wenigstens.« Denn Earhart galt als Bruchpilotin.

Das Drama um die Entführung und den Tod des Lindbergh-Babys schlug weltweit hohe Wellen.

Die bedeutendste Krimi-Autorin Englands, Agatha Christie, nahm den Fall – noch vor seiner endgültigen Aufklärung und unter dem Eindruck einer möglichen Mafia-Verbindung – zum Anlass, ihren auflagestärksten Thriller zu konzipieren: *Mord im Orient-Express*. Der Roman aus dem Jahre 1934 und die spätere, mehrfach Oscar-nominierte Verfilmung von Regisseur Sydney Lumet, mit Stars wie Albert Finney (als Detektiv Hercule Poirot), Lauren Bacall, Ingrid Bergman und Sean Connery, schilderte die Ermordung eines zwielichtigen Millionärs durch zwölf Messerstiche in einem Abteil des Luxus-Zuges von Istanbul nach Calais, bei dem der Kidnapper und Mörder Cassetti durch zwölf Betroffene im »Entführungsfall Armstrong« hingerichtet wurde.

»Armstrong« stand für Lindbergh.

Doch wer war Cassetti?

Die Kripo tappte völlig im Dunkeln – und verdächtigte willkürlich fast alle Menschen, die im direkten Umfeld der Lindbergh-Familie tätig waren.

Der Freund von Kindermädchen Betty Gow, ein illegal eingereister skandinavischer Matrose, wurde tagelangen Verhören unterzogen und dann nach Europa abgeschoben. Ein harmloses Zimmermädchen, Violet Sharpe, war nach den ersten Verhören so fertig, dass sie ein Putzmittel schluckte und sich umbrachte. Doch der (oder die) Kidnapper – unbekannt.

Die Lindberghs zogen sich aus ihrem teuren Haus in Hopewell systematisch zurück. Der kleine Charlie war irgendwie und irgendwo immer anwesend – ein unerträglicher Gedanke für Anne Morrow. Das Ehepaar hielt sich deshalb immer häufiger in den großzügigen Immobilien von Annes Mutter in Englewood/New Jersey oder in der New Yorker Stadtwohnung auf.

Am Nachmittag des 15. August 1932 erschien Lindbergh überraschend auf einem Flugplatz in New Jersey, um einen neuen Tiefdecker aus Ganzmetall zu testen. Einige Journalisten, die seit Tagen die Flugplätze von New Jersey und New York belagert hatten, hofften auf eine neue Lindbergh-Story.

Doch die gab es nicht.

Lindbergh, mit einer kleinen Segeltuchtasche in der Hand, begrüßte die Reporter freundlich und sagte ihnen, er sei nach den ganzen Aufregungen der Vergangenheit so leer im Kopf, dass er nach drei Monaten endlich wieder einmal ein Flugzeug besteigen müsse.

Die Journalisten waren voller Anteilnahme, wünschten ihm einen guten Flug und zogen sich zurück. Lindbergh startete den Flieger, stieg auf und flog in Richtung Atlantik. Auf offener See machte er den Reißverschluss seiner Segeltuchtasche auf und entnahm ihr die Urne mit der Asche seines Sohnes.

Dann öffnete er ein Seitenfenster und verstreute die Asche von Charles Augustus Lindbergh junior über dem Atlantik. Mit Tränen in den Augen kehrte Lindbergh nach einer Stunde auf den Flugplatz in New Jersey zurück.

Er war allein.

Die Journalisten hatten sich längst verabschiedet.

Dann fuhr er mit dem Auto heim.

Es wurde eine schicksalhafte Rückkehr.

Als er am Abend ankam, empfing ihn eine Krankenschwester mit den Worten: »Colonel Lindbergh, Ihre Frau kriegt ein Kind!«

Am nächsten Morgen gegen vier Uhr früh hatte Anne nach schmerzhaften Wehen und einer Narkose entbunden: Es war wieder ein Junge.

Aber was für ein Tag, was für eine Nacht! Innerhalb weniger Stunden hatte Charles Lindbergh seinen ersten Sohn Charlie mit einem Fliegerbegräbnis über dem Atlantik bestattet, dann kam in New York sein zweiter Sohn zur Welt.

Im Unterschied zur ersten Geburt von Anne vermied Lindbergh geradezu penetrant jeden Pressekontakt. Nicht einmal der Geburtsort – New York – wurde bekannt gegeben. Erst nach über sechs Wochen teilte Lindbergh der Öffentlichkeit mit, dass sein Sohn auf den skandinavischen Vornamen Jon (gesprochen wie geschrieben) getauft wurde.

Anne Morrow Lindbergh (links) mit ihrem Sohn Jon (geboren am 16. August 1932) und ihrer Mutter Elizabeth Cutter Morrow, aufgenommen im November 1932.

Nach den Vorkommnissen der Vergangenheit werde es aber keinerlei Fotos geben – und er bitte die Presse inständig, dies zu respektieren.

Gleichzeitig schaffte sich Lindbergh einen Schäferhund namens Thor an, der speziell auf die direkte Bewachung des Babys abgerichtet war.

Durch die glückliche Geburt von Jon ging es auch Anne wieder wesentlich besser. Allmählich kehrte etwas Ruhe und Frieden bei den Lindberghs ein.

Doch Lindbergh blieb ein Getriebener.

Jede Form von Familienglück und Häuslichkeit war nur ein Zwischenstadium seiner Rastlosigkeit. Kaum hatte sich »Little Jon« in seiner Kleinst-Baby-Phase stabilisiert, schmiedete Lindbergh bereits neue Pläne. Nicht für sich allein, auch für Anne.

Obwohl seine Frau die behüteten Monate mit dem kleinen Jon in der Villa ihrer Mutter in Next Day Hill genoss und froh war, nicht mehr in das unglückselige Einödanwesen von Hopewell fahren zu müssen, plante Charles bereits die nächste Expedition. Er wollte jetzt die große Atlantiktour bewältigen.

Seine mittlerweile reparierte Lockheed-Sirius bekam neue Schwimmer und einen verbesserten Wright-Cyclone-F-Motor, außerdem ließ er das beste verfügbare Funkgerät der Pan Am einbauen.

Im Juli 1933 starteten die Lindberghs von New York aus in Richtung Norden. Es sollte ihre längste Tour werden. »Little Jon«, knapp ein Jahr alt, war mit dem Kindermädchen wieder bei der Oma in Next Day Hill untergebracht worden.

Zunächst flogen die Lindberghs über Neufundland und Labrador nach Grönland, das sie mit mehreren Zwischenlandungen in rund drei Wochen erkundeten.

Da Lindbergh keine Lust hatte, ständig in der Heimat anzurufen, verbreitete die New Yorker Boulevardpresse im August 1933 die Sensationsmeldung: »Lindbergh und seine Frau Anne über Grönland tödlich abgestürzt!«

Wie in diesem Business üblich, wurde die Falschmeldung weltweit abgekupfert, bis eine Woche später aus Grönland das Dementi kam. Dem *lone eagle* und seiner Frau ging es bestens.

Was Lindbergh geradezu faszinierte, war die Begeisterung der grönländischen Eskimos über sein Flugzeug. Sie nannten es »Tingmissartoq«.

Übersetzt: »Der wie ein Vogel fliegt«. Bevor die Lindberghs im August das gastfreundliche Grönland in Richtung Island verließen, bat er einen jungen Eskimo, das Wort »Tingmissartoq« auf die Außenwand der Lockheed-Sirius zu schreiben.

Der Flug des fliegenden Ehepaares führte über die Shetland-Inseln, die Faröer und Dänemark nach Schweden – der Heimat von Lindberghs Großvater.

Obwohl die Ankunft in Stockholm wie überall auf große Massenbegeisterung stieß, gelang es Charles, sich heimlich abzusetzen und nach Schonen in Südschweden zu fliegen.

Mitte September stand Charles Lindbergh vor dem Haus, das einst dem rebellischen Reichstagsabgeordneten Ola Månsson gehört hatte. Dem Mann, mit dem die »Lindbergh-Linie« der Pioniere in den USA begonnen hatte.

Von Schweden ging es weiter quer durch Europa.

Selbst die Sowjetunion öffnete Lindbergh völlig unbürokratisch ihren Luftraum. Im Selbstverständnis der Kommunisten galt Lindbergh als »Pionier der wissenschaftlich-technischen Revolution«, dem zu Ehren das legendäre Kirow-Ballett in Leningrad tanzte und dem in Moskau ein Staatsbankett gegeben wurde.

Ende Oktober 1933 feierte Lindbergh ein Wiedersehen mit Paris. Aber seine Hoffnung, unerkannt zu bleiben, war völlige Utopie.

Wo immer er auftauchte, ob auf der Straße oder in der Hotelhalle, gab es Massenaufläufe.

Vive Lindbergh! Vive l'Américain!

Es war wie im Mai 1927 – nur noch intensiver.

Lindbergh blieb zwar scheu wie immer – innerlich jedoch fühlte er sich geschmeichelt. Anne dagegen bekam wieder Heimweh – nach Next Day Hill und »Little Jon«.

Doch der Adler wollte weiterfliegen.

Über Lissabon und die Azoren ging der Flug an der afrikanischen Westküste entlang und dann über den Atlantik nach Südamerika. Sie landeten zunächst im brasilianischen Natal, flogen den Amazonas entlang und kehrten über Trinidad, Puerto Rico,

Santo Domingo und Miami fünf Tage vor Weihnachten wieder nach New York zurück.

In fünf Monaten hatten die Lindberghs ohne jegliche Havarie oder Notlandung fast 54 000 Flugkilometer zurückgelegt – schon wieder ein Weltrekord.

Auch aus dieser Reise machte die Schriftstellerin Anne Morrow den nächsten Bestseller: *Listen! The Wind* (1938, deutscher Titel: *Wind an vielen Küsten*).

Nach ihrer Rückkehr nahmen sich die Lindberghs aus Sicherheitsgründen für »Little Jon« eine Penthouse-Wohnung mitten in New York City. Lindbergh, der die Großstadt hasste, war der Auffassung, »im Auge des Taifuns« sei das Kind am sichersten aufgehoben.

Dreißig Monate waren jetzt seit der tödlichen Entführung von Charles junior ins Land gegangen, doch vom Täter und seinen möglichen Komplizen gab es immer noch keine Spur.

Am 18. September 1934 fuhr in einer Tankstelle an der Lexington Avenue in New York eine Dodge-Limousine vor. Der Fahrer bezahlte das Benzin mit einem Zehn-Dollar-Goldzertifikat – einer Banknote, die nur noch wenige Banken einlösten, da sie die Regierung seit einem Jahr aus dem Verkehr gezogen hatte. Der Tankwart notierte sich sicherheitshalber die Autonummer auf dem Geldschein und brachte abends seine Tageseinnahmen zur Bank.

Als der Kassierer das Goldzertifikat sah, stutzte er und brachte die Note zur Überprüfung in die Revisionsabteilung. In Minutenschnelle kam das Feedback: Der Schein stammte aus dem registrierten Lösegeld der Lindbergh-Entführung.

Die New Yorker Kripo wurde sofort eingeschaltet und nahm – aufgrund des Kfz-Kennzeichens – den Inhaber der Dodge-Limousine am 19. September 1934 fest. Es war ein deutschstämmiger Einwanderer aus der Bronx: Bruno Richard Hauptmann, 34 Jahre alt, gelernter Zimmermann, verheiratet mit der ebenfalls aus Deutschland stammenden Anna Hauptmann.

Bei der Hausdurchsuchung stießen die Fahnder auf weitere versteckte Goldzertifikate aus dem Lindbergh-Lösegeld und auf eine Wohnungseinrichtung, die mit Luxusgütern wie Radiomöbeln und Polstergarnituren gespickt war.

Und noch etwas fiel auf: Der schlecht Englisch sprechende Hauptmann hatte am 2. April 1932 seinen Zimmermann-Job fristlos gekündigt und sich seitdem als Aktien-Spekulant betätigt.

Zur Erinnerung: Am 2. April 1932 hatte der ehemalige Mathematiklehrer John F. Condon im Auftrag Lindberghs auf einem Friedhof in der Bronx 50000 Dollar Lösegeld an den ominösen *Cemetery John* übergeben, der dann spurlos verschwand.

Gegen Hauptmann wurde Haftbefehl erlassen, anschließend wurde er durch das so genannte strenge Verhör des NYPD (New York Police Department) gedreht: 24-stündige Vernehmungen bis zum physischen Zusammenbruch, Schläge, Psycho-Folter.

Doch Hauptmann, der in Deutschland mehrfach vorbestraft war, blieb bei seiner Version: Er sei völlig unschuldig und er habe das Geld zur Aufbewahrung von einem deutschen Kollegen, Isidor Fisch, bekommen. Der sei danach zurück nach Deutschland gegangen und dort – wie die deutsche Polizei bestätigte – leider vor wenigen Monaten verstorben.

Bei einer weiteren Hausdurchsuchung fand die Kripo in der Garage von Hauptmann, sorgfältig versteckt, fast zwei Drittel des Lindbergh-Lösegeldes.

Außerdem entdeckten die Fahnder an der Innenseite eines Schrankes die mit Bleistift aufgeschriebene Telefonnummer von John F. Condon, des Mittelsmannes von Charles Lindbergh.

Und noch etwas fanden die Kriminalbeamten heraus: Im Werkzeugschrank des Zimmermanns fehlte ein Meißel – und ein Meißel mit Holzgriff war kurz nach der Entführung des kleinen Charlie im Morast des Lindbergh-Grundstücks in Hopewell gefunden worden. Die Indizienkette gegen Hauptmann zog sich immer enger zusammen.

Dann kam noch ein Indiz hinzu, das der deutsche Kriminalbiologe Mark Benecke in seinem kürzlich erschienenen Buch *Mordmethoden* zum Königsweg in der Aufklärung des Lindbergh-Falles erklärte: das Holz der Leiter, mit der der Kidnapper in das Kinderzimmer von Hopewell eingedrungen war.

September 1934: Polizeibeamte vernehmen den gefesselten Bruno Richard Hauptmann, der der Entführung des »Lindbergh-Babys« verdächtigt wird. Hauptmann wurde im April 1936 hingerichtet.

Der Holzspezialist Arthur Koehler, den die Kripo seit der Entführung mit der Spurensuche betraut hatte, fand in mühsamer Kleinarbeit heraus, dass das spezielle Leiterholz seinerzeit an eine Holzhandlung in der Bronx, unweit entfernt von der Wohnung Hauptmanns, geliefert worden war. Bei einer weiteren Hausdurchsuchung entdeckte die Kripo, dass auf dem Dachboden Hauptmanns eine Holzbohle fehlte. Arthur Koehler wies nach, dass ein Holm der »Kidnapping-Leiter« exakt aus jener fehlenden Bohle gefertigt war.

Auch ohne Hauptmanns Geständnis wurde die Anklage wegen Kidnapping und Mord im Oktober 1934 vom Hunterdon County in Flemington/New Jersey zugelassen.

Am 2. Januar 1935 begann der Mordprozess gegen Bruno Richard Hauptmann. Es war der bis dato größte Sensationsprozess in der Geschichte der USA. Die Indizienkette gegen Hauptmann war erdrückend. Doch eine Aussage war entscheidend.

Als Charles Lindbergh, der den Prozess von Anfang bis Ende verfolgt hatte, in den Zeugenstand gerufen wurde, musste Hauptmann auf Anordnung des Richters mehrmals die Worte rufen: »Hey, Doktor!«

Wie damals im April auf dem Friedhof in der Bronx.

Lindbergh war sich ohne Zweifel sicher: »Herr Vorsitzender, es war Hauptmanns Stimme!«

Dann deutete er auf den Angeklagten.

Im überfüllten Gerichtssaal wurde es totenstill.

Lindberghs Anwalt Henry Breckinridge hat es danach so ausgedrückt – wie ihn A. Scott Berg zitierte: »In dem Augenblick, als Lindbergh mit dem Finger auf Hauptmann zeigte, war der Prozess gelaufen. ›Jesus Christus‹ in eigener Person hatte seine Überzeugung geäußert. Wer konnte da noch zweifeln?«

Die zwölf Geschworenen zweifelten nicht mehr. Obwohl Hauptmann kein Geständnis ablegte, plädierten sie einstimmig auf »schuldig«.

Nach sechswöchiger Verhandlung wurde Hauptmann zum Tode verurteilt. Die Frage, ob er Komplizen hatte, wurde nicht einmal erörtert. Auch nicht, ob er Täter, Drahtzieher oder nur Begünstigter war.

In der juristischen Öffentlichkeit stellte man in den folgenden Monaten die Seriosität des Verfahrens zunehmend infrage. Der demokratische Gouverneur von New York, Harold Hoffman, äußerte erstmals Zweifel an der Legitimität des Urteils. Er besuchte Hauptmann in der Todeszelle und bot ihm eine Umwandlung des Urteils in lebenslange Haft an, wenn er ein Geständnis ablege.

Hauptmann lehnte ab und bot seinerseits an, er wolle an einen Lügendetektor angeschlossen werden, um seine Unschuld zu beweisen.

Am Abend des 3. April 1936 wurde Bruno Richard Hauptmann im Staatsgefängnis von Trenton auf die grausamste Weise, die der amerikanische Strafvollzug kennt, hingerichtet: Es wurden ihm auf dem elektrischen Stuhl drei Stromstöße von jeweils

2000 Volt durch den Körper gejagt. Er verbrannte innerhalb von drei Minuten bei lebendigem Leib.

Bis heute ist das Todesurteil gegen Bruno Richard Hauptmann umstritten geblieben, obwohl die Indizienkette eindeutig gegen ihn sprach. Aber der Frage einer Komplizenschaft oder eines eventuellen anderen Haupttäters wurde nie nachgegangen.

Laut Todesurteil war Hauptmann am 1. März 1932 in das Hopewell-Anwesen der Lindberghs mit einer selbst gebastelten Leiter eingedrungen, hatte das Baby geraubt und war beim Abstieg aus geringer Höhe abgestürzt, wobei das Kind zu Tode kam.

Der Rest ist bekannt.

Doch in den USA, dem Land der unbeschränkten Verschwörungstheorien, ranken sich bis heute Gerüchte, ob das im Wald gefundene halb verweste Kind tatsächlich das Lindbergh-Baby war.

Vielleicht hatten es die Kidnapper längst in Sicherheit gebracht und Charles junior war am Leben?

Bis zum heutigen Tag sind ungefähr 40 Menschen in den USA aufgetreten, die von sich behaupteten, sie seien das »Lindbergh-Baby«. Darunter auch eine farbige Frau, die die Version vertrat, das FBI habe aus Sicherheitsgründen bei ihr eine Geschlechts- und Hautfarbenumwandlung durchgeführt.

Es wurden sogar abstruse Mordtheorien aufgestellt, nach denen Charles Lindbergh sein eigenes Kind umgebracht und dann eine nationale Verbrecherjagd inszeniert haben soll.

Die an dieser Stelle geführte Indizienkette ist die einzig schlüssige im Fall Lindbergh. Hauptmann war in jedem Fall an der Entführung des kleinen Charlie beteiligt und profitierte davon. Ob er der einzige Kidnapper oder nur Teil einer Bande war, blieb bis heute ungeklärt. Und die Grausamkeit der Todesstrafe auf dem elektrischen Stuhl ist ein anderes, grundsätzliches amerikanisches Kapitel.

Charles Lindbergh hat nie einen Zweifel gelassen, dass er Hauptmann für den Kidnapper und Mörder seines Sohnes hielt. Doch gleich an zweiter Stelle nannte er die Massenpresse. Ohne sie und ihren »Lindbergh-Hype« wäre niemand darauf gekommen, das Baby zu entführen.

Um den kleinen Jon, Charlies Nachfolger, zu schützen, bereitete der einsame Adler die Flucht mit seiner Familie nach Europa vor.
    Der amerikanische Nationalheld Charles Lindbergh hatte beschlossen, sein eigenes Land zu verlassen.

12 Flucht – Hitler – Krieg

»HÖR ZU, LINDY, HOFFENTLICH FÄLLST DU DAS NÄCHSTE Mal, wenn du mit deiner schlitzäugigen Frau in die Luft steigst, runter und verbrennst!«

Nach dem Todesurteil gegen Bruno Richard Hauptmann häuften sich die anonymen Briefe gegen Lindbergh. Sowohl prinzipielle Gegner der Todesstrafe als auch Kritiker des Prozessverlaufes warfen Lindbergh eine völlig einseitige Parteinahme für den Staatsanwalt vor – zumeist in bösartiger Schmähkritik, wie in dem oben zitierten Brief, vorgetragen.

Lindbergh reagierte verständnislos auf diese Vorwürfe, während sein Verhältnis zur Massenpresse auf den Nullpunkt sank. Er sah sich und seine Familie regelrecht verfolgt.

Begonnen hatte diese Eskalation mit dem Tod des Kindes. Nach der Auffindung der Leiche waren Fotoreporter in der Nacht in die Leichenhalle von Trenton eingebrochen, hatten den Kindersarg geöffnet und die sterblichen Überreste des völlig entstellten Charlie fotografiert.

Nach der Geburt des Lindbergh-Sohnes Jon, bei dem sich die Eltern weigerten, aus Sicherheitsgründen ein Foto machen zu lassen, wurde dem Ehepaar Lindbergh systematisch von Reportern aufgelauert, um ein Bild mit dem neuen Baby zu schießen. Als der dreijährige Jon erstmals in einen privaten Hort von Englewood gebracht wurde, fuhr ein Lkw auf das Gelände des Kindergartens. Unter einer Plane auf der Ladefläche hatten sich Fotografen versteckt, um »Little Jon« mit Teleobjektiven »abzuschießen«. Die von der Kindergärtnerin herbeigerufene Polizei vertrieb zwar die Reporter, weigerte sich aber, gegen sie eine

Anzeige aufzunehmen, um keinen Ärger mit der Presse zu bekommen.

Ein ähnlicher Zwischenfall ereignete sich wenige Wochen später, als die Kindergärtnerin den kleinen Jon vom Hort mit dem Auto nach Hause fahren wollte und auf offener Straße zur Seite und zum Halten gezwungen wurde. Die Frau schrie um Hilfe, als ihre Autotür aufgerissen wurde. Doch es waren keine Kidnapper. Es klickten nur zwei Kameras, um den kleinen Lindbergh-Sohn auf dem Rücksitz zu fotografieren.

Als ein geistig verwirrter Mensch unbemerkt in der Nacht auf das Grundstück von Next Day Hill in Englewood eingedrungen war und an das Fenster des Kinderzimmers klopfte, war das Fass für Charles Lindbergh zum Überlaufen gebracht. Er fühlte sich verfolgt. Er war der festen Überzeugung, dass der tödlichen Entführung des kleinen Charlie bald das nächste Verbrechen an »Little Jon« folgen würde. Hinzu kam seine geradezu manische Abneigung gegen die Boulevardpresse, die er als Krebsgeschwür der amerikanischen Demokratie betrachtete und die er – bis an sein Lebensende – für Mittäter an der Entführung seines erstgeborenen Sohnes hielt. Dass er seinen Ruhm und auch seinen Reichtum nicht zuletzt der amerikanischen Presseöffentlichkeit verdankte, war für Lindbergh, den sturen Midwestener aus Minnesota, nie ein Thema. Er hielt die Journalisten, zumindest einen Großteil, für Wegelagerer.

Anfang Dezember 1935 eröffnete Lindbergh seiner Frau Anne, er habe beschlossen, dass die Familie außer Landes gehen sollte – nach England.

Anne war überrascht, weil es – wieder einmal – ein einsamer Entschluss ihres Mannes war, und andererseits erleichtert. Seit der Entführung von Charlie war sie völlig traumatisiert, was die Sicherheit ihrer Familie anbelangte.

Mit akribischer Planung bereitete Lindbergh die Flucht nach Europa vor – natürlich, wie es sein gewohnter Stil war, mit möglichst wenig Gepäck. Allerdings hatte er vor, nicht mit dem Flugzeug, sondern per Schiff auszureisen. Aus Rücksicht auf den kleinen Jon schien ihm eine Flugreise im Winter zu strapaziös und zu gefährlich.

Doch Lindbergh blieb Lindbergh.

Er wusste, dass er sich nicht klammheimlich verabschieden konnte. Öffentlichkeit, besser: von ihm kontrollierte Öffentlichkeit, musste sein.

Am 19. Dezember 1935 rief er einen Lokalreporter der *New York Times*, den er als seriösen Journalisten kannte, an und bot ihm eine Exklusiv-Story an:

»Die Lindbergh-Flucht nach Europa« – vorausgesetzt, der Reporter würde seinen Bericht erst in die *New York Times* setzen, wenn die Familie längst auf hoher See war und für ein Interview der Konkurrenz-Medien nicht mehr zur Verfügung stand.

So geschah es.

Am 21. Dezember 1935 schifften sich die Lindberghs unter falschem Namen, ausgestattet mit offiziellen Diplomatenpässen, auf dem Frachter *American Importer* in Manhattan ein und verließen kurz vor Mitternacht – buchstäblich bei Nacht und Nebel – die Vereinigten Staaten.

Der Reporter der *New York Times* hielt sich an das Agreement mit Lindbergh. Erst am Tag nach der Abreise erschien die Zeitung mit der Schlagzeile: LINDBERGH-FAMILIE FÄHRT NACH ENGLAND UND SUCHT SICHEREN WOHNSITZ!

MORDDROHUNGEN GEGEN SOHN ERZWINGEN DIESE ENTSCHEIDUNG!

Die amerikanische Öffentlichkeit reagierte verstört auf die Flucht des Adlers. Die *Herald Tribune* ging mit den »Auswüchsen der amerikanischen Gebräuche und Veranlagungen« ins Gericht, andere Blätter geißelten die Paparazzi-Mentalität des Boulevard.

Dieser reagierte kühl.

Die *Daily News* attestierte Lindbergh ein Diva-Verhalten wie Greta Garbo, der bekannt-zickigen Film-Heroine, und kommentierte ohne einen Anflug von Selbstkritik: »Man hätte Lindbergh weniger belästigt, wenn er sich mehr verhalten hätte, wie man es von einem Volkshelden erwartet.«

Am Silvestertag, dem 31. Dezember 1935, trafen die Lindberghs im Hafen von Liverpool ein. Der frühere Diplomat, Schriftsteller und offizielle Biograf des verstorbenen Dwight Morrow, Harold Nicolson, vermietete ihnen für knapp 50 Pfund pro Monat sein Landhaus Long Barn in Kensington in der Grafschaft Kent, eine knappe Autostunde von London entfernt.

Die Lindberghs stellten ein Kindermädchen, einen Butler und einen Koch an und begannen sich häuslich einzurichten. Mit Ausnahme des Riesenrummels nach ihrer Ankunft in England wurde die Familie von der Presse in Ruhe gelassen. Anne genoss die ländliche Idylle und begann, ein neues Buch über ihren Atlantikflug zu schreiben.

Zwischendurch nahmen die Lindberghs mehrere gesellschaftliche Einladungen in London an, darunter eine »Tea-Party« in der US-Botschaft mit dem englischen König Edward VIII. mit einer Folge-Einladung des Staatsoberhaupts in den St.-James-Palast.

Obwohl Lindbergh, bedingt durch seine Flucht, eine weitere offizielle Beratertätigkeit bei Pan American Airways und Trans World Airways (der früheren »Lindbergh-Linie« TAT) abgelehnt hatte, blieb er seinen alten Partnern trotzdem verbunden. Er nutzte jede Einladung, um die englischen Flughäfen und die dortige Luftfahrtindustrie zu besichtigen und seine Informationen nach Amerika weiterzugeben.

Doch Amerika brauchte ganz andere Informationen.

Im Frühjahr 1936 war Major Truman Smith zum amerikanischen Militär-Attaché in Berlin ernannt worden – und der beobachtete mit Interesse und Sorge die heimliche deutsche Aufrüstung.

Deutschland hatte mit der so genannten Machtergreifung Adolf Hitlers und seiner Nationalsozialistischen Deutschen Arbeiterpartei (NSDAP) im Jahre 1933 die lange Zeit sozialdemokratisch geprägte »Weimarer Republik« auf legalem Weg, ohne Putsch und mit Billigung der liberalen und konservativen Parteien, abgelöst und eine faschistische Diktatur errichtet. Die Linksparteien der Arbeiterklasse und die Gewerkschaften wurden als Erste verboten, dann folgte die zwangsweise Auflösung aller anderen demokratischen Organisationen. Mit den »Nürnberger Rassengesetzen« (1935) schuf der NS-Staat die juristische Grundlage zur vollständigen Diskriminierung der jüdischen Bevölkerung. Sexuelle oder eheliche Beziehungen zwischen »arischen Deutschen« und Juden waren bis hin zur Todesstrafe verboten.

Gleichzeitig legten die neuen Machthaber ein »nationales Arbeitsbeschaffungsprogramm« gegen die Millionen-Erwerbslosigkeit auf, das erfolgreich war. Parallel zum wirtschaftlichen Aufschwung des selbst ernannten »Dritten Reiches« ging die Militarisierung der Gesellschaft einher. Die Kapitulationsverträge von Versailles wurden zerrissen, das Verbot einer starken Luftwaffe und der allgemeinen Wehrpflicht wurden annulliert.

Adolf Hitler, der »Führer des Reiches«, versprach einem weitgehend willigen und begeistertem Volk den Aufbruch in eine große Zukunft als Führungsmacht in Europa.

Die Analyse von Nazi-Deutschland Mitte der 1930er-Jahre war in den USA durchaus ambivalent. Die amerikanische Historiographie verurteilte mehrheitlich die »Alleinschuld-These« Deutschlands am Ersten Weltkrieg und brachte sogar ein gewisses Verständnis für den Hitler-Erfolg durch die katastrophalen Folgen der westlichen Reparationsforderungen gegenüber Deutschland auf.

Andere Historiker und Politiker setzten auf die deutsche Antikommunismus-Karte gegenüber der industriell allmählich erstarkenden Sowjetunion Stalins, der durch eine rigide Repressionspolitik die gesamte Opposition im Lande liquidiert hatte.

Mit großer Sorge beobachtete man allerdings die territorialen Expansionsgelüste Deutschlands gegenüber Österreich, der Tschechoslowakei und Osteuropa sowie den militanten Antisemitismus.

Der neue US-Militär-Attaché in Berlin war jedenfalls der Meinung, Lindbergh könnte als »Fliegerheld« nützlich sein, die deutschen Aufrüstungspläne ihrer Luftwaffe auszukundschaften. Er bat daher im offiziellen Auftrag der US-Regierung um einen Besuch Lindberghs in Deutschland.

Am 22. Juli 1936 flog Lindbergh in Begleitung seiner Frau von London nach Berlin. Er wurde vom deutschen Luftfahrtminister und Oberbefehlshaber der Luftwaffe, Hermann Göring, einem ehemaligen Kampfflieger und Kommandeur des Jagdgeschwa-

Charles Lindbergh (Mitte) besucht erstmals Deutschland (1936).
Rechts der amerikanische Militär-Attaché in Berlin, Major Truman Smith.

ders Richthofen, und dessen Staatssekretär Erhard Milch mit allen militärischen Ehren begrüßt.

Quasi als »Einstandsgeschenk« ließ man Lindbergh in Berlin-Tempelhof sofort das Paradeflugzeug der deutschen Luftwaffe, die JU 52, testen. Dann zeigten ihm die Gastgeber die Heinkel- und die Junkers-Werke und führten ihm die neuesten Stukas, Bomber und Jagdflugzeuge vor.

Es war eine bewusste Demonstration der Stärke, die ihren Zweck nicht verfehlte. In seinem späteren Geheimbericht an die US-Regierung schrieb Lindbergh, dass sich die Deutschen anschickten, die führende Luftmacht in Europa zu werden, und dafür alle technischen Voraussetzungen besäßen.

Überhaupt bot die NS-Regierung alles auf, um dem »großen Atlantikflieger«, wie er genannt wurde, einen imponierenden Empfang zu bereiten.

Er war Ehrengast Görings und wurde persönlich der Garde der deutschen Flieger-Asse unter Führung von Oberst Ernst Udet vorgestellt.

Am 1. August 1936 war Lindbergh zur feierlichen Eröffnung der Olympischen Spiele im neu erbauten Berliner Olympiastadion vor 100 000 Zuschauern eingeladen – und sah zum ersten Mal den frenetisch umjubelten Diktator Hitler auf der Ehrentribüne.

Als Lindbergh am nächsten Tag abreiste, war er innerlich zerrissen. »Dieser Fanatismus stößt mich ab«, notierte er, »aber Deutschland ist die interessanteste Nation der Welt.«

Lindbergh stand mit seiner skeptisch-staunenden Bewunderung für das »neue Deutschland« nicht allein. Die französische, englische und große Teile der amerikanischen Presse fielen auf den perfekt inszenierten olympischen Propaganda-Coup herein und lobten die »überwältigende deutsche Gastfreundschaft« *(Observer London)* oder feierten die Berliner Olympiade »als die glänzendste der Neuzeit« *(Daily Telegraph).*

Militär-Attaché Truman Smith war voll des Lobes über Lindberghs Auftreten und vor allem über seine Analysen zur deutschen Luftwaffen-Aufrüstung und empfahl der US-Regierung, den Colonel des Reserve-Corps für weitere Deutschland-Missionen zu berufen.

Missionen, die ihm seinen guten Ruf kosten sollten.

Die erste Deutschland-Reise mit dem Flugzeug hatte jedenfalls bei Lindbergh wieder sein altes Fernweh angestachelt, und er knüpfte fast nahtlos an seine alte US-Tradition an – frei nach dem deutschen Schlager: »Flieger, grüß mir die Sonne«.

Er flog nach Irland, Afrika und Italien.

Seltsamerweise hatte er nach einem Rom-Besuch eine spontane Abneigung gegen den italienischen Faschismus entwickelt – ganz anders als sein erster Eindruck vom »kraftvollen neuen Deutschland«.

Ihn störte die Allgegenwart von Militär und Polizei, vor allem »dieser gekünstelte römische Cäsarenwahn der Mussolini-Regierung«.

Im März 1937 flog Lindbergh mit seiner Frau, die bereits im siebten Monat schwanger war, nach Kalkutta in Indien, um eine internationale Konferenz der Weltreligionen zu besuchen.

Nach ihrer Rückkehr wollte Lindbergh eigentlich an der Krönung des neuen englischen Königs George VI. teilnehmen, der den wegen einer bürgerlichen Liaison zur Abdankung gezwungenen Edward VIII. abgelöst hatte. Doch jener 11. Mai 1937 wurde ein anderer Krönungstag im Hause Lindbergh. Bei Anne setzten plötzlich die Wehen ein und kurz vor Mitternacht brachte sie in der *London Clinic* den dritten Lindbergh-Sohn zur Welt: Land. Auch er blauäugig und mit dem typischen Lindbergh-Grübchen im Kinn.

Im Oktober 1937 brach Lindbergh zu seiner zweiten Deutschland-Reise auf – ebenfalls abgestimmt mit dem US-Militär-Attaché in Berlin. Erstmals in seinem Leben kam Lindbergh in die bayerische Metropole München, die ihm spontan gefiel: »Eine Großstadt und doch eine Kleinstadt«.

Offizieller Anlass war eine Einladung der »Lilienthal-Gesellschaft«, inoffizieller Spionageauftrag war die Auskundschaftung der deutschen Luftwaffenstärke.

Lindberghs deutscher Fliegerfreund Ernst Udet wartete mit dem Angebot auf, ihm in der Luftfahrt-Versuchsanstalt Rechlin in Pommern die neuesten deutschen Flugzeuge zu zeigen.

Was Lindbergh dort sah, die neuen Jäger von Messerschmitt (ME 109) und den Aufklärer DO 17 von Dornier, überraschte ihn. Die Deutschen hatten innerhalb eines Jahres gewaltig zugelegt. Er schrieb an Truman Smith einen Geheimreport, der zu dem Ergebnis kam, dass »Deutschland in der Luft wieder eine Weltmacht ist, Frankreich bei weitem überflügelt und England fast eingeholt hat«.

Das mehrseitige Geheimdienstpapier wurde mit zahlreichen Detailinformationen, die Lindbergh erhalten und gesehen hatte, sofort nach Washington weitergeleitet.

Lindberghs dritter – und folgenschwerster – Deutschland-Besuch führte ihn im Herbst 1938 wieder nach Berlin. Er war einer Einladung von Truman Smith gefolgt und im Auftrag der US-Regierung unterwegs. Er besichtigte zunächst die Junkers-Werke in Magdeburg und kam in seinem nächsten Geheimbericht zu der – völlig überzogenen – Einschätzung, die Deutschen seien jetzt in der Lage, 20000 Kriegsflugzeuge pro Jahr zu bauen.

Charles Lindbergh (Mitte) inspiziert ein deutsches Messerschmitt-Flugzeug.

Tatsache war, dass Deutschland auf dem Höhepunkt der Kriegsproduktion – 1940 – knapp 11 000 Maschinen herstellen konnte.

Nach seiner Rückkehr nach Berlin erhielten Lindbergh und Anne Morrow eine Einladung zu einem exklusiven Dinner bei US-Botschafter Hugh Wilson in der amerikanischen Gesandtschaft.

Es waren mehrere Diplomaten, die wichtigsten deutschen Luftfahrt-Ingenieure wie Ernst Heinkel und Willy Messerschmitt sowie Ernst Udet erschienen.

Zum Schluss betrat Hermann Göring den Raum, ging auf Lindbergh zu und überreichte dem überraschten Piloten »als Anerkennung für Ihren historischen Atlantikflug und auf Befehl des Führers« den hohen Zivilorden »Verdienstkreuz Deutscher Adler«. Ein Gold-Email-Kreuz mit vier kleinen Hakenkreuzen in einer Samtschatulle.

Lindbergh bedankte sich kurz, steckte die Schachtel mit dem Orden in die Hosentasche und nahm Platz zum Essen. Mehrere ausländische Diplomaten und Prominente (wie der französische Botschafter oder Henry Ford) hatten den Orden bereits vor Lindbergh bekommen. Doch dieser »Adler« für den »einsamen Adler« wurde später zum Politikum in den USA.

An jenem Abend nicht, denn Botschafter Wilson nahm Lindbergh zur Seite und flüsterte ihm zu:

»Wenn Sie den Orden abgelehnt hätten, wäre das eine diplomatische Katastrophe gewesen.«

Katastrophaler waren Lindberghs politische Äußerungen, die er in jenen Tagen öffentlich fallen ließ. Nach einem im amerikanischen Auftrag vollzogenen Besuch in der Sowjetunion im August 1938, wo er freundlich empfangen und mit riesigen Essens- und Wodka-Mengen bewirtet worden war, kam er zu dem Schluss, dass die sowjetische Luftwaffe der deutschen hoffnungslos unterlegen war und das Reich Stalins einer »asiatischen Despotie« gleiche. Er würde im Zweifelsfall die deutsche Diktatur der kommunistischen »Diktatur des Proletariats« vorziehen. Außerdem kritisierte er das »arrogante England« mit seiner »starren und unsozialen Klassenstruktur«, das dem »fanatischen, aber vitalen Deutschland« strategisch unterlegen sei.

Frankreich prophezeite er im Fall eines Krieges den baldigsten Untergang, da das Land eine »miserable Luftwaffe besitze«, die keine Chance bei einem deutschen Angriff hätte.

In den USA wurde die politische Öffentlichkeit hellhörig. Was bildete sich der »Weltpolitiker« Lindbergh eigentlich ein? Er sollte als Luftfahrtspezialist die militärische Schlagkraft Hitler-Deutschlands auskundschaften und keine wirren Kommentare abgeben. Hatten ihn die Nazis vielleicht umgedreht? War er zum Deutschland-Fan mutiert?

Lindbergh verteidigte sich mit dem Hinweis, er würde die Politik der Nazis nicht billigen, aber er finde, dass Deutschland als Bollwerk gegen den Sowjetkommunismus erhalten bleiben sollte.

Zum ersten Mal wurde Lindbergh, der Nationalheld, in der US-Publizistik als »unamerikanisch« kritisiert.

Lindbergh (im Smoking) bei einem Empfang in Deutschland.

Lindberghs innere Distanz zu England hatte mittlerweile auch räumliche Formen angenommen. Sein franko-amerikanischer Gönner Dr. Alexis Carrel hatte sich vor der Küste der Bretagne eine kleine Insel, die Ile Saint-Gildas, gekauft. Nur einen Kilometer davon entfernt war noch eine Mini-Insel mit einem großen Steinhaus (aber ohne Elektrizität) zu erwerben: Illiec. Bei Ebbe konnte man die Carrels in 20 Minuten besuchen.

Für 16 000 US-Dollar kaufte Lindbergh die Insel und machte sie – unter primitiven Wohnverhältnissen – zu seinem zweiten europäischen Domizil neben dem Haus in der englischen Grafschaft Kent.

Die politischen Auseinandersetzungen in Europa aber spitzten sich mehr und mehr zu. Im März 1938 marschierten deutsche

Truppen in Österreich ein und »schlossen die Ostmark ans Reich an« – wie es die Goebbels-Propaganda befahl. Ein halbes Jahr später – im Oktober 1938 – wurde der »Gau Sudetenland ans Reich angeschlossen«. Die Hitler-Truppen waren in der Tschechoslowakei einmarschiert.

Die Zeichen in Europa standen auf Krieg.

Lindbergh war zu dieser Zeit damit beschäftigt, seine nach wie vor gewünschten Deutschland-Missionen von Berlin aus zu koordinieren. Er beauftragte Anne, sich im November 1938 in Berlin nach einer geeigneten Wohnung umzusehen.

Dann kam der 9. November 1938.

An jenem Tag brannten in Deutschland über 100 Synagogen. Der antisemitische Terror des Nazi-Regimes wurde zum ersten Mal öffentlich und landesweit ausgelebt. In der Reichspogromnacht, als »Kristallnacht« verharmlost, wurden jüdische Geschäfte geplündert, jüdische Mitbürger misshandelt und gelyncht und die ersten Transporte von Juden in Konzentrationslager organisiert.

Der offene Terror hatte begonnen.

Lindbergh war Ende November 1938 und im Januar 1939 noch zweimal in Berlin, weil er der irrigen Auffassung war, die Nazis würden Frankreich bei der Modernisierung ihrer Luftflotte durch Motorenlieferungen behilflich sein. Er stellte sich für die Franzosen als »ehrlicher Makler« zur Verfügung.

Das Geschäft zerschlug sich – weil die deutsche Geheimdienstplanung des bevorstehenden Krieges längstens Frankreich als eines der ersten Ziele der deutschen Aggression bestimmt hatte.

Unter dem Eindruck der »Reichspogromnacht« gab Lindbergh seine Umzugspläne nach Berlin auf – obwohl er ein Haus am Wannsee in Aussicht hatte.

In den USA sorgte dies trotzdem für Aufregung.

Der *New Yorker* schrieb, Lindbergh wolle jetzt in Berlin in einem Haus leben, das man vorher einem Juden abgeknöpft habe. Und der Scharfmacher der Roosevelt-Regierung, Innenminister Harold Ickes, erklärte auf einem Treffen jüdischer Geschäftsleute und Intellektueller in Cleveland: »Wer einen deutschen Nazi-Orden annimmt, hat das Recht verwirkt, Amerikaner zu sein.«

Harold Ickes' Position war sowohl innerhalb der Regierung wie innerhalb der amerikanischen Bevölkerung eine Minderheitsmeinung. Trotzdem begann man sich vor allem in den Kreisen des militärischen Geheimdienstes Sorgen zu machen. Warum distanzierte sich Lindbergh nicht öffentlich von den Nazis? Warum ließ er auch nur die Vermutung aufkommen, er sympathisiere mit Deutschland?

Seine einstige Fluggesellschaft TAT/TWA war bereits so weit gegangen, den Werbetitel »Die Lindbergh-Linie« aus dem Programm zu nehmen.

Das offizielle Amerika und auch seine europäische Abteilung, wie Militär-Attaché Truman Smith, reagierten: Sie baten Lindbergh, seine Zelte in Europa abzubrechen und in die Staaten zurückzukehren.

Lindbergh willigte ein und buchte im April 1939 die Rückfahrt im Passagierschiff *Aquitannia*, mit dem er sich im französischen Cherbourg einschiffte. Seine Frau Anne und die beiden Jungen, Jon und Land, sollten einen Monat später nachkommen.

Lindbergh war – wie immer in seinem Leben – dem Auftrag seines Vaterlandes gefolgt. Doch politisch hatte er sich äußerst unklug verhalten. Seine Position, verstärkt durch den Respekt vor der deutschen Luftfahrttechnik, hatte er privat so zusammengefasst: »Hitler ist nicht Deutschland, und die Deutschen sind kein Nazi-Volk.«

Doch die Angriffe der amerikanischen Öffentlichkeit konterte er in altbekannter Weise: durch Schweigen oder durch einen Gegenangriff.

Dem bäuerlichen Sturkopf aus Minnesota wollte es nicht über die Lippen kommen, dass der deutsche Nazismus eine Gefahr für die Juden, die Freiheit, den Frieden und die Menschenrechte war.

Harold Nicolson, der bissige britische Intellektuelle und Schriftsteller, hat versucht, ein knappes Psychogramm Lindberghs abzuliefern, was wahrscheinlich den Kern traf: »Sein doppeltes Trauma war der kometenhafte Aufstieg vom Jungen aus Minnesota zum Nationalhelden und der Mord an seinem erstgeborenen Sohn. Damit ist er nie fertig geworden. Er setzte die Gräueltat in seinem persönlichen Leben mit der Boulevardpresse gleich, dann unweigerlich mit der Pressefreiheit und beinahe mit der Freiheit überhaupt. Er fing an, die Demokratie zu verachten. Seine Tragödie ist, an seine eigene Publicity zu glauben: die Legende von dem Jungen aus Minnesota, der von seinem Ziel nicht mehr abzubringen war. Lassen wir uns von diesem Vorfall nicht blind werden für Charles Lindberghs große Qualitäten. Er ist und wird immer ein heldenhafter Schuljunge bleiben, aber ein Schuljunge.«

Der deutsche Autor und Gore-Vidal-Übersetzer Stefan Dornuf hat Lindbergh »einen großen Naiven« genannt – wahrscheinlich die treffendste Bezeichnung für den großen Atlantikflieger.

Der *farmer's boy* vom Mississippi war stur und im Grunde genommen völlig unpolitisch. Doch jetzt holte ihn die Politik ein – erbarmungslos.

Nach seiner Ankunft in New York bot sich Lindbergh das alte Zerrbild der amerikanischen Öffentlichkeit, das er verabscheute: Annähernd 200 Journalisten und Pressefotografen erwarteten den Adler an der Gangway. Er war wieder das, was er in Europa nicht gewesen war: öffentliches Gemeineigentum.

Pflichtgemäß führte Lindberghs erster Besuch in der alten Heimat zu seinem militärischen Auftraggeber: dem Chef des US-Air Corps, General H. H. Arnold.

Lindbergh fasste seine Inspektionen über die deutsche Luftwaffe in einem Szenario zusammen, das von einer akuten Kriegspolitik Hitler-Deutschlands und einer – wie Lindbergh meinte – hoffnungslosen Luftunterlegenheit Frankreichs und Englands ausging. Lindbergh folgerte daraus seine zwei Grundpositionen:

1. Massive Luftwaffenaufrüstung der USA, um das Land unangreifbar zu machen,
2. keine Einmischung der USA in Europa.

Arnold war von Lindberghs Fakten über die militärische Stärke überzeugt und bat ihn, sich der US-Army als aktiver Offizier zur

Verfügung zu stellen. Gleichzeitig regte er ein Gespräch Lindberghs mit dem amerikanischen Kriegsminister Harry H. Woodring und mit Präsident Franklin D. Roosevelt an. Arnolds Meinung war: »Lindbergh ist Patriot.«

Am 20. April 1939 kam es zum Gespräch von Lindbergh mit Roosevelt. Die zwei berühmtesten Amerikaner saßen sich eine Viertelstunde gegenüber und tauschten Höflichkeiten aus. »Ein liebenswürdiger, interessanter Gesprächspartner. Ich mochte ihn«, notierte Lindbergh in seinem Tagebuch. »Aber er hatte etwas an sich, dem ich nicht traute.«

Die Antipathien lagen auf beiden Seiten – und das hatte eine Vorgeschichte, die fünf Jahre zurücklag.

Nach dem Ende des großen Transatlantikflugs von Charles und Anne hatte Lindbergh eine persönliche Einladung Roosevelts zu einem Empfang im Weißen Haus erhalten. Aus schlichter Bequemlichkeit hatte Lindbergh damals abgesagt.

Kurz darauf, im Februar 1934, hatte Roosevelt in einem überstürzten Akt ohne jede Vorwarnung sämtliche inländischen Luftpostverträge zwischen der Regierung und den privaten Fluggesellschaften gekündigt und die US-Army zum Luftpost-Monopolisten bestimmt. Als Lindbergh davon erfuhr, protestierte er mit einem scharfen Telegramm an Roosevelt, das er parallel der Presse zuspielte.

Lindbergh erklärte, dass der US-Präsident der amerikanischen Zivilluftfahrt großen Schaden zufüge, da dies einerseits zu einer massiven Kündigungswelle führen würde und andererseits lebensgefährlich sei, weil die Army flugtechnisch gar nicht in der Lage sei, den Postdienst zu erfüllen.

Kurz darauf stürzten hintereinander fünf Armee-Flugzeuge des neuen staatlichen Luftpostdienstes ab, weil die Piloten mit den schwierigen Routen schlicht überfordert waren.

Roosevelt ruderte zurück, weil er jetzt als buchstäblicher Totengräber des Luftpostverkehrs dastand, und gab die Lizenz an die privaten Anbieter zurück. Es war die erste schwere politische Niederlage Roosevelts als Präsident. Und die Presse hatte Lindbergh als Sieger gefeiert ...

Jetzt also trafen sich die alten Konkurrenten erstmals persönlich, ohne sich zu mögen. Roosevelt, der in dem populären Lindbergh immer einen potenziellen Gegner um die Präsidentschaft gesehen hatte, mochte den »verstockten Moralisten« (wie er ihn nannte) nicht. Es blieb bei Höflichkeitsfloskeln. Lindberghs Kriegs- und Neutralitätsszenario wollte sich Roosevelt nicht anschließen.

Der Konflikt eskalierte.

Am 1. September 1939 überfiel Deutschland das angrenzende Polen, um den Westteil des Landes zu annektieren. Der Zweite Weltkrieg war eröffnet.

Da England dem deutschen Aggressor den Krieg erklärt hatte, stand in den USA die Frage einer Intervention in Europa auf der Tagesordnung.

Laut Verfassung waren die Vereinigten Staaten als nicht angegriffenes Land zur Neutralität verpflichtet. Doch der britische Geheimdienst hatte längst interveniert. Englands großer alter Stratege Winston Churchill wusste: Ohne die USA würde Deutschland nicht geschlagen werden können.

Lindbergh hatte beschlossen, sich erstmals seit seiner Rede in Washington nach der Rückkehr vom großen Atlantikflug 1927 wieder öffentlich an das amerikanische Volk zu wenden. Er plante eine national ausgestrahlte Radioansprache.

Als die Roosevelt-Administration davon Kenntnis erhielt, wurde General Arnold als Sonderbotschafter eingesetzt. Er sollte Lindbergh den neu geschaffenen Posten des US-Luftfahrtministers im Kabinett Roosevelt anbieten, wenn er von seinen Plänen absehe und nicht mehr gegen einen amerikanischen Kriegseintritt agitieren würde.

Doch Lindbergh lehnte ab.

Am 13. Oktober 1939 hielt er eine knapp 15-minütige Radioansprache, in der er für eine »erfolgreiche Neutralitätspolitik der USA gegenüber dem Krieg in Europa« eintrat.

In Amerika begann *The Great Debate.*

Der große Streit für und wider den Krieg.

Das Meinungsforschungsinstitut Gallup meldete, dass über 80 Prozent der Amerikaner gegen einen Kriegseintritt der USA seien. An der Yale University gründete ein Komitee aus Links-intellektuellen, Konservativen, Quäkern und Sozialisten die »No Foreign Wars Compaign« (NFWC) gegen den Krieg.

Lindbergh trat der Gruppe zwar nicht bei, unterstützte sie jedoch.

Als das Komitee im Laufe der nächsten zwölf Monate von Faschisten und prodeutschen Nazi-Gruppen unterwandert wurde, bildete sich eine neue Organisation: das »America First Committee«.

Es war eine bunte Mischung des traditionellen amerikanischen Isolationismus. Im Vorstand betätigten sich der Sozialistenführer Norman Thomas, die pazifistische Frauenliga-Präsidentin Dorothy Detzer und konservative Politiker der Republikanischen Partei. Prominente jüdische Geschäftsleute wie Harry Guggenheim unterstützten »America First« ebenso wie die Schriftsteller Pearl S. Buck oder Upton Sinclair.

Um sich nach rechtsaußen abzugrenzen, wurden faschistische Organisationen ausgeschlossen und bekennende Antisemiten wie der Industrielle Henry Ford oder der Präsident des Nationalen Olympischen Komitees der USA, Avery Brundage, nicht aufgenommen. An den Elite-Universitäten schlossen sich aus dem Lager der Demokratischen Partei junge Studenten wie John F. Kennedy oder Gore Vidal der Bewegung an. Innerhalb weniger Monate hatte »America First« fast eine halbe Million Mitglieder und einen prominenten Redner: Charles Lindbergh.

Obwohl er anfänglich die »Linkslastigkeit« der Bewegung kritisierte, trat Lindbergh landesweit vor hunderttausenden von Zuhörern auf.

Die zunächst auf explizit isolationistischem Kurs segelnden Republikaner boten Lindbergh offiziell die Kandidatur für die nächsten US-Präsidentenwahlen an. Lindbergh lehnte kategorisch ab.

Die Roosevelt-Regierung geriet innerhalb weniger Monate in die Defensive, obwohl sie nach außen einen amerikanischen Neutralitätskurs vertrat.

Strategisch aber hatten sich die Demokraten, große Teile des Big Business und die Führung der US Army auf einen Kriegsein-

will not solve our present problems.

Our nation faces the possibility of war in Europe, or in the Orient, or in both. As I have said tonight, I believe that a foreign war at this time would be disastrous for us. I believe that the wisest policy would be for us to build our security upon the bed rock of our own continent and its adjacent islands, and to proceed toward the independent American destiny that Washington outlined in his "Farewell Address" a century and a half ago.

But it is vital to our national welfare that whatever decision we make be made soon. Your generation should have a large part in that decision, for it is upon your shoulders that its results will fall with greatest weight. You will be called to bear the arms and make the sacrifice involved in war. And you inherit the problem of shaping the peace that follows.

I understand that this meeting tonight is the beginning of a nationwide organization among the students in American colleges and universities for the purpose of making their opinion felt on the issue of war. I believe that such a movement will be of great value in these times; and regardless of whether you agree with the opinions I have expressed tonight, I want you to know that I thoroughly appreciate the opportunity of taking part in the beginning of your organization.

Charles A. Lindbergh
October 30, 1940

Charles A. Lindbergh
Oct 30, 1940

ADMIT ONE | **AMERICA FIRST COMMITTEE**
SPEAKER
Col. Charles A. Lindbergh
Woolsey Hall -:- 8:15
Wednesday, October 30, 1940
No seat guaranteed after 8:05

Redemanuskript Lindberghs vom Oktober 1940 auf einer Kundgebung von »America First« gegen einen Kriegseintritt der USA.

tritt verständigt. Für sie war klar, dass England und die ungeliebte Sowjetunion dem Angriffskrieg der Achsenmächte Deutschland, Italien und Japan nicht gewachsen waren.

Eine Wende in der Stimmung der amerikanischen Bevölkerung würde nur dann eintreten, wenn die Führung von »America First« desavouiert und die Bedrohung der USA glaubhaft gemacht werden konnten.

Konkret: Die Person Lindbergh stand zur Disposition.

Präsident Roosevelt und Innenminister Ickes verschärften die rhetorische Gangart und erklärten Lindbergh offiziell zum »Nazi-Sympathisanten«.

Als Roosevelt den Atlantikflieger öffentlich einen »Defätisten« nannte und ihn mit den Verrätern aus dem amerikanischen Bürgerkrieg verglich, verlor Lindbergh erstmals die Nerven und beging einen unverzeihlichen Fehler: Er gab sein Offizierspatent an den Präsidenten zurück und verabschiedete sich de facto aus der amerikanischen Armee.

Innenminister Ickes spielte den Ball dieser Steilvorlage sofort zurück. Wie charakterlos sei eigentlich dieser Lindbergh, der seinen Offizierstitel als Oberst zurückgebe, aber sich bis heute geweigert habe, den Nazi-Orden von Göring zurückzuschicken? Lindbergh sei ein *fellow traveller*, eine fünfte Kolonne der Hitler-Leute in den USA.

Lindbergh reagierte überreizt und warf der US-Regierung vor, das Leben von Millionen junger Amerikaner für die Interessen des Großkapitals und des britischen Empires opfern zu wollen.

In der Lindbergh-Familie selbst verstärkten sich die Spannungen, weil Charles der Familie seiner Frau vorwarf, sie seien als Teilhaber der J.-P.-Morgan-Bank direkt an der Kriegstreiberei beteiligt.

Anne war zwischen den Fronten hin und her gerissen – und zudem erneut Mutter geworden. Am 2. Oktober 1940 brachte sie in New York ihre erste Tochter zur Welt, die nach ihr auf den Namen Anne Spencer getauft, aber nur »Ansy« genannt wurde.

Inhaltlich verteidigte Anne die Positionen ihres Mannes, doch fand sie, dass Charles immer rigider wurde und sich durch die Anfeindungen von außen sowohl verschloss als auch radikalisierte.

Den negativen Höhepunkt dieser Entwicklung bildete Lindberghs Anti-Kriegs-Rede am 11. September 1941 in Des Moines/Iowa. Charles hatte mittlerweile die Radikalität seines Vaters, des militanten Gegners eines US-Eintritts in den Ersten Weltkrieg, erreicht und fand, man müsse endlich öffentlich sagen, wer ein Interesse daran habe, Amerika in den Krieg zu ziehen.

Trotz ernsthafter Warnungen von Anne, die sein Rede-Manuskript gelesen hatte, erklärte Lindbergh drei Gruppierungen zu den Kriegstreibern:

1. England und seinen Geheimdienst in den USA,
2. die Roosevelt-Regierung und das Großkapital,
3. die Juden und ihre Medienmacht.

Obwohl Lindbergh der jüdischen Bevölkerung lautere Motive zugestand, angesichts des antisemitischen Nazi-Terrors die USA gegen Hitler zu mobilisieren, lag er völlig falsch. Es gab objektiv keine »jüdische Kampagne für den Krieg«, und zudem hatte er eine integrierte amerikanische Bevölkerungsgruppe als Fremdkörper diskriminiert.

Die Rede von Des Moines war mit Sicherheit die dümmste Rede, die Lindbergh in seinem ganzen Leben gehalten hatte.

Von da an ging's bergab mit dem »Politiker« Charles Augustus Lindbergh.

Die liberale Presse, die Demokratische Partei und die Linke bei »America First« reagierten entsetzt. Selbst alte Weggefährten kündigten Lindbergh die Freundschaft auf – wie Harry Guggenheim oder Henry Breckinridge, sein treuer Rechtsberater.

Lindbergh hatte – ohne Not – den Rubikon überschritten.

Und wie immer war er beratungsresistent.

Er sei, sagte er auf Vorhaltungen von Anne Morrow, wie immer gewesen: gegen die Nazis, für Amerika, ohne jeglichen Hass auf die Juden – nur gegen den Krieg.

Doch das Blatt hatte sich gedreht.

»America First« war jetzt in der Defensive.

Zwar mobilisierte Lindbergh noch Ende Oktober im restlos überfüllten Madison Square Garden von New York weit über 20 000 Besucher, doch das eherne Rad der Geschichte hatte sich längst in eine andere Richtung gedreht, die der *flying fool* nicht verstand.

Obwohl der militärische Abwehrdienst der USA seit Herbst 1941 den Geheimcode der Japaner geknackt hatte und über jede ihrer Aktionen informiert war, überfielen japanische Bomber und Flieger-Kommandos am 7. Dezember 1941 den amerikanischen Hafen Pearl Harbor und versenkten große Teile der Kriegsflotte.

Der Kriegsgrund war gegeben.

Bereits am nächsten Tag traten die Vereinigten Staaten von Amerika in den Zweiten Weltkrieg ein.

Das Isolationsbündnis »America First« war am Ende und löste sich auf.

Amerika kannte keine Parteien mehr, nur noch Patrioten, die in den Krieg ziehen wollten.

Nur einige wenige wurden nicht genommen.

Zum Beispiel: Charles Lindbergh.

Als Lindbergh Ende Dezember an General Arnold und Kriegsminister Henry L. Stimson herantrat, um sich als Pilot für die US-Air Force zu melden, wurde ihm offen erklärt: Er sei nicht erwünscht, und einem Aktivisten von »America First« könne kein Kommando anvertraut werden.

Innerhalb von knapp 15 Jahren war aus dem »Jesus« Lindbergh ein »Judas« Lindbergh geworden. Der Nationalheld von einst war eine Persona non grata von jetzt.

Selbst sein alter Kompagnon bei der Pan Am, Juan Trippe, erklärte ihm, dass er unerwünscht sei.

Letztendlich kam Lindbergh bei Henry Ford unter.

Der geniale Autohersteller hatte einen lukrativen Flugzeugbau gegründet und sich beizeiten von »America First« verabschiedet, wo er zunächst als Antisemit nicht aufgenommen worden war. Danach hatte er rechtzeitig die Zeichen der Zeit erkannt und sich als Kriegswaffenproduzent den Roosevelt-Bataillonen angeschlossen. Jetzt baute er im Regierungsauftrag das Bomber-Programm B-24 für die Air Force.

Lindbergh wurde in Willow Run/Michigan als Berater und Testpilot angestellt. Der für unwürdig erachtete Star-Pilot war mitverantwortlich für die Kriegsflotte der US-Air Force. Doch als Präsident Roosevelt im September 1942 die Produktionsanlagen in Willow Run besuchte, nahm sich Charles Lindbergh frei: Er wollte dem Präsidenten der USA nicht von Angesicht zu Angesicht begegnen.

Gleichzeitig stellte sich Lindbergh in der renommierten Mayo-Klinik als »Versuchskaninchen« zur Verfügung. Für die Luftwaffen-Kriegsproduktion wurden dort unter Extrembedingungen simulierte Höhenversuche mit und ohne Sauerstoffmaske durchgeführt.

Wie hoch konnte ein Mensch in einem Flugzeug fliegen? Lindbergh ging im Test bis über 13 000 Meter unter extremer Belastung des Organismus.

Danach testete er entsprechend ausgerüstete Flugzeuge wie die *Thunderbolt* im Selbstversuch.

Charles Lindbergh in einer Höhenkammer vor einem Extrem-Test am Mayo Medical Center im September 1942.

Charles Lindbergh (mit Fliegerkappe) mit Kriegskameraden seiner Luftwaffen-Einheit auf Emirau Island im Südpazifik (1944).

Bei einem dieser Tests fiel in 12 000 Meter Höhe die Sauerstoffversorgung aus. Lindbergh wurde ohnmächtig, und die Maschine stürzte auf 6000 Meter ab, bis er das Bewusstsein wieder erlangte.

Er überlebte und konnte die Maschine sicher landen.

Lindbergh testete praktisch alle neuen Kriegsmaschinen, wie den Boeing-Superbomber B-29, doch er fühlte sich vom Dienst am Vaterland ausgeschlossen.

Lindbergh meldete sich freiwillig als »technischer Berater« für den Einsatz an der Pazifikfront. Er kaufte sich eine Armeeuniform, die keine Rangabzeichen trug. Ihm wurde vor seinem Abflug an die Front mitgeteilt, dass er Zivilist sei und im Falle eines Abschusses als »Staatenloser« gelte.

Noch nie in seinem Leben waren dem Adler derart die Flügel gestutzt worden.

Der amerikanische Staat gab ihm deutlich zu verstehen, dass er ihn brauchte, aber nicht wollte.

Im Frühsommer 1944 flog Lindbergh seine ersten Bombereinsätze in der Pazifikfront:

»Man drückt auf einen Knopf, und schon fliegt der Tod nach unten, und nichts kann widerrufen, was man getan hat. Die Karten sind verteilt. Wenn dort, wo diese Bombe auftrifft, Leben war, hat man es ausgelöscht.«

Insgesamt 50 Bombereinsätze flog Lindbergh, im Luftkampf schoss er auch einen japanischen Piloten ab – für dessen Seele er jahrelang betete.

Wegen seiner außerordentlichen Leistungen wurde er zum Oberkommandierenden der US-Pazifik-Streitkräfte, General Douglas MacArthur, abkommandiert, der ihn um Rat für die Erweiterung der Reichweite der US-Bomber fragte.

Lindbergh wusste, wie man Benzin sparen und den eigenen Radius erweitern konnte.

Seine Vorschläge wurden zum General-Befehl.

Doch Lindbergh blieb ein Outcast.

Ende Juli 1944 überflog er mit einem Einsatzkommando die eingenommene japanische Festungsinsel Biak. Es wurde zu seinem schlimmsten Kriegserlebnis. Als er nach der Landung die Korallenhöhlen inspizierte, traf er auf furchtbar zugerichtete Leichen japanischer Soldaten, denen die Köpfe abgeschlagen, die Goldzähne herausgebrochen und die Genitalien abgeschnitten worden waren. Andere waren mit Müll zugeschüttet worden.

»Nie habe ich mich meines Volkes mehr geschämt als in diesem Augenblick«, schrieb er in sein Kriegstagebuch. »Ich glaube, dass man tötet, das gehört ganz einfach zum Krieg. Ich glaube auch, dass es gerechtfertigt ist, die wirkungsvollste Methode zum Töten der Feinde anzuwenden. Aber dass unser Volk durch Folterungen tötet und moralisch so weit absinkt, dass man die Gefallenen in einen Bombenkrater wirft und mit Müll zuschüttet, bereitet mir Übelkeit.«

Im Herbst 1944 wurde Lindbergh von der Pazifikfront abgezogen und kehrte wieder zu seiner Familie zurück. Mittlerweile war sie nach der Geburt von Scott, der im August 1942 das Licht der Welt erblickt hatte, auf vier Kinder angewachsen. Lindbergh wurde Berater der United Aircraft in Connecticut und in unmittelbarer Nähe der Fabrik ließen sich die Lindberghs in Westport nieder.

Am 5. November 1944 starb in Paris Lindberghs großer medizinischer Lehrmeister Dr. Alexis Carrel. Er war im Krieg nach Frankreich zurückgegangen und hatte im Auftrag der »Vichy-Regierung« von Marschall Pétain am Aufbau des nationalen Gesundheitswesens gearbeitet. Die französische Resistance unter General Charles de Gaulle hatte ihm Kollaboration mit den Nazi-Besatzern vorgeworfen – und er wäre nach der Befreiung wahrscheinlich auch vor Gericht gestellt worden.

So starb er – wie ein Freund an Lindbergh schrieb – »an gebrochenem Herzen«. Der Mann mit den höchst seltsamen eugenischen Theorien begriff sich bis zuletzt als Anti-Nazi und französischer Patriot – doch seine Zeit war abgelaufen.

Carrel hatte sich nicht mehr von dem Makel befreien können, trotz seiner phänomenalen medizinischen Verdienste ein katholisch-fundamentalistischer Rassist zu sein. Dass sich heute die islamistische Al-Qaida-Bewegung und deren Ideologe* Sajjid Qutb (gesprochen: Kutub) auf die Gottesstaat- und Ganzheitstheorien Carrels berufen, wie der deutsche Historiker Rudolf Walther nachgewiesen hat, darf ihm nicht in die Schuhe geschoben werden.

Aber als historische Fußnote sei es hier erwähnt.

Am 12. April 1945 starb der amerikanische Präsident Franklin D. Roosevelt, der das Land zwölf Jahre lang regiert und erfolgreich in den Krieg geführt hatte.

Seine fast irrationale Feindschaft gegenüber Charles Lindbergh war mit seinem Tod nicht nur beendet – praktisch über Nacht be-

gann die staatsoffizielle Rehabilitierung des einstigen Nationalhelden.

Lindbergh wurde im Auftrag der US-Regierung nach Deutschland geschickt, um die dortige Luftfahrt- und Raketenforschung
zu untersuchen und das deutsche Spitzenpersonal (ob Nazi oder
nicht) zu einem Umzug in die USA zu bewegen – was auch gelang (siehe Kapitel 3).

Obwohl Lindbergh nach seiner Rückkehr aus dem zerstörten
Deutschland erneut Vater wurde (seine Tochter Reeve wurde am
2. Oktober 1945 als sechstes Kind von Anne Morrow in New
York geboren), wuchsen dem in den letzten Jahren so gestutzten
Adler wieder die Flügel.

Der alte Atlantikflieger wählte erneut die alte Route – heim
nach Europa.

In seiner Autobiografie *Stationen meines Lebens* liest sich das
ganz harmlos: »Heirat und Familie bedeuten wesentliche Verän-
derungen im Leben eines Mannes. Ich begriff das durchaus und
hieß es in dem Gefühl willkommen, dass ich weit mehr gewann,
als ich verlor. Aber ich erwartete doch, den größeren Teil meines
Lebens im Einsatz für die Luftfahrt, getrennt von meiner Familie,
zu verbringen.«

Wie die Geschichte des »europäischen Lindbergh« gezeigt hat,
war der »Einsatz für die Luftfahrt, getrennt von meiner (amerikanischen) Familie« doch etwas anders zu verstehen.

Der einsame Adler hatte begonnen, auch in Europa mehrere
Nester zu bauen. Nicht für sich, aber für seine neuen Familien ...

13   Lebensstrom

»ICH WEISS, DASS ICH EIN STERBLICHER BIN, ABER DAS
führt dennoch zu der Frage: Was bin ich? Bin ich ein Indivi-
duum, oder bin ich ein sich entwickelnder Lebensstrom, der aus
ungezählten Ichs zusammengesetzt ist? Bin ich ein Mann, dessen Alter nur in ein paar Dutzend Jahren gemessen wird, oder
bin ich so zeitlos wie die Zeit? In meiner Identität war ich
im Jahre 1902 geboren. Aber als Mensch des 20. Jahrhunderts
bin ich zugleich Milliarden Jahre alt. Das Leben, das ich als
mein Ich betrachte, hat Äonen hindurch in ununterbrochener
Kontinuität existiert. Individuen sind die Wächter des Lebensstroms – zeitlich begrenzte Manifestationen eines weit größeren Seins.

Ich stand einmal am Rand eines tiefen Taleinschnitts auf der
hawaiianischen Insel Maui und dachte, der Lebensstrom sei wie
ein Gebirgsfluss – er entspringt aus verborgenen Quellen, wird
aus der Erde geboren und vom Licht der Sterne berührt. Der Fluss
ist sterblich und unsterblich wie das Leben.«

Dies war ein anderer Lindbergh als der wilde Draufgänger
am Himmel, der Abenteurer im Mono-Cockpit, der Teufelskerl
aus Minnesota. Die Erfahrungen mit der amerikanischen Presse
und Politik, seine eigenen politischen Fehler eingeschlossen, das
Ende der Liebesehe mit Anne Morrow, die zur respektierten Part-
nerschaftsbeziehung reduziert war, und der europäische Neu-
aufbruch mit drei Familien hatten aus Charles Lindbergh einen
Mann gemacht, der immer stärker über seine Existenz und sein
eigenes Ich reflektierte. Der Begriff des »Lebensstroms« rückte
in das Denken Lindberghs, ein philosophischer Pantheismus er-

setzte seine frühere, fast blinde Verehrung für Naturwissenschaften und Luftfahrttechnik.

Lindbergh vermischte jetzt in seiner persönlichen Sicht der Dinge die Lehre von der Unsterblichkeit des Lebens mit der eugenisch beeinflussten These von der Notwendigkeit der Reproduktion starker Gene oder eines »gesunden Erbmaterials«.

Man kann es auch wesentlich einfacher ausdrücken: Lindbergh wollte seinen »Lebensstrom« vermehren – in Gestalt vieler Kinder. Seine amerikanische Großfamilie und seine drei deutschen Familien mit Bitusch, Marietta und Valeska waren praktischer Ausdruck des Lindbergh'schen »Lebensstroms«.

In seinen posthum erschienenen Memoiren *Stationen meines Lebens* erzählte Lindbergh von einem persönlichen Laborexperiment, bei dem er sich eigenes Sperma abzapfte und die Samenzellen unter dem Mikroskop betrachtete. Lindbergh schrieb: »Sterblichkeit ist eine Illusion des Verstandes. Ich bin Vergangenheit wie Gegenwart. Tatsächlich waren mein Vater und ich und unsere Sippe so wie die Möwen, ein Lebensstrom, der älter wird und nicht altert, Individualitäten, die daraus entstehen und darin wieder vergehen; Kraftfelder, die auf einen zentralen Kern reagieren. Wir sind beides, Leben und Geist, die beide nach dem Puls der Zeit schlagen und beide Realität sind.

Ich betrachte meine eigenen Spermazellen im Mikroskop. Tausende lebender Zellen, jede ich selbst, mein Lebensstrom, imstande, meine Existenz über die gesamte menschliche Rasse zu verbreiten und mich in alle Ewigkeit zu reinkarnieren ...«

Große Worte für Lindberghs europäisches Familien-Programm – aber sie erschienen gedruckt und in Buchform fast 30 Jahre vor der als »Weltsensation« bezeichneten Veröffentlichung der mit drei Kindern gesegneten Liebesbeziehung zwischen Lindbergh und Brigitte Hesshaimer.

Die philosophische Begründung für die Praxis seines »Lebensstroms« hatte Lindbergh lange zuvor im resümierenden Schlusskapitel seiner Autobiografie abgegeben. Doch kein Journalist oder Autor hatte davon Kenntnis genommen ...

Jenes Schlusskapitel trug den Titel: »Kimana«. Benannt nach dem gleichnamigen Sumpfgebiet der ostafrikanischen Serengeti in der Nähe des Kilimandscharo. Hier in den Steppen und Dschungeln Kenias war Lindbergh auf die Faszination der Wildnis und die Kultur der Massai gestoßen – Begegnungen, die ihn emotional und intellektuell stärker beeinflusst haben als sein legendärer Flug über den Atlantik.

Lindbergh begann, über die Grenzen der westlichen Zivilisation und der bürgerlichen Wertewelt nachzudenken. *The Wisdom of Wilderness*, die Weisheit der Wildnis, wie er es später in einem *Life*-Artikel beschrieb, hatte ihn ergriffen.

Begonnen hatte Lindberghs afrikanisches Abenteuer bei einer Konferenz im Frühjahr 1961 im schweizerischen Caux-sur-Montreux, wo er einen beeindruckenden afrikanischen Teilnehmer kennen lernte: John Konchellah vom Stamm der Massai. Die Massai, ein Volk von Hirten und Nomaden, das an der Grenze zwischen Kenia und Tanganjika (dem heutigen Tansania) lebte und eine berühmte Tradition besonders mutiger und ausdauernder Krieger hatte.

Konchellah, der sich als »modernen Wilden« bezeichnete und der für die Massai im kenianischen Parlament saß, hatte von Lindbergh und seinem Atlantikflug noch nie etwas gehört. Das wiederum gefiel Lindbergh. Vor allem gefielen ihm die Ansichten des »Wilden«, der selbst eine Missionsschule besucht hatte, über die Lehren und Gesetze der Natur, ohne deren Kenntnisse kein Massai-Stamm überleben könnte. Ein Wissen, das in keinem Lehrbuch der westlichen Länder verzeichnet sei. Konchellah lud den »großen weißen Flieger«, den er erstmals in seinem Leben getroffen hatte, zu einem Besuch in seinem Kral ein.

Irgendwann, wenn er Zeit hätte.

Im Spätherbst 1962 war die Zeit gekommen.

Lindbergh flog zunächst nach Nairobi und orderte dort sein Lieblingsauto. Unter dem Datum vom 4. November 1962 schrieb Lindbergh nach München:

»Liebe Brigitte,
ich habe mir einen Volkswagen gemietet und parke jetzt im
Schatten eines Baumes. Ich habe gerade ein paar Bohnen aus
der Dose und Datteln zu Mittag gegessen. Erzähle Dyrk und
Astrid, dass ich einen Strauß, zwei Giraffen, ein Dutzend Pa-
viane und eine Herde Zebras sehe. Ich wünschte mir so sehr,
du und die beiden Kinder könnten jetzt bei mir im Auto sein ...
Ich werde zurück sein, sobald ich meine Arbeit hier in Afrika
beendet habe. Ich denke sehr viel an dich, immer.
Sehr viel Liebe, C.
PS: Vielleicht sind da ein paar Löwen im Gebüsch hinter dem
Baum! Ich habe aber noch keinen gesehen oder gehört.«

Es saßen keine Löwen hinter dem Baum, die Lust auf Dosenboh-
nen mit Datteln und einen 1,88 Meter großen, schlanken Amerikaner gehabt hätten. Lindbergh setzte seine VW-Safari fort.

Mitte November erreichte er den Massai-Kral von John Konchellah in Tanganjika. Von jetzt an gab es keine Dosennahrung
und kein Auto mehr.

Lindbergh lebte wie ein Massai-Krieger für eine Woche im Lager des Stammes. Ohne jeglichen westlichen Luxus.

Konchellah wies ihm eine eigene kleine Hütte zu – mit der ältesten Frau des Stammes, die ihn versorgte. Die Spezialität ihrer
Kochkunst war der »Massai-Joghurt«: In einer mit Kuh-Urin aus-
gespülten Kürbisflasche wurde frische Milch mit dem Blut einer
lebenden Kuh erhitzt und serviert. Lindbergh schmeckte das
Mahl. Natur pur liebte er.

Dies passte auch in sein Naturell des *farmer's boy* aus Minnesota, der sein Leben lang jeden Luxus ablehnte. Drei-Sterne-
Lokale zum Beispiel waren ihm ein Horror. Überliefert ist Lindberghs Bonmot, er könnte sofort zum Kommunisten werden, wenn
er in Long Island oder Manhattan auch nur einen Blick auf die
Speisekarten (und die Preise) der angesagtesten Restaurants werfe.

Zurück zum Kral der Massai am Kilimandscharo.

Lindbergh wurde wie ein gleichberechtigter weißer Krieger
aufgenommen, durfte an der Jagd und an der (rein männlichen)
Stammesversammlung teilnehmen. Die Originalität und die Viri-

lität der Massai hinterließen auf ihn einen bleibenden Eindruck. Ihre lokale Ungebundenheit und der tägliche Kampf ums Überleben des Stammes schienen Lindbergh existenzielle Alternativen zur westlichen Zivilisation zu sein.

Lindbergh, der ewige Sucher nach den »Werten« der menschlichen Gesellschaft, hatte zu dieser Kultur der (scheinbar) Primitiven seinen Zugang gefunden: Sie war für ihn echt, ehrlich, authentisch.

Noch vier weitere Male besuchte Lindbergh in den folgenden Jahren die Massai. Einmal nahm er seine Frau Anne Morrow mit, ein anderes Mal organisierte er eine Familien-Safari mit einem Teil seiner amerikanischen Kinder und deren Partnern.

Anne Morrow, die sich über die Strapazen der Expedition, die schier unerträgliche Hitze und den völligen Mangel an Hygiene bitter beklagte, stellte gleichzeitig fest: »Ich bewundere Charles, dem das alles nichts ausmacht. Er ist glücklich und bewegt sich in diesem fremden Land wie ein Eingeborener.«

Lindberghs Liebe zur »Weisheit der Wildnis« nahm nach seiner Rückkehr in die scheinbare Geborgenheit der westlichen Zivilisation politisch-praktische Formen an. Der Technik-Pionier des amerikanischen Zeitalters wurde (bis zu seinem Lebensende) ein glühender Verfechter des internationalen Umwelt- und Tierschutzes.

Er trat – lange vor Gründung der Grünen und von Greenpeace – der »International Union for Conservation of Nature and Natural Resources« (IUCN) sowie als Vorstandsmitglied dem »World Wildlife Fund« (WWF) bei. Er spendete jedes Jahr große Geldbeträge für internationale Umweltschutzprojekte, er organisierte eine Kampagne zum Schutz der vom Aussterben bedrohten Blau- und Buckelwale, und er erkannte als einer der ersten engagierten Ökologen die Bedrohung des Weltklimas durch die rücksichtslose Ausbeutung und Abholzung des Regenwaldes. Sein Prinzip der Rastlosigkeit war in diesem Fall ein Prinzip der Präsenz. Es gab kaum einen Winkel der Erde, den Lindbergh nicht besucht hätte und den er jetzt unter dem Blickwinkel des Umweltschutzes betrachtete.

Der alte Mann und die Natur: Der 67-jährige Charles Lindbergh
in Siena do Mar, nahe São Paulo, Brasilien (1969).

Und überall erging es ihm bei den Eingeborenen wie damals
im Kral der Massai: Er wurde als Bruder und als Freund aufgenommen, als einer der Ihren.

Die Regenwald-Indianer im Norden Brasiliens machten mit
Lindbergh sogar einen Test, indem sie ihm eine Schüssel mit Af-
fen-Eintopf servierten. Als ihn der dolmetschende katholische
Mönch darauf hinwies, ob er denn wisse, was er gerade esse, kam
Lindberghs ironischer Schalk zum Tragen. »Es schmeckt fast so
gut wie Menschenfleisch«, sagte er – und bestellte einen Nach-
schlag.

Obwohl Lindbergh nach wie vor noch Direktor der Pan American und Mitglied im Strategischen Luftkommando der USA
war, also ein Spitzenmann der amerikanischen Zivil- und Mi-

litärluftfahrt, begann er, sich innerlich von seinem Job abzugrenzen. Lindbergh spürte, dass westlicher Industrialismus (oder Globalisierung, wie man heute sagen würde) und Ökologie nicht kompatibel waren.

Gerade, weil er immer ein Flieger war, wuchsen dem Pragmatiker allmählich revolutionäre Flügel:

»Ich habe als junger Postflieger und später mit anderen Flugzeugen das ganze Amerika überflogen und die unversehrte Naturschönheit dieses Kontinents aus der Luft gesehen«, schrieb er. »Wenn ich jetzt aus dem Fenster des Düsenflugzeugs nach unten schaue, sehe ich, wie sich der Moloch der Städte und die Kräfte der Umweltzerstörung in der Natur ausbreiten und sie allmählich vernichten. In Europa und Asien vollzieht sich genau dieselbe Entwicklung.«

Mit großer Überraschung nahm die amerikanische Öffentlichkeit einen Aufsatz Lindberghs aus dem Jahre 1964 im *Reader's Digest* zur Kenntnis. Unter der Rubrik »Ist Zivilisation Fortschritt?« schrieb der berühmteste Pilot der USA, dass es die Entwicklung der Luftfahrt ermöglicht habe, innerhalb von 24 Stunden fast jeden Punkt der Erde von New York aus anzufliegen. Aber zu welchem Preis? Zum Preis der Vernichtung der natürlichen Ressourcen. »Wo die Zivilisation am weitesten fortgeschritten ist, leben kaum noch Vögel. Inzwischen weiß ich: Wenn ich wählen müsste, hätte ich lieber Vögel als Flugzeuge.«

Dem Schutz der Natur zuliebe brach der »einsame Adler« völlig überraschend sein eisernes Versprechen, sich nach dem politischen Desaster mit »America First« niemals mehr in einer öffentlichen Rede zu äußern. Als er erfuhr, dass das Parlament von Alaska einen Gesetzentwurf des Senators Lowell Thomas junior, zum Schutz der arktischen Wölfe die Abschussprämien zu verbieten, voraussichtlich abschmettern würde, flog Lindbergh im März 1968 in die Hauptstadt Juneau. Er hielt vor der gesetzgebenden Versammlung Alaskas eine Rede aus dem Stegreif, die landesweit im Fernsehen übertragen wurde. Lindbergh thematisierte am Beispiel der zur Ausrottung freigegebenen Raubtiere das generelle Thema des Umwelt- und Naturschutzes in den

Lindbergh mit seiner Frau Anne Morrow anlässlich eines Abendessens für die Apollo-Astronauten im Weißen Haus in Washington (Dezember 1968).

USA und seine Konsequenzen für die ganze amerikanische Gesellschaft.

Am Ende erhielt er *standing ovations*, und der Senator brachte sein Gesetz durch.

Ein Parlamentarier sagte hinterher mit Tränen in den Augen: »Als Lindbergh auftrat, dachte ich, ich sehe nicht richtig. Da ist einer von den Toten auferstanden. Es war einer der wichtigsten Augenblicke in meinem Leben.«

27 Jahre nach der Lindbergh-Rede von Des Moines/Iowa, mit der das offiziöse Regierungs-Amerika seinen einstigen Nationalhelden zum Abschuss freigegeben hatte, schwang sich der Adler wieder öffentlich in die Lüfte.

Geflogen war er zwar schon immer, doch jetzt konnte ihn jeder Amerikaner sehen.

Trotzdem blieben die öffentlichen Auftritte Lindberghs in den 1960er-Jahren eine Rarität. Er blieb seinem Prinzip *No press!* treu. Die Feindschaft zum Boulevard und zu den Fotografen hat Lindbergh bis an sein Lebensende gepflegt.

Nur in wenigen Ausnahmen nahm er öffentliche Termine wahr und präsentierte sich sogar im Smoking. Die Einladung seines Freundes, des US-Präsidenten John F. Kennedy, und seiner Frau Jacqueline, die ihn hinreißend fand, zum Empfang und zum Gala-Dinner für den französischen Kulturminister André Malraux im Weißen Haus in Washington gehörte dazu. Ebenso die Verleihung der Goldmedaille des »National Institute of Social Sciences« (1968), der Ehrenmitgliedschaft der »Society of Experimental Test Pilots« (1969) oder des »National Veteran Award« (1973) für seine Verdienste im Weltkrieg an der Pazifikfront.

Den Ehrendoktorhut der Georgetown University nahm er erst entgegen, als sichergestellt war, dass die Feier unter Ausschluss der Presse-Öffentlichkeit stattfinden würde.

Unabhängig davon und auch unabhängig von seinen weltweiten Einsätzen für den »World Wildlife Fund« und den internationalen Umweltschutz, blieb Lindbergh seinen Beraterverpflichtungen für die amerikanische Regierung treu. Trotz großer Zweifel an der Richtigkeit der militärischen Intervention der USA in Vietnam, reiste Lindbergh im Jahre 1967 im Auftrag von Präsident Lyndon B. Johnson, dem Nachfolger des 1963 ermordeten John F. Kennedy, nach Südvietnam, um für ihn ein Exposé zu erstellen. Es war das Jahr, als die USA ihre Truppenstärke in dem umkämpften südostasiatischen Land auf 525000 Mann erhöht, mit der Bombardierung der nordvietnamesischen Hauptstadt Hanoi und dem Einsatz chemischer Kampfstoffe begonnen hatten.

Lindberghs Position war dieselbe wie zu Beginn des Zweiten Weltkriegs. Er hielt den Vietnam-Krieg für einen Fehler, empfand es aber als seine patriotische Pflicht, den Regierungsauftrag zu übernehmen.

Right or wrong, my country!
Alles, wie gehabt.

Auf Einladung der Weltraumorganisation NASA und von Lyndon B. Johnson war Lindbergh offizieller Gast beim Präsidenten-Dinner für die Astronauten Frank Borman, William Anders und James A. Lovell, die wenige Tage später – am 21. Dezember 1968 – mit »Apollo VIII« zur ersten Mondumrundung starteten. Lindbergh war der Star des Abends und wurde von Raumschiff-Kommandant Frank Borman zum »Vorbild für jeden amerikanischen Weltraumfahrer« ernannt.

Eine Ehrung, die sich sieben Monate später wiederholte, als Lindbergh und sein ältester Sohn Jon vom Astronauten Neil Armstrong persönlich nach Cape Kennedy eingeladen wurden, von wo aus das Raumschiff »Apollo XI« zum Mond geschossen wurde. Am 21. Juli 1969 um 3.56 Uhr mitteleuropäischer Zeit (MEZ) war es jener Neil A. Armstrong, der als erster Mensch der Welt den Mond betrat.

Die Mondlandefähre, mit der er und sein Kollege Edwin Aldrin auf der Oberfläche des Erdtrabanten sicher aufsetzten, hieß übrigens »Eagle« (Adler) und der *Lone Eagle* beobachtete unten auf der Erde über den Kontrollschirm diese einzigartige Pionierleistung.

Es war allerdings wieder typisch Lindbergh, dass er trotz Reporteransturms keine Interviews gab und nur später verlauten ließ, sein größter Respekt habe dem dritten Astronauten, Michael Collins, gegolten, der das Raumschiff allein steuerte, während

*Der Präsident und sein Umwelt-Berater: Richard Nixon (rechts)
mit Charles Lindbergh im Sommer 1972.*

seine Kollegen Armstrong und Aldrin als die »Helden vom Mond«
gefeiert wurden.

Nachdem Armstrong wenige Tage später wieder sicher auf
der Erde gelandet war, begrüßte ihn Lindbergh mit den Worten:
»Hast du dich auf dem Mond auch so gut gefühlt wie ich nach
der Landung in Paris? Ich hätte mich an deiner Stelle aber ein
bisschen länger auf dem Mond umgeschaut.«

Als im Jahr 1969 der Republikaner Richard Nixon die Präsidentschaftswahlen knapp gegen den Demokraten Hubert Humphrey
gewonnen hatte, nahm Lindbergh das Angebot Nixons an, ihm
als Regierungsberater für Umweltfragen zur Verfügung zu stehen. Doch im Unterschied zu Lindberghs Konsulenten-Diensten
für Eisenhower und Johnson war das Verhältnis von *lucky Lindy*
zu *tricky Dicky*, wie der verschlagene Nixon genannt wurde, bald
getrübt. Lindbergh kritisierte die Eskalation des Vietnam-Krieges
und er lehnte als Umweltberater des Präsidenten alle Entwick-

lungsprojekte für zivile Überschallflugzeuge prinzipiell ab. Die französisch-britische Koproduktion der »Concorde«, die in weniger als vier Stunden von Paris nach New York fliegen sollte, hielt Lindbergh für ein ökologisch und ökonomisch unverantwortliches Projekt, dem die Amerikaner nicht nacheifern sollten.

Nixon fand Lindberghs Position »sehr seltsam«. Trotzdem unterstützte Lindbergh den Republikaner bei der Wahl im November 1972. Er flog, wie sich sein Münchner Sohn Dyrk an einen abgekürzten Besuch seines Vaters am Ammersee erinnerte, extra in die USA zurück, um Nixon zu wählen, da er dessen demokratischen Gegenkandidaten, den erklärten Linksliberalen und Vietnamkriegsgegner George McGovern, für zu radikal hielt.

Richard Nixon gewann souverän in 49 der 50 US-Bundesstaaten, doch bereits zwei Jahre später musste er nach der Watergate-Affäre – dem von ihm gedeckten Einbruch in der Wahlkampfzentrale der Demokratischen Partei – zurücktreten.

Tricky Dicky – wie gehabt.

Die schier unendliche Energie, die Lindbergh in den 1960er- und frühen 1970er-Jahren für seine offiziellen Berater-Jobs bei Pan American und der amerikanischen Regierung sowie für sein geradezu besessenes Engagement zugunsten des World Wildlife Fund und des Umweltschutzes investierte, absorbierten keineswegs seine privaten Aktivitäten. Seine Ehefrau Anne Morrow schrieb in ihr Tagebuch: »Charles entfaltet ständig neue Aktivitäten. Er ist immer unterwegs oder entwirft zu Hause neue Pläne, als hätte er ein neues Leben begonnen.«

Ohne es zu wissen, lag Anne Morrow ziemlich richtig.

Das neue Leben in Europa hatte für Charles Lindbergh bekanntlich schon in den 1950er-Jahren begonnen – und von seinen drei Familien und der Entfaltung seines »Lebensstroms« hatte Anne Morrow keine Ahnung. Doch die »neuen Pläne«, von denen Charles sprach, realisierte er mit großer Power.

Nachdem die Kinder aus seiner Ehe mit Anne Morrow fast alle auf eigenen Beinen standen, ausgezogen waren oder bereits in festen Partnerschaften lebten, schlug Lindbergh seiner Frau vor, die große Villa in Scott's Cove an der Küste von Darien/Connecticut zu verkaufen und auf dem riesigen Grundstück ein kleines Haus zu bauen.

So geschah es im Jahre 1963, exakt nach den Plänen von Lindbergh, die nach Flieger-Manier äußerst detailliert waren.

Parallel dazu ließ Lindbergh in der Schweiz ein zweites Haus errichten – das Chalet von Vevey am Genfer See. Auch dieses Anwesen wurde im Jahre 1963 fertig gestellt.

Lindbergh nannte das Chalet »seine neue Operationsbasis«. Für Anne war es ein wunderbarer Erholungsort, doch die Zweiteilung ihrer Domizile – USA und Europa – fiel ihr schwer. Vor allem, weil sich ihre Hoffnung auf ein ruhiges Leben an der Seite von Charles nicht erfüllte. »Er ist nie da«, schrieb sie in ihr Tagebuch. »Und wenn er da ist, ist er gleich wieder weg. Ich führe das Leben einer Witwe.«

Das eigentlich nicht existierende Zusammenleben mit Charles in zwei eigenen Häusern auf zwei Kontinenten führte zu so absurden Episoden, dass die Ehepartner ihre Briefe immer mit Durchschlag schrieben, von denen – je nach An- oder Abwesenheit – der eine nach Connecticut/USA und der andere nach Vevey/Schweiz geschickt wurde.

Der Aufbruch von Charles Lindbergh in ein neues Leben hatte sich ohne Anne Morrow längst vollzogen.

Seine Münchner Familie mit Bitusch und den beiden Kindern, Dyrk und Astrid, besuchte Lindbergh regelmäßig vier- bis fünfmal im Jahr (immer für drei bis fünf Tage), aber er schrieb kontinuierlich an Bitusch. Ob in knappen 15 Zeilen oder auf zwei Seiten des berühmten blassblauen Papiers, verging kaum eine Woche, ohne dass Post in die Agnesstraße kam, später nach Geretsried und an den Ammersee.

Lindbergh nahm regen Anteil an den Geschichten von Bitusch über die Kinder und verteilte briefliche Küsse an Dyrk und Astrid. Er war höchst beunruhigt, als er erfuhr, dass Dyrk die Finger von Astrids linker Hand in der Tür eingeklemmt hatte, und höchst erfreut, dass sich seine weitgehend unverletzte Kleine am größeren Bruder damit revanchiert hatte, ihm einen Esslöffel mit Honig ins Haar zu schmieren.

»Liebe Bitusch«, schrieb er, »wirf Dyrk aufs Bett und gib Astrid einen Kuss. Alle Liebe, die ich euch schicken kann, C.«

Mit derselben Intensität, mit der sich Lindbergh über das Heranwachsen und die Erziehung seiner Kinder in den Briefen an Bitusch auseinander setzte, schrieb er ihr auch über sein Verhältnis zu ihrer älteren Schwester Marietta, die in der Schweiz lebte. Marietta hatte am 11. Dezember 1962 ein Wunschkind, Vago, zur Welt gebracht, dessen Vater ebenfalls Charles Lindbergh war.

Mit Datum vom 24. Dezember 1962, Heiligabend also, schrieb Lindbergh an Bitusch:

»Liebe Brigitte,
ich habe mir große Sorgen um Marietta gemacht, und natürlich ist es wahrscheinlich sehr schwierig für sie, zu schreiben und einen Brief zu verschicken. Als ich sie das letzte Mal gesehen habe, schien es ihr gut zu gehen, aber natürlich hat sie viel durchmachen müssen, und einige Dinge könnten falsch gelaufen sein. Natürlich bin ich gegenteiliger Meinung, aber es war für sie wirklich sehr wichtig, einen kleinen Jungen zu bekommen, denn sie hat sich ja so sehr einen kleinen Jungen gewünscht, und natürlich war es noch wichtiger, dass es dem Kind gut geht und alles in Ordnung ist. Ich werde ihr schreiben, sobald ich diesen Brief an dich beendet habe, aber ich werde Vago nicht erwähnen, bis ich von ihr einen Brief bekomme, in dem sie mir von ihm erzählt. Bitusch, ich kann dir gar nicht sagen, wie nahe du mir bist – näher als je zuvor, und das sagt schon eine ganze Menge. Du bist wirklich ein wundervolles Mädchen, noch dazu ein so liebes und attraktives! Das Foto von Dyrk und Astrid ist ein sehr gutes. Es weckt in mir den Wunsch, auf der Stelle zurück nach München zu kommen – ich werde dort sein, sobald ich kann – ich wünschte, das wäre heute Abend.
Mit all der Liebe, die ich dir schicken kann, C.«

Lindberghs Brief drückte nicht nur seine tiefe Zuneigung zu Bitusch aus, sondern auch sein grenzenloses Vertrauen in sie. Er wusste, dass sie ihn vollständig akzeptierte – mit seiner amerikanischen Ehefrau, mit seiner Liebe zu Valeska und ihren beiden gemeinsamen Kindern. Und mit seiner Liebe zu Marietta, die gerade entbunden hatte. Mehr noch: Bitusch fuhr zu Marietta, um ihr nach der Entbindung beizustehen und sie zu stärken.

Lindbergh bedankte sich bei ihr mit einem Brief aus Connecticut vom 6. Januar 1963:

>*Liebe Brigitte,*
dein lieber Brief vom 30. Dezember war heute morgen im Postfach und er lässt mich dir sehr nahe fühlen. Du bist, wie ich ja schon oft gedacht und gesagt habe, in mehrfacher Hinsicht auf perfekte Weise ein wunderbares Mädchen. Ich wünschte, ich könnte jetzt dort sein, um dir zu sagen, welch tiefe Dankbarkeit ich fühle für all das, was du getan hast! Ich weiß, wie sehr Marietta dich gebraucht hat, nicht nur jetzt, sondern die ganze Zeit über. Sie war sich dessen selbst nicht bewusst und hätte es dir gegenüber sowieso nicht ausdrücken können; aber ich habe es ihr sehr deutlich angesehen. Dass du bei ihr gewesen bist, berührt mich tiefer, als ich es dir erklären kann.
Immer in Liebe, C.«

Spätestens hier teilte Charles seiner Münchner Geliebten mit, wie tief seine Liebe zu ihr war.

Krisen können trennen oder ein Paar noch enger zusammenschweißen. Die späteren Erinnerungen von Bituschs Kindern an ihre Mutter, die sie nie glücklicher gesehen hätten, wenn Charles da war oder wenn sie von ihm sprach, erscheinen in diesem Licht völlig überzeugend und richtig.

Brigitte Hesshaimer hatte in Charles Lindbergh den Mann ihres Lebens gefunden, und er selbst – der rastlose Flieger und animalische Freigeist – war auf eine Frau gestoßen, deren Liebe und Toleranz er von keiner anderen Frau erwarten durfte und konnte.

Dies war keine *amour fou*, dies war eine einzigartige Beziehung jenseits der bürgerlichen Wertewelt.

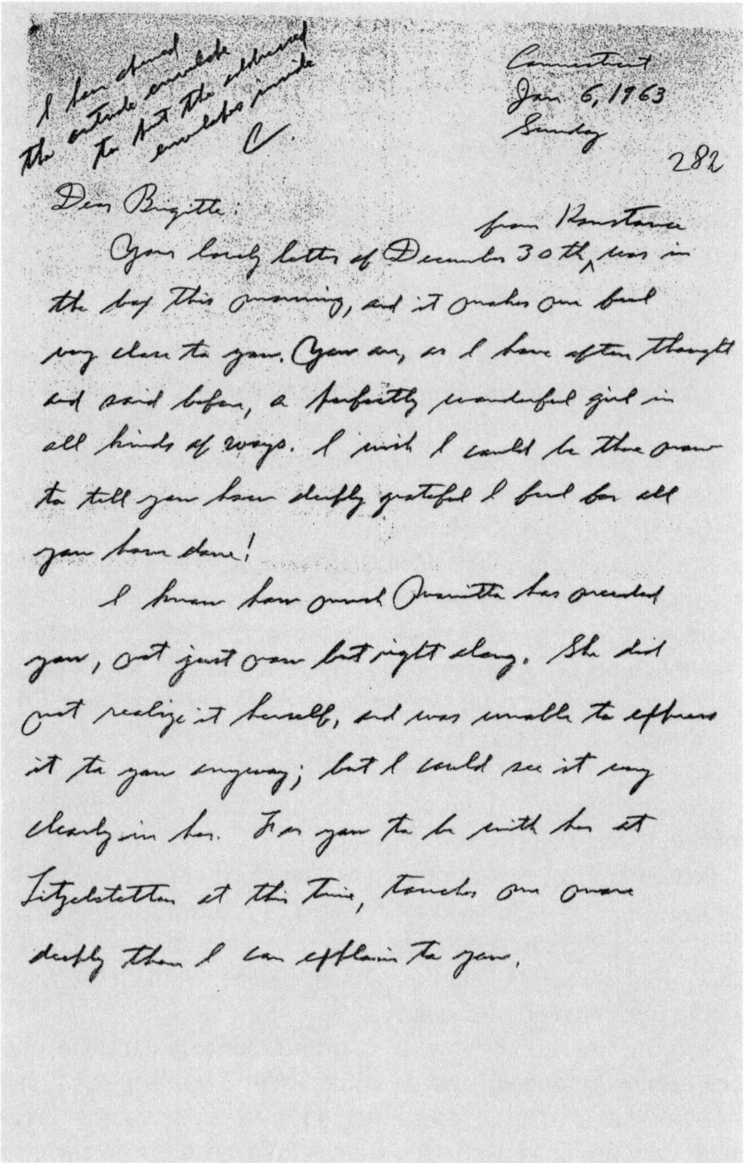
I have changed
the outside envelope
to put the addressed
envelope inside
C.

Connecticut
Jan. 6, 1963
Sunday

282

Dear Brigitte:

Your lovely letter of December 30th from Konstanz was in the box this morning, and it makes me feel very close to you. You are, as I have often thought and said before, a perfectly wonderful girl in all kinds of ways. I wish I could be there now to tell you how deeply grateful I feel for all you have done!

I know how much Marietta has needed you, not just now but right along. She did not realize it herself, and was unable to express it to you anyway; but I could see it very clearly in her. For you to be with her at Litzelstetten at this time, touches me more deeply than I can explain to you.

Lindbergh-Brief an Brigitte Hesshaimer vom 6. Januar 1963, nachdem er von der Geburt seines Sohnes Vago aus der Verbindung mit Brigittes Schwester Marietta erfahren hat.

Vielleicht haben deshalb Charles und Bitusch den Dichter Frank Wedekind, der die Fesseln der Konventionen verachtete und im Herzen die romantische Liebe suchte, so gemocht.

Äußerlich hätte der Unterschied dieses ungleichen Paares nicht größer sein können: Der auch als 60-Jähriger noch drahtige, schlanke, sportliche Flieger mit Gardemaß, der in der Luft und im Urwald jedes Abenteuer gemeistert hatte, und die gehbehinderte, immer gegen ihr Übergewicht kämpfende 36-jährige Hutmacherin, die hoch gebildet war und eine natürliche Sensibilität entwickelte, die Lindbergh magisch anzog – auch durch ihre körperliche Attraktivität.

Der Briefwechsel von Lindbergh an Bitusch ist von einem *running gag* gekennzeichnet, den er immer wieder einfließen ließ. Er schrieb Brigitte in kurzen Andeutungen besonders gerne über den Frühsommer 1957, als sie gerade frisch verliebt waren. Lindbergh war damals in die Wohnung in der Agnesstraße gekommen und hatte dort Bitusch beim Sonnenbaden auf dem Balkon vorgefunden. Noch fünf Jahre später, in einem Brief vom 8. Mai 1962, schrieb er ihr:

>*Gestern lag ich eine Stunde lang nackt in der Sonne! Ich hoffe, dass ihr in München auch viel Sonne habt und die Terrasse nutzen könnt. Erinnerst du dich, wie ich dich dort das erste Mal angetroffen habe? Sehr viel Liebe, C.«*

Der Sonne folgte das Unwetter – im ganz privaten Bereich. Im Spätsommer 1963 war Bitusch erneut schwanger, doch sie musste in die Klinik und hatte eine Fehlgeburt. In wöchentlichen Briefen aus den USA zwischen Anfang Oktober und Anfang November nahm Lindbergh geradezu rührend Anteil am Schicksal seiner Geliebten, die er immer wieder aufzurichten versuchte – zum Teil mit fast kindlichem Optimismus. Er freue sich, schrieb er am 5. Oktober 1963, mit Bitusch in den Zoo zu gehen, um Meerschweine (die er in Honolulu gesehen hatte) am Bauch zu kitzeln. Das würde ihm und Bitusch genauso viel Spaß machen, als bald wieder mit der »Wilden Maus« zu fahren.

Die »Wilde Maus« war eine Achterbahn, die bis heute zu den nostalgischen Traditionen bayerischer Volksfeste (einschließlich des Münchner Oktoberfestes) zählt. Lindbergh war ein begeisterter »Wilde Maus«-Fahrer auf Festen und Dulten im südbayerischen Oberland.

Doch Bitusch verfügte über eine erstaunliche Widerstandskraft. Ihr ganzes Leben war ein Kampf gewesen – letztlich ein Kampf ums Glück. Sie nahm sofort nach ihrer Entlassung aus dem Krankenhaus die nächste Hürde in Angriff. Sie beantragte einen Studienplatz an der renommierten »Meisterschule für Mode« in München, absolvierte im Frühjahr 1964 einen viermonatigen Kurs für Hutmode und legte am 17. Juli 1964 mit guter Bewertung ihre Meisterprüfung im Putzmacher-Handwerk als Modistin vor der oberbayerischen Handwerkskammer ab. Danach machte sie sich selbstständig.

Charles Lindbergh, der immer behauptet hatte, er könne kein Deutsch (obwohl er drei deutsche Freundinnen hatte), zeichnete mit seinem berühmten Flieger-Bleistift für Bitusch den Entwurf eines Werbeplakats. Es zeigte ein schlankes großes »H« in Form eines Zylinders mit der Alliteration: »Himmlische Hesshaimer Hüte«.

Es war – wie Kurt Tucholsky sagen würde – das Gegenteil von gut: nicht schlecht, nur gut gemeint.

Nicht nur gut gemeint, sondern wirklich ein Fortschritt war der Entschluss von Bitusch, noch im selben Jahr aus der kleinen Wohnung in der Agnesstraße wegzuziehen und ein Haus im Grünen zu mieten, wo Platz war für die beiden jetzt sechs und vier Jahre alten Kinder Dyrk und Astrid.

Brigitte Hesshaimer fand in Geretsried, rund 40 Kilometer südlich von München, eine günstige Doppelhaus-Hälfte mit fünf Zimmern, Küche und Bad, einem Hut-Atelier und einer Garage für akzeptable 450 Mark Monatsmiete.

Seit sie von Charles Lindbergh finanziell unterstützt wurde, hatte sie keine Geldsorgen mehr und konnte sich diese Wohnung leisten, in der die beiden kleinen Kinder jeweils ein eigenes Zimmer hatten.

In jenen Zeiten fast ein Luxus.

Dyrk kam in die Schule, Astrid hatte sich schnell akklimatisiert, und Charles Lindbergh kam kurz, aber regelmäßig im VW-Käfer im neuen Domizil vorbei.

Bitusch, deren Hut-Atelier einen sehr guten Ruf hatte, beschloss, den Führerschein zu machen, nachdem die Firma Volkswagen einen neuen VW-Käfer auf den Markt gebracht hatte. Den VW-Saxomat, der keine Kupplung hatte und dafür – nach einem Extra-Umbau für Bitusch – als linkes Fußpedal das Gas und daneben die Bremse.

Die rechts gehbehinderte Bitusch konnte jetzt »mit links« ein Auto fahren. Mit fatalen Folgen: Am 15. Juni 1965 überschlug sie sich während einer Fahrstunde im Saxomat auf der Bundesstraße 11 zwischen Geretsried und Wolfratshausen, erlitt eine schlimme Gehirnerschütterung, wurde schwer verletzt und musste sechs Wochen im Krankenhaus verbringen. Der Fahrlehrer, der nicht aufgepasst hatte, musste sich wegen fahrlässiger Körperverletzung gerichtlich verantworten und seine Fahrschule an Bitusch später Schadenersatz zahlen.

Charles Lindbergh schrieb – wie immer – besorgte Briefe, nachdem sie gesund entlassen wurde und am 29. Dezember 1965 im ersten Versuch die Führerscheinprüfung bestand:

»Liebe Bitusch,
sei mit dem Fahren vorsichtig, sehr vorsichtig – obwohl du das
wahrscheinlich sowieso nicht tun wirst, bis ich wieder da bin.
Lass dir viel Zeit, bevor du dich auf den Straßen in den größeren Städten versuchst. Sehr viel Liebe, für immer C.«

Zwei Jahre später war der »sehr vielen Liebe« ein weiterer Sohn von Bitusch und Charles entsprungen: Am 29. Mai 1967 wurde im Krankenhaus Wolfratshausen (der Geretsried benachbarten Stadt an der Loisach) das dritte Kind von Brigitte Hesshaimer geboren – ein blonder und blauäugiger Junge namens David.

Bis heute fast eine Kopie des jungen Lindbergh.

Ein halbes Jahr zuvor, im November 1966, hatte Brigittes Schwester Marietta ihren zweiten Buben zur Welt gebracht: Christoph. Auch er ein Kind der Liebe mit Charles Lindbergh.

Sein europäischer Lebensstrom war gewaltig angewachsen: Neben den sechs ehelichen Kindern mit Anne Morrow in den USA (wobei der Älteste, Charles junior, dem grausamen Kidnapping zum Opfer gefallen war) hatte Lindbergh jetzt sieben Kinder in Deutschland und der Schweiz – zwei Söhne und eine Tochter mit Bitusch, zwei Söhne mit deren Schwester Marietta, einen Sohn und eine Tochter mit Valeska. Und dies waren wahrscheinlich immer noch nicht alle außerehelichen Kinder Lindberghs.

Anfang der 1970er-Jahre fand Anne Morrow, die bei den ständigen Fluchten ihres Mannes nicht eifersüchtig, aber misstrauisch geworden war, in den Unterlagen von Charles Lindbergh das Bild einer jungen Frau. Sie hat dies ihrem Mann gegenüber nie erwähnt – vielleicht auch als Folge ihres schlechten Gewissens wegen des Seitensprungs mit ihrem Arzt Dana Atchley. Viele Jahre später sprach sie mit dem Pulitzer-Preisträger A. Scott Berg, einem Mann ihres Vertrauens, über diese Geschichte, die Berg in seiner Lindbergh-Biografie wie folgt zitierte:

»Anne entdeckte das Foto einer attraktiven Philippina, die so aufreizend war, dass Charles ihrer Überzeugung nach mit ihr geschlafen hatte.«

Als die Söhne Lindberghs Mitte der 1970er-Jahre seinen Nachlass studierten, fanden sie unter den Bankbelegen auch eine Überweisung von mehreren tausend Dollar, die Lindbergh kurz vor seinem Tod an eine philippinische Familie adressiert hatte. Sie buchten das im Glauben an die vielen umweltpolitischen Spenden des Vaters ohne Hintergedanken ab. Ob der Betrag einer Benefizaktion oder einer weiteren außerehelichen Familie – es wäre dann die vierte neben den drei europäischen in Deutschland und der Schweiz – zugute kam, sei dahingestellt. Denkbar ist alles.

Lindberghs besondere Beziehung zu den Philippinen, vergleichbar seinem Engagement bei den Massai, begann im Januar 1969, als er im Rahmen seiner Umweltschutzaktivitäten in Manila eintraf, weil er von einem besonders gefährdeten Tier, dem Tamarau-Büffel, gehört hatte, der auf einer philippinischen Insel beheimatet war. Er erfuhr dort, dass es auf den zahlreichen Inseln der damaligen Marcos-Diktatur noch viele prähistorische

Der Adler mit dem Adler: Charles Lindbergh mit einem Affen fressenden Adler auf den Philippinen im August 1969.

Stämme gab. Primitive Kulturen, die Lindbergh brennend interessierten.

Er traf auf einen jungen Mann namens Manuel Elizalde, der eine Schutzorganisation für diese Minderheiten gegründet hatte: Panamin – die Abkürzung für »Private Association for National Minorities«. Lindbergh war fasziniert von der Möglichkeit, selbstständig anthropologische Studien bei diesen nationalen Minderheiten, den so genannten Steinzeitmenschen, durchführen zu können.

Lindbergh organisierte innerhalb der nächsten drei Jahre mehrere Expeditionen, bei denen er sich offensichtlich auch mit jener philippinischen Schönheit anfreundete, deren Foto seine Ehefrau Anne Morrow später fand.

285

Einen ganz anderen Verdacht hegten die *New York Times*-Reporter, Alden Whitman und Edgar Needham, die Lindbergh auf einer Expedition begleiteten. Needham, der Fotograf, deutete später mehrmals an, dass Lindbergh neben seinen ökologischen und anthropologischen Interessen auch im handfesten Auftrag von Präsident Richard Nixon auf die Philippinen geschickt worden war: Er sollte die Möglichkeit des Aufbaus von CIA-Basen zur Bekämpfung der starken kommunistischen Guerilla auf den Inseln eruieren. Die USA wollten kein zweites Vietnam in Südostasien.

Beweise legte Needham allerdings nicht vor.

Eine andere Beweislast ist bis heute strittig: die Entdeckung des prähistorischen Steinzeitstammes der Tasaday in den südphilippinischen Regenwäldern von Mindanao. Als Lindbergh von der Entdeckung dieser Höhlenmenschen durch Panamin-Kundschafter erfuhr, war er nicht mehr zu halten.

Als mittlerweile 70-jähriger Mann schien er überwältigt zu sein von dem Gedanken, »meine Vorfahren vor 100 000 Jahren zu besuchen«.

Lindbergh organisierte mit Panamin eine Helikopter-Expedition in den Regenwald – und sprang als immerhin betagter Mann vom Hubschrauber auf eine eigens errichtete Plattform in den riesigen Baumwipfeln des Regenwaldes, um sich zu den Höhlen der Tasaday mit einer Liane abzuseilen.

Zusammen mit dem AP-Journalisten John Nance, der daraus ein spannendes Buch machte, erforschte Lindbergh in den folgenden zwei Wochen die kleine Gruppe der 18 Höhlenmenschen, die um zwei Feuerstellen saßen.

Lindbergh kam zu dem Schluss, noch nie ein glücklicheres Volk gesehen und erlebt zu haben, wenngleich es ihm zu denken gab, dass bei den Tasaday jede Bereitschaft fehlte, sich um Verbesserungen ihrer Höhlen zu bemühen oder sich aus spontaner Neugier zu fragen, was eigentlich hinter dem nächsten Berg vor sich ging.

Die absolute Friedfertigkeit und Zufriedenheit dieser Menschen begeisterten Lindbergh, ihr lähmender Autismus, das völlige Fehlen eines Pioniergeistes, ließ ihn an der »Weisheit der Wildnis« zweifeln.

*Charles Lindbergh
mit Lobo, einem
Jungen des Tasaday-
Stammes, auf den
Philippinen (1970).*

Die Nachricht über die Entdeckung eines originären Steinzeitstammes durch Lindbergh und die Panamin-Organisation ging anschließend rund um die Welt. Doch Zweifel blieben bis heute zurück.

Ethnologen und ein Reporterteam, die die Geschichte nachrecherchierten, wollten bemerkt haben, dass die Tasaday längstens mit der Zivilisation in Berührung gekommen waren und von der Regierung des philippinischen Diktators Ferdinand Marcos nur als PR-Gag benutzt wurden. Angeblich sollen die Tasaday nach der Abreise Lindberghs ihre Lendenschurze wieder gegen Jeans und T-Shirts eingetauscht haben.

Zweifel waren erlaubt, bewiesen wurden sie nicht.

Charles Lindbergh war überzeugt, eine prähistorische Kultur entdeckt zu haben. Er schrieb kurz vor seinem Tod (1974) ein begeistertes Vorwort zum John-Nance-Buch *Tasaday*, in dem es hieß: »Es ist die alte und stets wiederkehrende Geschichte vom Zusammenprall des Primitiven mit der Zivilisation – nur dass der Primitive jetzt wie nie in der Vergangenheit Einfluss auf die Zivilisation nimmt.

Auf einem trockenen Steinbuckel in der Wohnhöhle sitzend, Kochfeuer hinter mir, während die Morgensonne durch die Nebel und herabhängenden Ranken dringt, überlegte ich, welche Qualitäten der Lebensweise zivilisierter Menschen abgehen. Sinnesqualitäten manifestieren sich in Stammesbereichen: das Gespür für Erde, Rinde und Blätter, der Geschmack strömenden Wassers, der Geruch verkohlter Späne, das Geräusch des Windes. Eine Mutter stillt ihr Kind. Nackte Kinder spielen an Klippenrändern. Jugendliche klettern mit Fischen, Krebsen und Fröschen vom Wasserlauf herauf.

Mein tyrannischer Intellekt wurde sich der sinnlichen Werte bewusst, die er unterdrückt hatte – und auch dessen, wie sehr diese Werte mein Leben im 20. Jahrhundert bereichern könnten. Irgendwie musste ich einen Ausgleich zwischen dem Zivilisatorischen und dem Primitiven herstellen ... Es gibt eine Weisheit der Vergangenheit, die dem Primitiven nahe steht und von der der moderne Mensch das für sein Überleben Erforderliche lernen kann. Es ist die instinktive Weisheit, die die Entwicklung des Lebens im Verlauf von Weltzeiten hervorbrachte.«

Lindbergh, der Wanderer zwischen zwei Welten.

Interessant war, was der Panamin-Gründer Manuel Elzalde, über den rastlosen Flieger sagte: »Lindbergh reist, weil er davor flieht, Lindbergh zu sein.«

Auch in seiner zweiten Heimat in Deutschland floh Lindbergh – nicht vor seiner heimlichen Geliebten Bitusch und seinen drei Kindern, sondern vor seinem eigenen Namen. Dyrk, Astrid und David durften zwar »Vater« zu ihm sagen, aber sie sollten niemals wissen, wer er wirklich war.

Rettet den Wald: Charles Lindbergh beim Besuch der Aras-Ason Timber Company auf den Philippinen im Oktober 1972.

In ihren Geburtsurkunden stand der Vermerk: »Vater unbekannt«, was auch die offizielle Version an der Schule war. Zu Hause erzählte ihnen die Mutter eine andere Geschichte: Ihr Vater sei ein weit gereister Amerikaner, ein Schriftsteller, Geologe und Naturschützer, mit dem Namen »Careu Kent«. Er habe auch in den USA eine Familie mit Frau und Kindern. Doch das ginge niemand etwas an, und die drei Kinder sollten in der Schule nicht darüber sprechen – sonst käme der Vater nie wieder.

Eine schwere Hypothek.

Besonders bei diesem so lebendigen und emotionalen Vater. Die biografische Legende vom gefühlskalten Lindbergh strafte er Lügen. Dyrk, Astrid und David berichten übereinstimmend von einem zärtlichen Vater, einem Vater, der sie umarmte und streichelte, genauso, wie er Bitusch vor ihren Augen küsste und liebkoste. Vor allem war Lindbergh ein aktiver Vater, der mit den Kindern, wann immer er da war, mit dem VW-Käfer in die Natur hinausfuhr. Ins Isartal oder zu den Quellen der Loisach, nach Bad Heilbrunn oder nach Kochel am See, zu den Wasserfällen am Walchensee oder in den Hofoldinger Forst.

Der praktizierende Ökologe Lindbergh lehrte seinen Kindern die Natur. Er erklärte ihnen die Bäume, Pflanzen und Tiere des Waldes. Oft sammelten sie Baumblätter, die sie daheim trockneten und in dicken Büchern wie ein Lesezeichen pressten.

Unvergessen waren den Kindern die Kochkünste des Vaters, der im VW-Käfer auf einem kleinen Benzinkocher einen Bohnen-Eintopf brutzelte oder aus seiner »eisernen Ration« während des Fahrens ein frisches Müsli zubereitete. Seine Spezialität aber waren zu Hause in der Küche die ofenfrischen Pfannkuchen, von denen Dyrk, der Älteste, heute noch der Meinung ist, selbst ein Drei-Sterne-Koch wie Eckart Witzigmann könne keine besseren *Pancakes* backen.

Wahrscheinlich war die Intensität der Beziehung von Lindbergh zu Bitusch und den drei Kindern deshalb so groß und so tief, weil er nur selten da war und in dieser Zeit die familiäre Harmonie durch nichts gestört wurde. Selbst Verwandten- oder Freundesbesuche waren in diesen Tagen unerwünscht oder wurden abgesagt.

Wie in Amerika, so war der Zugvogel Lindbergh auch in Europa ein großer Nestbauer. Für Bitusch und die drei Kinder suchte er persönlich ein 1200 Quadratmeter großes Grundstück am Ammersee aus, das er für 60000 Mark kaufte und darauf nach eigenen Plänen ein geräumiges Einfamilienhaus für 180000 Mark erbauen ließ. Am 17. September 1970 zog die Hesshaimer-Familie vom Edelweißweg in Geretsried nach Utting in die Rotkreuz-Straße um. Für die drei Kinder ein Traum, denn sie hatten einen großen Garten zum Spielen und den Ammersee fast direkt vor der Haustür.

Dyrk und Astrid fuhren täglich zunächst nach Weilheim, dann nach München in die Schule, wo beide am Nymphenburger Gymnasium ihr Abitur machten. David trat eher in die Fußstapfen seines Vaters: Er liebte mehr die praktischen Dinge des Lebens und schmiss die Schule. Heute ist er selbstständiger Unternehmer. Er war als Jüngster übrigens der Einzige, der sich schwer tat, die fremde Sprache des Vaters zu verstehen – im Unterschied zu Dyrk, der recht gut Englisch sprach und verstand.

Möglicherweise war dies der Grund, warum sich David im Schulunterricht weigerte, Englisch zu lernen.

Kurz nach dem Haus am Ammersee baute Lindbergh ein zweites, fast grundrissgleiches Heim in Grimisuat im schweizerischen Kanton Wallis – für Marietta und ihre beiden Söhne Vago und Christoph.

Ein Jahr vor dem Domizil für Bitusch in Utting hatte Lindbergh für sich und seine Frau Anne Morrow ein weiteres Haus errichten lassen – ein zweistöckiges *cottage* aus Fels und Beton auf der Hawaii-Insel Maui im Pazifischen Ozean. Weit weg von der Zivilisation, die Lindbergh immer weniger behagte.

In seiner wachsenden Zivilisations- und Gesellschaftskritik wusste sich Lindbergh einig mit dem amerikanischen Schriftsteller Henry David Thoreau, der zu einem seiner wichtigsten Autoren wurde. Der radikale Nonkonformist hatte in seinem glänzenden Essay *Über die Pflicht zum Ungehorsam gegenüber dem Staat*, übrigens ein zentrales Werk für den gewaltlosen Revolutionär Mahatma Gandhi, zur Notwendigkeit des passiven Widerstands gegen die Unmoralität der Macht aufgerufen.

In seinem zweiten Hauptwerk *Walden oder das Leben in den Wäldern*, das während seines Einsiedlerlebens in einer selbst gezimmerten Holzhütte in Massachusetts entstand, vertrat Thoreau das Recht des Einzelnen zur freien, von keiner Konvention eingeschränkten Entscheidung, wobei er die Wildnis und die Natur sowie das einfache und ungezwungene Leben der normativen Diktatur der bürgerlichen Zivilisation gegenüberstellte.

Viele Theoreme in Lindberghs autobiografischen *Stationen meines Lebens* waren und sind stark beeinflusst vom Werk des konsequenten Individualisten Thoreau. Damit schließt sich der Kreis des ewigen Fliegers, der im Laufe seines Lebens Dutzende Male den Erdball umrundet hatte auf der Suche nach seinem Ich, nach seinem Lebensstrom, nach dem Geheimnis von Geist und Materie in dem rätselhaften Universum der Sterne – und der dabei die Liebe vieler Frauen und ihrer gemeinsamen Kinder gefunden hatte.

Frauen und Kinder – Sterne wie er selbst:
»Nach meinem Tod werden die Moleküle meines Seins zur Erde und zum Himmel zurückkehren. Sie kamen von den Sternen. Ich stamme von den Sternen. Ich bin Stern.«

14 Exkurs: Ein VW-Händler erinnert sich

ES WAR AM 5. APRIL 1961, ALS IM VW-AUTOHAUS Schurstein der hessischen Gemeinde Walldorf bei Frankfurt am Main ein groß gewachsener Amerikaner mit schütterem blonden Haar am Kundenschalter stand. Ein zurückhaltender höflicher Mann, der kein Wort Deutsch sprach und der zu dem Mann an der Kasse sagte:

»I've a problem. Can you help me?«

In der Region lebten viele Amerikaner, vor allem Angehörige der US-Army, denn Frankfurt war ein Hauptquartier der amerikanischen Streitkräfte in der Bundesrepublik Deutschland. Und der Großflughafen, die »Rhein-Main-Airbase«, war einer der wichtigsten Militärstützpunkte der amerikanischen Luftstreitkräfte außerhalb der Vereinigten Staaten. Der Rhein-Main-Flughafen war nur wenige Kilometer von Walldorf entfernt und das eingesessene Volkswagen-Haus von Fritz Schurstein hatte viele Amerikaner als Kunden. Die Automarke VW galt auch in den USA als ein signifikantes Merkmal des »Made in Germany«.

Für amerikanische Kunden hatte der Autohaus-Chef Fritz Schurstein einen eigenen Mitarbeiter abgestellt, der als Einziger der Belegschaft ein recht gutes Smalltalk-Englisch sprach: den damals 30-jährigen Gerald Schöbel aus der Verkaufsabteilung des Autohauses.

Der Mann an der Kasse holte Schöbel herbei, der den großen Amerikaner nach seinen Wünschen fragte. Dieser erklärte ihm

Dyrk Hesshaimer und seine Mutter Brigitte beladen den VW-Käfer (mit Wolfratshausener Kennzeichen).

freundlich, dass er vor einem Jahr in der Schweiz einen VW-Käfer, Modell »Export«, gekauft habe und jetzt eine feste Autowerkstätte suche, die ihm alle Reparaturen und Kundendienste erledige. Außerdem wollte er seinen Volkswagen zuverlässig unterstellen, da er nur viermal für jeweils wenige Wochen nach Deutschland komme. Den Rest des Jahres sei er in den USA oder in anderen Ländern unterwegs.

»No problem, Sir«, sagte Gerald Schöbel und bat ihn an einen kleinen Tisch, wo traditionell die Kundenberatung durchgeführt wurde. Als Erstes wurde – wie es der deutschen Art entsprach – eine persönliche Kundenkarteikarte angelegt.

Schöbel holte eine Adler-Schreibmaschine, um die Daten seines neuen Kunden aufzunehmen.

Name? »Charles Lindbergh.«

Geboren? »4. Februar 1902 in Detroit/USA.«

Beruf? »Consultant.« Also Berater.

Europäischer Wohnort? »Vevey am Genfer See.«

Rechnungsadresse? »Keine. Ich zahle bar.«

Erster Auftrag? »Ölwechsel und Reifenkontrolle.«

Für Gerald Schöbel war das alles nur Formsache. Er ließ »Mister Lindbergh« die persönliche Kundenkarte abzeichnen und zeigte ihm im Hof des Autohauses einen Parkplatz. Der sei für ihn reserviert. Der Ölwechsel würde sofort erledigt, in einer Stunde sei das Auto startklar.

Lindbergh bedankte sich. So hatte er sich das vorgestellt. No questions, no problems.

Sein VW-Käfer hatte eine himmelblaue Farbe. Das Modell war das damals meistverkaufte in Deutschland, weil es unter 5000 D-Mark kostete und als sehr zuverlässig galt – mit einem luftgekühlten Boxer-Viertakt-Motor, 1200 Kubikzentimeter Hubraum und 34 PS. Der sprichwörtliche »Volkswagen« hatte keinen Komfort und nur einen minimalen Kofferraum unter der bauchigen Vorderhaube. Deshalb hatte Lindbergh im Innenstauraum des Fahrzeugs hinter der Rückbank einen Seesack deponiert, in dem ein grüner Militär-Schlafsack steckte. Außer einer Reisetasche auf dem Beifahrersitz war das sein ganzes Gepäck.

Als der Automechaniker der Firma Schurstein, der den Ölwechsel durchführte, den Schlafsack entdeckte, sagte er zum Kundenberater Gerald Schöbel: »Der Ami gibt dir sicherlich kein Trinkgeld. Der spart sich sogar das Hotel und übernachtet in seinem Auto.«

Und noch etwas kommentierte der vorlaute Mechaniker mit Blick auf die Kundenkarte: »Charles Lindbergh? Ist das nicht der Atlantikflieger?«

Schöbel wies den Mechaniker zurecht, dass ihn das überhaupt nichts anginge. Doch jetzt war er selbst neugierig geworden.

Als er nach einer knappen Stunde den durchgecheckten VW-Käfer an »Mister Lindbergh« übergab, fragte er ihn vorsichtig: »Sir, haben Sie vielleicht etwas mit dem berühmten Flieger zu tun?«

Charles Lindbergh schüttelte den Kopf und antwortete höflich, aber knapp: »Die Frage wird mir oft gestellt. Nein, der Flieger ist nur ein entfernter Cousin von mir. Ich habe mit ihm nichts zu tun.« Dann zahlte er den exakten Rechnungsbetrag. Ohne Trinkgeld.

Bevor Lindbergh abfuhr, fragte er Schöbel, ob es denn stimme, dass der Liter Normalbenzin auf deutschen Autobahn-Raststätten fünf Pfennige teurer sei als bei gewöhnlichen Tankstellen. Als ihm Schöbel dies bestätigte, stieg Lindbergh wieder aus. »Tanken Sie das Auto bitte voll.«

Dabei fehlten im Benzintank nur ein paar Liter.

Mit dieser Episode begann Charles Lindbergh in seinem blauen VW-Käfer eine Deutschland-Tour, die er mit der Regelmäßigkeit eines Uhrwerks 14 Jahre lang wiederholte.

Lindbergh hatte in der VW-Werkstätte von Fritz Schurstein in Walldorf ein ideales Basiscamp gefunden. Es lag nur wenige Autominuten vom Frankfurter Großflughafen entfernt. Hier konnte er seinen unscheinbaren Käfer problemlos unterstellen. Hier wurde das Auto kostengünstig gewartet und gepflegt. Und: Hier stellte keiner dumme Fragen oder informierte die Presse.

Hier war er der »Mister Lindbergh«, der zahlte und wegfuhr. Oder der zurückkam und gratis zum Flughafen chauffiert wurde.

Kundenberater Gerald Schöbel, heute ein pensionierter Mann von über 70 Jahren, erinnerte sich an ein immer wiederkehrendes Ritual: »Lindbergh blieb mit seinem blauen VW in der Regel drei bis vier Wochen weg. Wenn er dann auf seinen Parkplatz im Hof fuhr und in unseren Kundenraum kam, winkte er mir zu, bat um den üblichen Autocheck während seiner Abwesenheit und gab mir die Schlüssel. Damit wir das Auto auch regelmäßig bewegten, um die Batterie in Form zu halten, ließ er zur Sicherheit die Kfz-Papiere im Handschuhfach liegen. Er hatte in seiner perfekten Organisation wohl eine mögliche Polizeikontrolle im Hinterkopf, wenn unsere Mechaniker auf Spritztour mit seinem Auto waren. Dann gab er mir die Hand, bedankte sich und stellte immer wieder die gleiche Frage: ›Can you call me a taxi, please?‹ Und immer wieder hob ich abwehrend die Hände und sagte: ›Aber, Mister Lindbergh, wir fahren Sie selbstverständlich zum Flughafen!‹ Nach circa drei Monaten stand er plötzlich wieder in unserem Kundenraum, holte seinen Käfer ab, der gewartet und voll getankt war, und fuhr damit ein paar Wochen weg. Dann kam er wieder, parkte den VW und fragte mich: ›Can you call me a taxi, please?‹ So ist das im Schnitt viermal im Jahr passiert, insgesamt 14 Jahre lang, von 1961 bis 1974.«

Die Frage allerdings, wohin der höfliche Amerikaner in all diesen Jahren von seinem Basiscamp in Walldorf aus mit seinem himmelblauen VW-Käfer gefahren ist, konnte Gerald Schöbel nicht beantworten.

Und sie dem unnahbaren »Mister Lindbergh« zu stellen, hatte er sich nie getraut.

»So etwas gehört sich nicht. Er war schließlich unser Kunde, der immer bar bezahlt hat«, erzählte er später auf Nachfrage. Sein alter VW-Kollege aus jenen Tagen, Peter Distler, vermutete berufliche und touristische Interessen: »Lindbergh war laut unserer Kundenkartei ein Consultant, ein Berater. Also wird er in Deutschland irgendwelche Firmen beraten haben. Und er wird die Zeit wohl genutzt haben, sich unser schönes Land anzuschauen. Eine Sightseeing-Tour mit dem Käfer, warum nicht?«

Die Wahrheit war viel profaner.

Der amerikanische Fliegerheld hatte eine exakt abgesteckte Route, um völlig inkognito seine Geliebten im Süden Deutschlands und in der Schweiz zu besuchen.

Offiziell wäre das aufgefallen.

Denn Charles Lindbergh war Direktor der Pan American Airways. Er besaß ein weltweit gültiges und kostenfreies Vorzugs-Ticket der ersten Klasse für alle Routen und alle Verkehrsmaschinen der Pan Am. Jederzeit hätte er nach München oder Zürich buchen können. Doch das tat er nur, wenn er bindende geschäftliche Termine in Europa hatte.

Eine leitende Angestellte von Pan-Am-Europa, Mary Susan Breden, eine gebürtige Luxemburgerin, war speziell damit beauftragt, sämtliche offiziellen Termine von Charles Lindbergh in Europa zu koordinieren und zu organisieren. Wenn er ein »Arrangement« benötigte, wie das Pan-Am-intern hieß, wurden über die Flughafenbüros der Airline in Frankfurt, Wien, Paris, Rom, London oder Istanbul die dafür notwendige Organisation getroffen. Von Taxi und Hotel bis hin zu den Meetings und Geschäftsessen.

Doch seine privaten Arrangements organisierte Charles Lindbergh grundsätzlich selbst, diskret und geheim. Sein persönliches Zauberwort hieß ja *secrecy*. Das englische Wort für Geheimhaltung und Verschwiegenheit.

Und das buchstäbliche Vehikel seiner privaten *secrecy* in Deutschland war jener blaue VW-Käfer, den Lindbergh von Walldorf über vertraute Autobahnrouten und Bundesstraßen in südliche Richtungen steuerte.

Anfang der 1960er-Jahre war der südlichste Ort seiner Rundreise das kleine Städtchen Montagnola bei Lugano im schweizerischen Kanton Tessin nahe der italienischen Grenze. Rund 600 Kilometer von Walldorf entfernt.

Hier wohnte Lindberghs langjährige Privatsekretärin und Geliebte Valeska, die Mutter seines Sohns (geboren 1959) und seiner Tochter (geboren 1961). Mit Valeska verband Lindbergh ein äußerst intimes Verhältnis. Sie war seine engste Vertrauensperson, wenngleich er sich in den Briefen an seine Münchner Freundin Brigitte Hesshaimer öfter über ihre bisweilen gespreizte Art lustig machte.

Im normalen Time-Table der Lindbergh-Tour waren für Valeska und die beiden Kinder vier Tage am Luganer See vorgesehen. Dann brach der einsame Adler in seinem Käfer wieder auf. Niemals, so berichtete Valeskas Sohn, hatte Lindbergh gesagt, wohin er fuhr.

Dabei lag das nächste Ziel Lindberghs nur 210 Kilometer weiter westlich im französischsprachigen Teil der Schweiz: Sierre an der Rhône im Kanton Wallis. Hier wohnte die Malerin Marietta Hesshaimer, ebenso wie Valeska 22 Jahre jünger als Lindbergh und Mutter der Lindbergh-Söhne Vago (geboren am 11. Dezember 1962) und Christoph (geboren am 5. November 1966). Unter keinen Umständen, so der verbindliche Konsens von Marietta und Charles, durfte die chronisch eifersüchtige Valeska von dieser Liaison erfahren. Dass Lindbergh die äußerst begabte Künst-

Brigitte Hesshaimer mit ihren Kindern Dyrk und Astrid (Mitte der 1960er-Jahre).

lerin regelmäßig auf seiner Rückfahrt von Valeska besuchte, blieb bis heute ein streng gehütetes Geheimnis.

Anfang der 1970er-Jahre finanzierte Lindbergh seiner deutschen Geliebten aus Sierre ein eigenes Haus im nahe gelegenen Grimisuat (Kanton Wallis), ein idyllisches Domizil inmitten von Weinbergen.

Bis kurz vor seinem Tod (1974) steuerte Lindbergh seinen blauen VW-Käfer mit der unverfänglichen Genfer Autonummer mehrere Male im Jahr nach Sierre. Doch auch hier blieb der einsame Adler nie länger als vier bis fünf Tage. Denn vor ihm lag die nächste Etappe über 600 Kilometer von Sierre nach München. Hier, im Studentenviertel Schwabing, später in Geretsried und ab 1970 in Utting am Ammersee lebte Lindberghs dritte deutsche Geliebte: die Hutmacherin Brigitte Hesshaimer, 24 Jahre jünger als Charles. Sie war die Mutter der drei Lindbergh-Kinder Dyrk (geboren 1958), Astrid (geboren 1960) und David (geboren 1967). Auch in München und später am Ammersee blieb Lindbergh nie länger als ein verlängertes Wochenende bis maximal eine Woche. Seinen Volkswagen mit dem schweizerischem Zoll-Kennzeichen parkte er aus konspirativen Gründen nicht direkt vor Brigittes Schwabinger Wohnung oder fuhr ihn sofort in die Garage des Hauses am Ammersee in Utting.

Wenn er sich dann wieder verabschiedete, sagte er auch Brigitte Hesshaimer niemals, wohin er fuhr und wann er wiederkäme.

Bis zu ihrem Tod hat Brigitte Hesshaimer nie erfahren, dass ihr Geliebter von München nach Frankfurt fuhr, wo er nach 400 Kilometern seinen blauen Käfer mit dem Schlafsack hinter dem Rücksitz im Volkswagen-Geschäft von Fritz Schurstein in Walldorf abstellte und sich vom treuen Kundenberater Gerald Schöbel zum Pan-Am-Schalter am Rhein-Main-Flughafen Frankfurt kutschieren ließ.

Von dort flog Lindbergh zurück in die USA. Zu Konferenzen und Terminen.

Und zu seiner Ehefrau Anne Morrow sowie seinen fünf offiziellen Kindern. Zu seiner Vorzeigefamilie, wie sie die auf Sauberkeit und Ordnung bedachte amerikanische Öffentlichkeit von einem Nationalhelden erwartete.

Er war wie ein Seemann, der nur kurz im Hafen blieb und dann wieder aufs Meer hinausfuhr. Und in seinem ruhelosen Leben erinnerte er an jenen ironischen Spruch über den heimatlosen Matrosen, der in jedem Hafen eine Braut hat. Lindbergh hatte allein drei in Deutschland und in der Schweiz.

Drei Geliebte. Drei Familien. Sieben Kinder. Und jede schirmte er streng von der anderen ab. *Secrecy* als Lebensstrom eines Getriebenen.

Im Laufe der Zeit verkürzte sich die Tour d'amour von Lindbergh mit seinem Käfer. Valeska zog 1963 mit ihren beiden Kindern von Montagnola im Tessin nach Baden-Baden in Süddeutschland, wo sie von ihren Eltern eine Jugendstilvilla geerbt hatte. Und ein stattliches Vermögen dazu.

Familienausflug in Oberbayern:
Charles Lindbergh mit seinen Kindern Dyrk und Astrid.

Valeska war die einzige der drei deutschen Geliebten, die finanziell unabhängig war und von Lindbergh keine Unterstützung beanspruchte. Obwohl sie ihr der großzügige Liebhaber, wie bei seinen beiden Hesshaimer-Freundinnen, mit Sicherheit gewährt hätte.

Gegenüber seinen deutschen Kindern war der in amerikanischen Biografien als geizig und kühl gezeichnete Lindbergh ein großzügiger und liebenswerter Vater.

Bei seinen Besuchen brachte er immer Geschenke mit – Spielzeug, Süßigkeiten, Feuerwehrautos oder fremde Münzen für die Sammlungen der Kinder. Dyrk Hesshaimer erinnerte sich vor allem an einen hochwertigen Werkzeugkasten, den ihm sein Vater schenkte, und an ein schweizerisches Armeemesser, mit dem er in seiner Schulklasse der ungekrönte König war.

Kurz vor Weihnachten verschickte Lindbergh an seine Freundinnen immer Briefkuverts mit Geldscheinen, um den Kindern etwas Schönes zu kaufen. Von bestimmten christlichen Ritualen allerdings, wie Kommunion oder Konfirmation, hielt Lindbergh nichts. Da gab es auch keine Geschenke. Valeskas Sohn schildert noch heute, wie enttäuscht er war, dass unter all seinen Konfirmationspräsenten kein einziges Geschenk von seinem Vater war.

Von alledem hat der VW-Kundenberater Gerald Schöbel aus Walldorf bei Frankfurt am Main nie etwas erfahren. Er nahm nur staunend zur Kenntnis, dass der Käfer-Fahrer aus Amerika bei seinen vier bis fünf Deutschlandbesuchen eine stattliche Jahresleistung von rund 20000 Kilometern auf dem Tachometer hinterließ.

Woher hätte er auch wissen sollen, dass »Mister Lindbergh« einen so großen Radius für seine Liebes-Tour brauchte? Was er allerdings wusste, war die Endlichkeit auch eines robusten VW-Boxermotors. Und so wies er Lindbergh nach einem Tachostand von annähernd 200000 Kilometern darauf hin, dass der Motor demnächst seinen Geist aufgeben werde.

Doch die Hoffnung von Schöbel und dessen Chef, dem VW-Händler Fritz Schurstein, erfüllte sich nicht. Lindbergh lehnte den Kauf eines Neuwagens kategorisch ab. Der alte Käfer sei noch gut in Schuss und ein Austauschmotor wäre völlig ausreichend. Für 1000 Mark inklusive Montage bekam der blaue VW eine neue Maschine unter der alten Haube.

Es war mit Lindberghs Käfer wie in der damals gängigen Volkswagen-Werbung: »Er läuft und läuft und läuft ...«

Bis zum Frühjahr 1974.

Da erschien Charles Lindbergh zum letzten Mal in seinem Leben bei VW-Schurstein in Walldorf.

Kundenbetreuer Schöbel fiel eine Operationsnarbe auf der Stirn auf, dazu Lindberghs schleppender Gang und seine müden Augen. »Er sah sehr schlecht aus, tat aber so, als wäre er fit wie in den Jahren zuvor. Schon nach etwa zwei Wochen war Lindbergh wieder auf dem Parkplatz und ließ sich zum Flughafen fahren. Es war ein Abschied für immer.«

Doch davon ahnte damals in der VW-Werkstätte von Walldorf niemand etwas. Es gingen Monate ins Land, doch der höfliche Amerikaner kam nicht mehr. Sein blauer Käfer stand unbenutzt auf dem Kundenparkplatz.

Bis Anfang September 1974 ein Mitarbeiter erzählte, vor kurzem sei in Hawaii der weltberühmte Atlantikflieger Charles Lindbergh gestorben. Vielleicht war er doch mit dem »Mister Lindbergh« im blauen Käfer identisch?

Kundenberater Schöbel wurde beauftragt, auf Geschäftspapier einen englischen Brief an »Mrs. Lindbergh« zu schreiben, deren Adresse er in Darien/Connecticut ausfindig gemacht hatte.

Ob denn der blaue VW-Käfer mit dem schweizerischen Zoll-Kennzeichen »GE-9473« ihrem verstorbenen Gatten gehört habe?

Nach einem Monat erhielt das VW-Haus Schurstein in Walldorf einen Luftpostbrief aus den USA. Absender: »A. M. Lindbergh«.

Anne Morrow bestätigte darin die Vermutung: Der Besitzer des Käfers sei ihr verstorbener Ehemann Charles Lindbergh. Da aber die Familie keine Publicity wolle, müsse das Auto sofort verschrottet werden. Die Quittung darüber möge man ihr postalisch in die USA schicken.

Die Walldorfer Volkswagen-Crew war darüber recht traurig, denn sie hatte gehofft, in ihrem Ausstellungsraum eine »Charles-Lindbergh-Ecke« mit dem historischen blauen Käfer einrichten zu können. So wurde der Volkswagen »Export«, Baujahr 1960 und mit einem Tachostand von fast 300000 Kilometern weisungsgemäß zur Schrottpresse gefahren und das entsprechende Zertifikat an Anne Morrow geschickt.

Das alte Genfer Zoll-Kennzeichen, den unbenutzten Militär-Schlafsack und die Kfz-Papiere von Charles Lindbergh aus dem Handschuhfach aber behielt der Kundenberater Gerald Schöbel für sich. In seiner Wohnung in Walldorf hütet er sie bis heute als Andenken an jenen »Mister Lindbergh«, der nur der entfernte Cousin des berühmten Fliegers gewesen sein wollte. Dazu passt ins Bild, dass Lindbergh im Kraftfahrzeugschein und in der Fahrzeugzulassung zwei unterschiedliche Berufe angegeben hatte: »Berater« und »Arzt«.

So waren auch dies nur Tarnungen für die Doppelexistenz eines Mannes, dessen heimliches Privatleben in Europa genauso unauffällig gewesen war wie sein Auto.

15   Der Tod des Adlers

IM MÄRZ 1974 PARKTE DER BLAUE VW-KÄFER VON Charles Lindbergh zum letzten Mal in der Garage seiner Münchner Geliebten Brigitte Hesshaimer am Ammersee. Kurz vor seiner Ankunft war Lindbergh ein kleines Malheur passiert: Er hatte an der Ortseinfahrt von Utting einen Hinterreifen platt gefahren.

Nach der herzlichen Begrüßung mit Bitusch und den drei Kindern bat er seinen ältesten Sohn, ihm beim Reifenwechsel zu helfen. Dyrk, mittlerweile ein kräftiger Junge von 15 Jahren, war handwerklich sehr geschickt und sah in seinem Vater das große Vorbild. Er folgte ihm aufs Wort und war der Liebling Lindberghs.

Doch diesmal überkam ihn beim Anblick des Vaters ein Gefühl tiefer Besorgnis. »Er wirkte matt, und sein Gang war schleppend. Er machte einen geschwächten Eindruck.«

Doch bei der Anleitung zum Reifenwechsel war Charles Lindbergh wieder ganz der Alte.

Als Dyrk aus dem Wagen der Mutter das große Drehkreuz zum leichteren Aufschrauben der Radmuttern holen wollte, hielt ihn Lindbergh zurück. »Im Autowerkzeug ist ein spezieller VW-Schraubenschlüssel. Damit machen wir's. Dafür ist das Werkzeug ja da.«

Er erklärte Dyrk die alte Flieger-Weisheit, dass man sich immer zunächst mit den Bordmitteln helfen sollte, bevor man Hilfe von außen holte. Dies war typisch Lindbergh.

Für ihn gab es nur zwei Methoden: die seine oder die falsche.

Dabei war die Hebelwirkung des kleinen VW-Schraubenschlüssels viel geringer als die des Drehkreuzes, bei dem man zusätzlich noch den Fuß als Kraftquelle benutzen konnte. Dyrk bat seinen Vater, ihm beim Lösen der Radmuttern zu helfen. Doch Lindbergh hatte keine Kraft mehr. Der einst so vitale Mann scheiterte beim Versuch des Reifenwechsels. Dyrk schaffte es schließlich alleine. Aber er merkte, dass mit seinem Vater etwas nicht stimmte.

Die drei Kinder merkten das. »Vater war anders als sonst. Er wirkte abgekämpft und er lachte kaum.«

Als er sich nach drei Tagen von Brigitte und den drei Kindern verabschiedete, schaute Dyrk traurig dem Auto hinterher. Über sein Gesicht rannen Tränen.

»Ich kann mich nicht erinnern, dass ich früher beim Abschied geweint habe«, sagte er später. Dyrk befiel damals diese kindliche Angst, von seinem Vater für immer verlassen zu werden.

Er sollte Recht behalten.

Was Astrid und ihre beiden Brüder nicht wissen durften, war längst bittere Gewissheit: Charles Lindbergh war unheilbar an Lymphdrüsenkrebs erkrankt. Bereits im Oktober 1972 hatte sein amerikanischer Hausarzt Dr. Hyman bei einer Routineuntersuchung zwei verdächtige Knoten entdeckt.

Lindbergh wurde unter dem Decknamen »Mister August« in eine New Yorker Klinik eingeliefert, um die Tumore entfernen zu lassen.

In einem Brief vom 23. November 1972 schrieb er an seine »*Liebe Brigitte*« in Utting:

> »*Ich habe jetzt eine Woche und einen Tag meiner Therapie hinter mir und alles scheint gut zu gehen. Es hat keine Komplikationen gegeben, obwohl es natürlich noch zu früh ist, dass man von einer vollständigen Heilung sprechen kann ... Immer in Liebe, C.*«

Doch der Krebs war nicht besiegt. Auf eine Bestrahlungstherapie im Januar und Februar 1973 reagierte Lindbergh mit einer schweren Blutarmut und einem Gewichtsverlust von 15 Kilogramm.

In mehreren Briefen schilderte er der »immer geliebten Brigitte« von ständigen Fortschritten seiner Genesung, von verbesserten Blutwerten und einer leichten Gewichtszunahme. Doch in all diesen Briefen hatte er das Ergebnis der ärztlichen Diagnose mit keinem Wort erwähnt. Der Begriff »Krebs« fand sich nirgends.

Lindbergh wollte vor seiner Münchner Geliebten nicht als schwer kranker Mann erscheinen, und sein von ihm als »Lebensstrom« bezeichnetes Sendungsbewusstsein verbat ihm, über den Tod als akute Perspektive zu reflektieren. Es war für ihn undenkbar, als jetzt 72-jähriger Mann schon sein Ende kommen zu sehen oder seiner Geliebten auch nur bleibende Anzeichen körperlichen Verfalls mitteilen zu müssen.

Doch sein Besuch im März 1974 am Ammersee machte der schon seit längerem besorgten Brigitte Hesshaimer klar, wie es wirklich um ihren Freund stand. Sie ahnte, dass das Ende ihrer jetzt 17-jährigen Liebesbeziehung bevorstand.

Im Sommer 1974 ging es Schlag auf Schlag. Nach einer schweren Fiebererkrankung im Juni diagnostizierten die Ärzte, dass der Krebs bereits das gesamte Lymphsystem und das Knochenmark im immer schwächer werdenden Körper Lindberghs erfasst hatte. Die letzte Rettung sahen die Ärzte in regelmäßigen Bluttransfusionen und einer Chemotherapie, die ab Juli begannen.

Lindbergh war bereits schwer von der Krankheit gezeichnet, konnte kaum noch gehen, selbst das Schreiben viel ihm schwer. Und doch war er voller Optimismus. Am 5. Juli 1974 schrieb er aus dem New Yorker Krankenhaus »Harkness Pavilion« an Brigitte Hesshaimer:

>*»Es ist ein wunderschöner Morgen, wenn ich aus dem Fenster sehe. Das Fieber ist jetzt vollständig unter Kontrolle, und ich bin bald wieder gesund. So bald als möglich werde ich nach Europa kommen und dich besuchen ...*
>*In Liebe, C.«*

Ein Deutschland-Besuch Lindberghs war objektiv ausgeschlossen. Im Gegenteil: Sein Zustand wurde von Tag zu Tag ernster.

Doch Lindbergh schmiedete weiter Reisepläne. Am 17. Juli 1974 schrieb er aus der Klinik erneut an Brigitte, *»dass die Bluttransfusionen zu einer erheblichen Verbesserung meiner Hämoglobin-Werte geführt haben. Die Ärzte glauben, dass ich in zwei Wochen wieder reisefähig bin.«*

Es war möglich, dass die Ärzte tatsächlich eine solche Notlüge auftischten, um Charles Lindbergh ruhig zu halten. Die Wahrheit über seine Krebserkrankung im Endstadium hatte jedenfalls seine offizielle amerikanische Familie erreicht.

Anne Morrow trommelte ihre Kinder ans Bett des todkranken Vaters: Jon, den Ältesten, und seinen Bruder Land sowie die beiden Töchter Anne und Reeve, die Jüngste. Und aus Paris kam das fünfte Kind trotz gerade überstandener Gelbsucht eingeflogen: Lindbergh-Sohn Scott, der Rebell, der sich vor sechs Jahren mit dem Vater überworfen und gegen dessen erklärten Willen die 15 Jahre ältere Schauspielerin und fanatische Tierschützerin Alika Watteau geheiratet hatte.

Daraufhin hatte ihn Lindbergh enterbt. Am Krankenbett versöhnten sich Vater und Sohn. Und Lindbergh brachte sogar Verständnis dafür auf, dass sein Sohn die Absicht hatte, Menschenaffen zu züchten und ihre Verhaltensweise zu erforschen. Er erzählte Scott die Anekdote, dass er einmal selbst die Idee gehabt hatte, zusammen mit Dr. Carrel auf einer kleinen Insel Affen zu züchten.

Der Gesundheitszustand Lindberghs wurde immer besorgniserregender. Lindbergh hatte jetzt auch selbst begriffen, dass der Tod unbarmherzig an seine Tür klopfte. So ging der völlig entkräftete Mann daran, unter Mobilisierung aller Energien die letzten Dinge seines Lebens zu regeln.

Seinem engen Freund, dem Verleger Bill Jovanovich, übergab er insgesamt 1400 Manuskriptseiten seiner Memoiren, an denen er jahrelang auf einer Reiseschreibmaschine getippt hatte.

Jovanovich brachte das stark gekürzte und redigierte Werk drei Jahre später unter dem Titel *Autobiography of Values (Autobiografie der Werte)* auf den amerikanischen Markt, sein Wiener Freund Fritz Molden verlegte die Lindbergh-Memoiren unter dem Titel *Stationen meines Lebens* ab 1980 für den deutschsprachigen Raum.

Einen Tag, nachdem Lindbergh mit Jovanovich sein schriftstellerisches Lebenswerk besprochen hatte, ließ sich der Todkranke sein 14-seitiges Testament bringen. In wackliger Handschrift fügte er in seinen Nachlass den Namen seines einst enterbten Sohnes Scott wieder ein und übergab das Dokument seiner Ehefrau Anne Morrow. Dann bat er, allein gelassen zu werden.

Er brauche jetzt viel Schlaf.

Doch Lindbergh dachte nicht daran, sich auszuruhen. Allein und heimlich regelte er jetzt den Nachlass für seine deutschen Geliebten und Kinder. Unter dem Datum des 16. August 1974 schrieb Lindbergh mit zittriger, kaum lesbarer Schrift auf hellblaues dünnes Luftpost-Papier:

»Liebe Brigitte,
meine Kräfte verlassen mich von Tag zu Tag. Die Lage ist äußerst ernst. Es fällt mir sehr schwer zu schreiben. Alles, was ich dir senden kann, ist meine Liebe zu dir und den Kindern. C.«

Es war der letzte Brief, den »C.« alias Charles Lindbergh an seine geliebte Bitusch schrieb. Aber er fügte noch einen dreizeiligen Zusatz für Brigitte Hesshaimer an:

»Du wirst bald Nachricht von einer Bank in Genf bekommen, die dich bitten wird zu kommen. Tue das so schnell als möglich und persönlich.«

Und dann kam der testamentarische Schlusssatz:

»Hold the utmost secrecy.«

Da das letzte Wort völlig unleserlich war, schrieb Lindbergh jenen für ihn offensichtlich zentralen Begriff zusätzlich in Druckbuchstaben darüber: SECRECY. Zu deutsch: Verschwiegenheit.

Frei übersetzt heißt dieses Schlusswort Lindberghs an seine Bitusch:

»Halte die höchste Verschwiegenheit ein.«

Auch im Angesicht des Todes war es Lindbergh ein Herzensanliegen, sein heimliches zweites Leben in Deutschland zu schützen.

Niemand sollte davon erfahren.

Wie wir heute wissen, war dieser Brief nach Deutschland nicht der einzige, den Charles Lindbergh an jenem Freitag, dem 16. August 1974, im Einzelzimmer der Intensivstation des Columbia-Presbyterian Medical Center verfasste.

Auch die adlige Freundin Valeska erhielt einen Abschiedsbrief ihres Freundes, den sie 20 Jahre lang, von 1954 bis 1974, innigst geliebt hatte. So sehr, dass sie nach seinem Tod keinen einzigen intimen Kontakt mit einem Mann mehr aufnahm. Charles Lindbergh war – wie sie ihrem Sohn gestand – »absolut einzigartig«.

Valeska in Baden-Baden, und das ist das Besondere der Lindbergh'schen Abschiedszeilen, erhielt den exakt gleich lautenden Brief wie Brigitte Hesshaimer mit demselben Schluss:

»Alles, was ich dir senden kann, ist meine Liebe zu dir und den Kindern. C.«

Nur der Zusatz mit dem Besuch bei der Bank in Genf fehlte. Valeska war gut situiert und auf keine Apanage ihres Geliebten angewiesen.

Bleibt die Frage, ob auch die dritte Geliebte Lindberghs, Marietta Hesshaimer, einen gleichlautenden Abschiedsbrief aus New York erhielt. Dies darf vermutet werden, weil Lindbergh ein honoriges Aktien- und Gelddeputat für sie und die beiden Söhne Vago und Christoph angelegt hatte. Übrigens bei derselben Bank in Genf, die auch für Brigitte Hesshaimer und deren drei Kinder zuständig war. Für Dyrk, David und Astrid hatte Lindbergh je 20 000 Mark für die Ausbildung hinterlassen, dazu eine Leibrente für Brigitte.

Und noch eine Frage stellte sich: Wer war der fliegende Bote, der die geheimen Abschiedsbriefe an die Geliebten in Deutschland und der Schweiz zur Post brachte und frankierte? War es eine unbekannte Krankenhausangestellte? Oder war es, was näher lag, Lindberghs alter Freund und Verleger Bill Jovanovich, den er gleich am folgenden Tag zur Vertragsunterzeichnung seiner Memoiren in das Einzelzimmer auf der Intensivstation einbestellt hatte?

Überliefert ist die ergreifende Abschiedsszene der beiden alten Männerfreunde. Charles sah Bill lange an, bevor er ihn leise fragte: »Glaubst du, dass ich gut sterben werde?« Worauf Bill mit Tränen in den Augen antwortete: »Ja, Charles.«

Am Tag darauf – am Sonntag, 18. August 1974 – verließ Charles Lindbergh die Klinik. Entgegen dem Rat der Ärzte hatte er beschlossen, sich nach Maui auf Hawaii ausfliegen zu lassen. Dort wollte er beerdigt werden. »Lieber sterbe ich am Tag nach

Lindberghs Haus auf Maui/Hawaii (1972).

*Das letzte Foto von Charles Lindbergh, aufgenommen im Frühjahr 1974.
Am 26. August 1974 starb Lindbergh in Maui/Hawaii an den Folgen einer
Krebserkrankung.*

meiner Ankunft am Ufer des Meeres, als dass ich in der Klinik noch wochenlang dahinsieche«, war seine ultimative Begründung.

Lindbergh duldete keinen Widerspruch.

Da ihm ein Privatjet zu teuer war, übertrug Lindbergh seinem ältesten Sohn Jon die Organisierung eines normalen Linienflugs von New York nach Honolulu. In der Zwischenzeit hatte Lindbergh bereits eine genaue Checkliste für seine eigene Beerdigung ausgearbeitet.

Pünktlich um 10.30 Uhr hob die DC-8 der United Airlines vom John-F.-Kennedy-Airport ab. In der mit einem Vorhang abgetrennten First Class lag in einem Spezialbett der prominente Passagier, von dessen Anwesenheit die normalen Business- und Economy-Class-Gäste des UA-Fluges Nummer 987 keine Ahnung hatten.

Lindbergh trank während des Fluges nur etwas Milch und Wasser, bekam von seinem Sohn Scott die Medikamente verabreicht und schlief viel.

Die Ärzte in New York hatten ihm den Tod an Bord prophezeit, doch der legendäre Atlantikflieger überlebte mit seiner erstaunlichen Kondition den langen Flug auf das Pazifik-Archipel.

Nach seiner Ankunft in Maui überwachte der sterbende Lindbergh von seinem Bett aus die Vorbereitungen zu seiner Beerdigung. Seine Söhne huben das Grab mit Blick auf das Meer aus, während er dem hawaiischen Dorfältesten mit schwacher Stimme, aber in bestimmendem Ton die Anweisungen über die richtige Entwässerung seiner Grabstätte gab. Nur widerstrebend akzeptierte Lindbergh, dass er im Eukalyptussarg mit einem Leichentuch bedeckt werden sollte, das zu 50 Prozent aus Polyester bestand. Dafür setzte er durch, in einer Baumwollhose und einem Khakihemd bestattet zu werden – ohne Schuhe und Gürtel, die ökologisch nicht abbaubar waren. Und noch etwas war ihm wichtig: Seine alten Feinde von Fernsehen und Presse sollten von der örtlichen Polizei gezielt desinformiert werden.

Er rang dem Chef der Ordnungshüter die Zusage ab, mit der Bekanntgabe der Beerdigung so lange zu warten, bis er längst unter der Erde war und sich die Trauergemeinde aufgelöst hatte.

Am Morgen des 26. August 1974 starb Charles Augustus Lindbergh im Alter von 72 Jahren.

Sein Sohn Land, der am Fußende des Totenbettes saß, berichtete über die letzten Sekunden des großen amerikanischen Nationalhelden: »Er hatte die Augen geschlossen und atmete kaum hörbar. Und dann ging er. Er ging einfach weg.«

Danach brach Land in Tränen aus. So gern hätte er seinen Vater noch einmal umarmt und geküsst. Aber Charles Lindbergh, der offizielle Charles Lindbergh, wollte keine Zärtlichkeiten und Berührungen. Selbst seine am Totenbett kauernde Ehefrau Anne Morrow umarmte ihn erst, als er bereits tot war.

Wie anders war doch der inoffizielle Lindbergh, der zweite Lindbergh, in Deutschland gewesen. Zärtlich, liebevoll, körperlich – zu seinen Geliebten und zu seinen Kindern.

Die totale Person des öffentlichen amerikanischen Lebens, Charles Lindbergh, hatte als Preis für seine totale Öffentlichkeit mit dem Verzicht auf jegliche Gefühle bezahlt. Im Deutschland seiner heimlichen Geliebten lebte er sein zweites Leben voller Gefühle und Erotik, was er sich in seiner offiziellen amerikanischen Existenz nicht zu leben traute. Lindbergh starb als tragischer Held.

Doch seinen letzten Kampf gegen die amerikanische Öffentlichkeit gewann er.

Als an seinem Todestag um 15 Uhr die ersten Fernseh- und Reporterteams in Maui eintrafen, war die Trauermesse längst gelesen und die Leiche Lindberghs bereits seit einer knappen Stunde unter der Erde.

Welch ein Horror für jeden Chefredakteur!

Vom meistfotografierten Amerikaner der 1920er- und 1930er-Jahre gab es nicht einmal ein einziges Bild seiner Beerdigung.

Man kann es auch anders ausdrücken: Lindberghs Prinzip der *secrecy* hatte in den USA ausgerechnet an seinem Todestag perfekt funktioniert.

Und in Deutschland?

Fast gleichzeitig erhielten Brigitte Hesshaimer im oberbayerischen Utting, Marietta Hesshaimer im schweizerischen Grimisuat und Valeska in Baden-Baden die Abschiedsbriefe ihres gemeinsamen Liebhabers und Freundes.

Brigitte Hesshaimer schnitt in den folgenden Tagen heimlich, damit ihre Kinder nichts bemerkten, die Nachrufe und Berichte über Lindbergh aus der Münchner Tagespresse aus.

In ihrem Nachlass auf dem Speicher fand ihre Tochter Astrid 24 Jahre nach Lindberghs Tod die gesammelten Artikel.

Und jahrelang, bis Astrid von selbst dahinterkam, schwieg ihre Mutter eisern über den wahren Namen ihres Liebhabers, der der Vater ihrer drei Kinder war. Als Astrid später die Liebesbriefe von Charles an Bitusch fand, rang ihr die Mutter das Versprechen ab, mit einer Veröffentlichung dieser ungewöhnlichen Liebesgeschichte zwischen einem amerikanischen Nationalhelden und einer Münchner Hutmacherin bis nach ihrem Tod zu warten.

Am 7. September 2001 starb Brigitte Hesshaimer. Die beiden anderen Geliebten Lindberghs, Valeska und Marietta, leben noch.

Und sie schweigen bis heute.

Der *secrecy*, dem Gesetz des Schweigens, sind sie kompromisslos treu geblieben. Und noch eines hatten Bitusch, Marietta und Valeska gemeinsam: Nach Charles Lindberghs Tod hat es für sie keinen einzigen anderen Mann mehr in ihrem Leben gegeben.

16   Erinnerungen an den Vater

Vater oder Held!?

von Astrid Bouteuil

Das war ein langer Weg von meiner Geburt (1960) unter »Vater unbekannt« bis hin zur Presseerklärung (2003) »Mein Vater ist Charles Lindbergh«. Ich bedanke mich bei allen, die mir die Zeit ließen, diesen Weg aus dem allertiefsten inneren Verlangen meiner Selbst zu gehen. Heute fühle ich mich wohl bei dem Gedanken, an meinem Ziel angelangt zu sein.

Im Nachhinein kommt mir die Aufschlüsselung unseres tief verankerten Familiengeheimnisses lächerlich einfach vor. Es verlangte Mut, meinen Erinnerungen bezüglich meiner Herkunft treu zu bleiben. Die Gefühle meinen Eltern gegenüber wandelten bei der Suche nach meiner Selbst durch Höhen und Tiefen. Die Ansicht über mein Elternhaus hat sich auf diesem langen mühseligen Flug durch Nebelwolken mit einer Landung bei Sonnenschein geklärt.

Mein Vater verkörpert weiterhin das Sinnbild der schönsten Zeit im Leben meiner Mutter, die ihn mit vielen teilte, und seine Anwesenheit in meinem Elternhaus das Symbol der absoluten Harmonie.

Heute eine klare Identität an Stelle von »Vater unbekannt« tragen zu dürfen, erscheint mir, als ob ich es geschafft hätte, die mich umgebende Glasglocke, unter der ich reifte, aus eigener Kraft zu sprengen. Ich hatte bis dahin das Gefühl, alles zu sehen, aber an Nichts heranzukommen. Als hätte ich mit den Worten »Mein Vater ist Charles Lindbergh« meinen abgewürgten Urschrei endlich frei ausgestoßen. Ich fühle mich von einer unglaublich schweren, aus Liebe zu meinen Eltern entstandenen Last befreit und kann mich endlich mit mir selbst problemlos identifizieren.

Jetzt verstehe ich es, meinen Kindern die Dubiosität der Tatsache, dass ich zwar einen Vater (ihren Großvater) namens Careu Kent hatte, von dem ich als Kind nicht sprechen sollte und der sich als der amerikanische Nationalheld Charles Lindbergh entpuppte, erklärend in Worte zu fassen.

Aus dem Tagebuch der zwölfjährigen Astrid:
»Vorgestern kam er blaß und anders sah er aus. (...) War es das letzte Mal,
dass ich ihn sah? Werde ich ihn jemals wiedersehen?« (Juli 1973)

Einen Helden zum Vater zu haben, ist, wie sich mit meiner Geschichte beweist, eine komplizierte Angelegenheit, und schon gar, wenn es sich dabei um die Vaterschaftsanerkennung 30 Jahre nach seinem Tod handelt.

Mit meinem Vater verknüpfe ich liebevolle, nostalgisch verschwommene Kindheitserinnerungen. Mit dem Helden eine irrealistische Aufreihung von idealen Wertvorstellungen, denen in meinen Augen kein Erdenmensch je gerecht werden kann.

Charles Lindbergh erschien mir in den über ihn verfassten Biografien als Vater so unmenschlich und kühl, dass mein emotionales Verlangen, diese in mir existierende Vaterfigur mit all seinen Fehlern zu bewahren, über Jahre hinweg immer mehr wuchs.

Ab 1999 empfand ich mein Schweigen als eine Art Feigheit, denn die Medienwelt machte aus meinem Vater definitiv einen Helden, der meinem erlebten Vater zumindest im emotionalen Bereich in keiner Weise mehr entsprach. Dieses über Bücher, Presse, Filme, Briefmarken und Sonstiges verbreitete Vermarktungsbild des Atlantikfliegers wurde mir so unerträglich, dass ich an Identifikationsproblemen ernsthaft zu erkranken glaubte.

Um bis zu der Presseveröffentlichung im Sommer 2003 zu gelangen, musste ich erst erkennen, dass unsere Zivilisation in mir selbst einem unwirklichen Szenario gleicht, dem die Realität fehlt. Und dann rückte ich Stück für Stück in dieses Szenario die nackte Wahrheit. Das ist für sehr viele ernüchternd, und heute noch habe ich den Eindruck, dass viele mich dafür am liebsten wie zur Zeit der Inquisition auf dem Scheiterhaufen verbrennen möchten und danach »Amen« sagen werden. Nun haben sich die Zeiten zu meinem Vorteil geändert, und so falle ich nicht dem Feuer zum Opfer.

Mir ist klar, dass das Bild eines makellosen amerikanischen Helden durch meine Aussage befleckt wird, aber gleichzeitig wird aus diesem gefühlskalten Helden endlich ein liebevoller Vater und Mensch mit Emotionen. Seine einfach natürlichen und menschlichen Triebe beweisen sich mit unserer Geburt ganz von selbst.

318

Was auch immer meine Schöpfungsgeschichte bedeutet, trage ich heute meine Eltern in all ihrer Widersprüchlichkeit mit Respekt für ihr Handeln und liebevoll in meinem Herzen. Ich freue mich unglaublich, das Interesse an unserer Familiengeschichte geweckt zu haben. Unser Familiengeheimnis zu lüften hat mich befreit, und die Kinder unseres gemeinsamen Vaters haben auf dem Planet Erde ein Familiennest gebaut. Seitdem lebe ich mit meiner Vergangenheit und dem Rest der Welt im Einklang.

Astrid Bouteuil wurde am 29. November 1960 als zweites Kind von Brigitte Hesshaimer und Charles Lindbergh in München geboren. Sie lebt heute mit ihrem Mann und ihren vier Kindern in Longjumeau bei Paris.

Zurück in die Gegenwart

von David Hesshaimer

Im Jahre 2000 lernte ich meine Frau Christina kennen, und im Laufe unserer immer vertrauter werdenden Beziehung erzählte ich ihr, wer mein Vater war. Sie hat dies nie in Zweifel gezogen, genauso wenig wie die wenigen Freunde, mit denen ich über dieses Familiengeheimnis sprach, seitdem ich es im Alter von 18 Jahren von meiner Mutter Bitusch erfahren hatte.

Mir persönlich hatte es nie große Probleme bereitet, lange Zeit nicht zu wissen, wer mein Vater wirklich war. Denn als Kind vertraute ich meiner Mutter so sehr, dass sie mir mehr erzählen würde, wenn sie es für nötig hielt. Insgeheim hatte sie immer ein paar Andeutungen wie Mosaiksteine gemacht, die ich nur hätte zusammenfügen müssen, um schon früher zu erfahren, wer mein Vater war. So erzählte mir meine Mutter, dass mein Vater ein bekannter Amerikaner sei, der in den USA eine Frau und mehrere Kinder habe, weswegen wir darüber auch in der Schule nicht sprechen sollten. Denn wenn das herauskäme, könnte uns mein Vater nicht mehr besuchen.

Ein anderes Mal erzählte mir meine Mutter, dass mein Vater in viele soziale Projekte in der Dritten Welt eingebunden und auch im internationalen Tierschutz aktiv sei, weshalb er sehr oft in Afrika zu tun habe.

Erkundigte sich damals einer meiner Mitschüler nach dem Beruf meines Vaters, antwortete ich, er sei sehr viel in Afrika unterwegs, unter anderem als Wildhüter.

Außerdem erfuhr ich von meiner Mutter, dass mein Vater früher Postflieger gewesen sei und auch waghalsige Schauflüge unternommen habe. Die USA hätten ihn deshalb wegen seines großen fliegerischen Könnens für Spezialaufträge eingesetzt.

Alle diese Geschichten, die mir meine Mutter im Laufe der Zeit vor meinem 18. Geburtstag erzählte, waren nie weit weg von der realen Person meines Vaters, der für mich bis dahin »Careu Kent« hieß.

Wenn ich mich heute frage, warum mich die Geschichten über meinen Vater nicht neugierig gemacht haben, dann hing das wohl mit dem Ausdruck im Gesicht meiner Mutter zusammen. Wann immer sie von meinem Vater sprach, sah man förmlich, wie in ihrem Inneren die Sonne aufging. Und ich kann mir heute vorstellen, wie vertraut und glücklich sie mit ihm gewesen sein muss.

Ich habe meine Mutter viele Jahre nach Vaters Tod einmal gefragt, ob sie sich nicht nach einem neuen Partner sehne. Sie hat mir mit einem strahlenden Gesichtsausdruck geantwortet: »Weißt du, David, dein Vater hat mir so viel Liebe gegeben, dass mich diese bis ans Ende meines Lebens begleiten wird.«

Das offensichtlichste Puzzle-Teil, das mir meine Mutter offerierte, war eine LP über die Entführung des Lindbergh-Babys. Hätte ich denselben Drang wie meine Schwester Astrid gehabt, die volle Wahrheit über meinen Vater zu erfahren, so hätte ich jetzt nur noch alle Mosaiksteine oder das gesamte Puzzle zusammensetzen müssen.

Mit meinem 18. Lebensjahr wurde dann aus »Careu Kent« mein Vater Charles Augustus Lindbergh. Spätestens jetzt hätte

Brigitte Hesshaimer und Charles Lindbergh im Sommer 1957 in Rom.

ich eigentlich das Bedürfnis haben müssen, die Bücher meines
Vaters zu lesen oder zumindest öfter mit meiner Mutter über ihn
zu reden. So war es aber nicht. Ich vertraute meiner Mutter nach
wie vor so sehr, dass sie mir von sich aus mehr über ihn erzählen
würde, wenn sie es für nötig hielt.

Als ich Mitte 20 war, sah ich in einer Münchner Buchhandlung zwei Bücher von Charles Lindbergh. Doch sie interessierten
mich so wenig, dass ich nicht einmal darin blätterte. Ich hatte für
mich festgestellt, dass ich jemand bin, der sein Leben in der Gegenwart führen wollte und nicht das Bedürfnis hatte, sein Leben
in der Vergangenheit zu suchen. Deshalb fasste ich für mich den
Entschluss, meinen Vater näher über seine Bücher kennen zu lernen, sobald ich 50 oder 60 Jahre alt sei und – an einem gemüt-
lichen Kaminfeuer sitzend – bei einem guten Glas Rotwein seine
Bücher lesen würde.

Immer wieder versuchte mir meine Schwester Astrid klar zu
machen, warum es ihr wichtig sei, endlich öffentlich ausspre-

chen zu dürfen, dass Charles Lindbergh unser Vater sei. Doch ich verstand ihre Beweggründe nicht. Als ich von Astrid im Jahre 1999 erfuhr, dass der Amerikaner Scott Berg eine Biografie über unseren Vater verfasst hatte, kaufte ich mir zwar sofort die englische Ausgabe, stellte das Buch aber ungelesen in meinen Bücherschrank – mit dem Gedanken an das Kaminfeuer und den Rotwein.

Das letzte Mal, als ich mit meiner Mutter über unseren Vater sprach, war im Jahre 2001 – einen Tag vor ihrer Gehirnblutung. Sie wusste instinktiv, dass sie bald gehen würde, denn sie sagte mir, es sei jetzt alles so, wie sie es sich immer vorgestellt habe, und sie könne mit ruhigem Gewissen diese Welt verlassen. Meine Mutter und ich haben uns oft über den Tod unterhalten, und ich wusste, als sie starb, dass sie als glücklicher Mensch gegangen ist.

Anfang des Jahres 2002 sprachen Astrid und ich intensiv über unseren Vater. Jetzt konnte ich mehr und mehr verstehen, da ich mittlerweile auch eine eigene Familie gegründet hatte, welches ihre Beweggründe waren, mit der Heimlichtuerei über die wahre Identität unseres Vaters endlich Schluss zu machen. Astrid sagte mir, sie wolle diesen Schritt aber nur gemeinsam mit ihren beiden Brüdern, also mit Dyrk und mir, vollziehen. Ich sagte ihr meine Unterstützung zu und erklärte mich auch bereit, mit Gerd Kröncke, einem Redakteur der *Süddeutschen Zeitung*, zu sprechen.

Von diesem Tag an, an dem wir innerhalb unserer Großfamilie bekannt gaben, dass wir an die Öffentlichkeit treten würden, lernte ich sehr schnell zu verstehen, was es für meine Mutter bedeutet haben musste, ihr Leben mit dem »Geheimnis Lindbergh« und drei unehelichen Kindern zu bestreiten. Deshalb möchte ich mich an dieser Stelle bei meiner Mutter für all das bedanken, was sie mir, bedingt durch ihre Art und ihren liebevollen, warmherzigen und fröhlichen Charakter, den sie selbst in ihren schwersten Stunden behielt, mitgegeben hat. Sie war zu jeder Zeit, bis sie ging, für jedes ihrer Kinder und Enkelkinder eine Quelle der Geborgenheit. Meinem Vater danke ich, dass er unserer Mutter die

Liebe und die Kraft gegeben hat, dieses für sie im Innersten glückliche Leben zu führen.

Mit der Veröffentlichung unserer Geschichte in der *Süddeutschen Zeitung* und der anschließenden Pressekonferenz im August 2003 war mein Vater, Charles Lindbergh, für mich wieder in die Gegenwart zurückgekehrt.

Als der jüngste Sohn unseres Vaters – ich war gerade sieben Jahre alt, als er starb – habe ich von all seinen Kindern wohl die wenigste Zeit gehabt, ihn persönlich zu erleben. Heute steht für mich fest: Ich habe viel Zeit gewonnen, meinen Vater näher erfassen und viele noch offene Fragen klären zu können. Vor allem diese eine Frage: Wer war der »einsame Adler« in Wirklichkeit?

David Hesshaimer wurde am 29. Mai 1967 als drittes und jüngstes Kind von Brigitte Hesshaimer und Charles Lindbergh in Wolfratshausen (bei Bad Tölz) geboren. Er lebt heute mit seiner Frau und seinen zwei Kindern in der Region München.

Erinnerungen an einen Helden?

von Dyrk Hesshaimer

Wenn ich heute über die Beziehung zu meinem Vater befragt werde, ist den meisten Gesprächspartnern nicht klar, dass mein Vater zu Lebzeiten für mich nicht in der Person von Charles Lindbergh existierte. Sein Atlantikflug kam in seiner Anwesenheit niemals zur Sprache – schied also als Attraktion aus der Sichtweise eines Kindes und Jugendlichen aus.

In diesem Zusammenhang fällt mir eine Religionsstunde in der fünften Klasse ein, in der wir gebeten wurden, unsere fünf größten Vorbilder aufzulisten. Ich war einer der wenigen, der damals neben den üblichen Helden eines Elfjährigen (Sportstar, Astronaut, Schauspieler etc.) hinschrieb: »Mein Vater«.

Welche Faszination ging von einem Menschen aus, der physisch so selten bei uns zu Hause in Erscheinung trat? Vermutlich war es seine sehr intensive Präsenz, wenn er bei uns war. Seine Fähigkeit zuzuhören und sich mit den Zukunftsplänen eines Elfjährigen auseinander zu setzen, das Für und Wider dieser Vorhaben sachlich, aber auch dem Alter entsprechend zu erläutern und mir damit auch indirekt seine Lebensphilosophie zu vermitteln. Im Gegensatz zu vielen Vätern, die einen großen Teil ihrer freien Zeit vor dem Fernseher verbrachten, war er eigentlich immer mitten unter uns. Sei es, wenn er uns bei ausgedehnten Ausflügen das Verhalten in der Natur beibrachte oder wenn er in der Küche seine berühmten »Pancakes« zubereitete – sie mit der Eleganz eines Meisterkochs aus der Pfanne in die Luft warf und wieder auffing. Mit der Art und Weise, wie er uns an seinen Reiseerlebnissen teilhaben ließ, Einblicke in andere Kulturen und Lebensformen gab, ohne dabei den Helden herauszukehren, schuf er sich diese Vorbildfunktion.

Heute werde ich in Gesprächen oft mit Begriffen wie »Übervater« oder »Mein Vater, der Held« konfrontiert – nicht selten mit dem moralischen Zeigefinger. Mehr als ein Vierteljahrhundert nach seinem Tod sehe ich in meinem Vater einen Pionier und Visionär, der in vielen Dingen seiner Zeit weit voraus war, dessen Gedanken aber häufig falsch ausgelegt wurden. Für die Außenwelt steht sein Atlantikflug im Vordergrund, für mich ist er eher nebensächlich, wobei ich diese herausragende Leistung nicht schmälern möchte.

Im Vordergrund steht für mich seine Leistung im Mikrokosmos der »Münchner Familie«, und hier gibt es keine einzelnen Helden. Ich rechne es meinen Eltern heute noch hoch an, dass sie es uns ermöglichten, außerhalb des übermächtigen Schattens eines berühmten Vaters aufzuwachsen, und es uns letztendlich selber überließen, wie wir damit umgehen. Meinem Vater, indem er auch aus der Ferne für eine Linie in unserer Erziehung sorgte, die Rolle des Ernährers der Familie übernahm und uns ein sorgloses Aufwachsen ermöglichte.

Die Hauptlast der Erziehung war natürlich auf Seiten unserer Mutter, die rückblickend den größten Anteil zu unserer unbeschwerten Kindheit beigetragen hat. In einem überwiegend noch sehr traditionell denkenden Umfeld der 1960er- und 1970er-

Jahre gelang es ihr, uns die »ungewöhnliche« Konstellation einer offiziellen und inoffiziellen Familie als etwas ganz Normales zu vermitteln.

Wenn wir über die amerikanische Familie sprachen, verwendete meine Mutter die richtigen Vornamen unserer Halbgeschwister und erzählte uns viel über deren beruflichen Werdegang, auch ließ sie uns an deren Problemen teilhaben. Damit lieferte sie uns im Grunde die ersten Steine des großen Mosaiks, um später das große Geheimnis aufzuschlüsseln.

Auch wenn sie eigentlich keine kritischen Informationen weitergab, gelang es ihr durch diese Offenheit, uns ohne größere Konflikte von der Notwendigkeit der Geheimhaltung zu überzeugen. Wenn man also bei dieser Geschichte von Helden spricht, fällt diese Rolle ohne Zweifel meiner Mutter zu, die uns in der Tradition des siebenbürgischen »Familien-Clans« erzog.

In diese Familie wurden wir, obwohl die Lebensweise meiner Mutter vermutlich das eine oder andere Stirnrunzeln hervorrief, ganz selbstverständlich integriert. Die häufigen Aufenthalte bei meinen Großeltern, zu denen ich eine sehr innige Beziehung hatte, die gemeinsamen Familientreffen, gemeinsame Urlaubsreisen und Wochenenden mit Verwandten und Freunden, aber auch die Segelkurswochen am Ammersee, bei denen unser Haus aus allen Nähten platzte, sind in meinen Erinnerungen noch ganz lebendig.

Abschließend betrachtet sind die Erinnerungen an meinen Vater also nicht ein Rückblick der Wut oder des Zorns, wie es vielleicht so mancher erwarten würde. Ich will an dieser Stelle auch nicht den Aufbau der mittlerweile doch sehr umfangreichen Familie kommentieren oder darüber spekulieren, was sich mein Vater dabei gedacht haben könnte.

In diesem Zusammenhang ist es für mich nur wichtig, dass mein Vater zu jeder Zeit die volle Verantwortung übernommen hat und seine Verpflichtungen in meinen Augen vorbildlich erfüllt hat, was auch im heutigen Zeitalter der »Patchwork-Familien« nicht immer selbstverständlich ist.

In meinen Erinnerungen werde ich ihn als die Persönlichkeit behalten, in der ich ihn bewusst erlebt habe – als einen Vater, auf

den ich stolz sein kann und der in vieler Hinsicht immer noch Vorbildfunktion hat. Einer seiner Leitsätze war »*Life will work it out*« (»Das Leben wird es regeln«) – aus meiner Sicht:
   »*Life worked it out well*«!

Dyrk Hesshaimer wurde am 14. August 1958 als ältester Sohn von Brigitte Hesshaimer und Charles Lindbergh in München geboren. Er lebt mit seiner Familie in Utting am Ammersee.

17 Der Kampf um die Wahrheit

DER HISTORISCHE SITZUNGSSAAL DES MÜNCHNER
Rathauses war an einem Donnerstag im August des Jahres 2003
der Schauplatz einer internationalen Pressekonferenz. Normalerweise tagt in diesem repräsentativen Raum des neugotischen Gebäudes regelmäßig der Stadtrat von München.

Doch diesmal war alles anders.

An der Stirnseite des Sitzungssaals, wo sonst der Oberbürgermeister und seine Stellvertreter ihren Platz haben, saßen jetzt vor einer Vielzahl von Mikrofonen die drei Kinder von Brigitte Hesshaimer und Charles Lindbergh: Astrid, David und Dyrk, der an diesem Tag auch noch seinen 45. Geburtstag feierte. Neben ihnen auf dem Podium waren ihr Pressesprecher Anton Schwenk und ihr juristischer Berater, Rechtsanwalt Walter Lechner, platziert.

Vor ihnen, im Plenum des Sitzungssaals, saßen etwa 80 Journalisten, darunter viele amerikanische Kollegen. Die großen US-Fernsehanstalten CBS, NBC und CNN waren ebenso mit Kamerateams vertreten wie die deutschen Sender ARD, ZDF, BR, RTL, SAT.1 und n-tv.

Es war an jenem 14. August 2003 die größte Münchner Pressekonferenz des ganzen Jahres, ausgerechnet zu einer Zeit, in der in Bayern nicht nur Wirtschaft und Politik, sondern auch die meisten Medienredaktionen wegen der Sommerferien nur mit halber Mannschaft arbeiteten.

Die internationale Pressekonferenz im zentralsten Gebäude Münchens war notwendig geworden, weil ein kurz zuvor erschienener Zeitungsartikel eine weltweite Resonanz ausgelöst hatte.

Am 2. August 2003 hatte die *Süddeutsche Zeitung* auf ihrer Seite Drei eine Reportage des Paris-Korrespondenten des Blattes, Gerd Kröncke, publiziert, die die Überschrift trug:»Der Amerikaner und die Hutmacherin«. Dazu die Vorzeile:»29 Jahre nach seinem Tod wird das Geheimnis enthüllt: Der berühmte Flieger Charles Lindbergh führte ein Doppelleben.«

Elf Monate vor Erscheinen dieses Artikels hatte die in der Nähe von Paris lebende Astrid den *SZ*-Korrespondenten in der französischen Hauptstadt kontaktiert und ihm ihre Geschichte erzählt.

Für Kröncke klang sie so bewegend und so außergewöhnlich, dass er sicher war:»Das konnte sich Astrid Bouteuil gar nicht ausgedacht haben. Diese Geschichte hat das Leben geschrieben.«

Vor allem, nachdem der Journalist einen Blick in die Briefe von Charles Lindbergh an seine Bitusch geworfen hatte, war ihm klar, dass sich dahinter auch die Geschichte einer großen und authentischen Liebe verbarg.

Er schlug die Story der Chefredaktion in München vor. Doch die reagierte skeptisch.

Zu viele selbst ernannte Lindbergh-Kinder waren in der Vergangenheit schon aufgetaucht und als Lügner entlarvt worden. Und seit vor 20 Jahren selbst der renommierte *Stern* auf die angeblichen Tagebücher Adolf Hitlers hereingefallen war, die in Wirklichkeit aus der Feder des Militaria-Händlers und Fälschers Konrad Kujau stammten, galt für deutsche Medien Alarmstufe 1, wenn wieder einmal irgendwelche angeblichen Originaldokumente auftauchten, die der Historie einer Persönlichkeit oder einer Epoche eine völlig neue Wendung zu geben versprachen.

Andererseits war der Paris-Korrespondent Kröncke ein seriöser und kompetenter Redakteur, der wegen der sicheren Recherche-Qualitäten seiner Artikel einen guten Namen in der Redaktion hatte.

Die Chefredaktion der *Süddeutschen Zeitung* entschied deshalb, das Schriftgutachten eines legitimierten Autographie-Spezialisten einzuholen, der Original-Schriftstücke Lindberghs mit einigen ausgewählten Briefen an Brigitte Hesshaimer vergleichen sollte.

Nach langer Wartezeit kam dann das beglaubigte Resultat: Obwohl Lindbergh in den Bitusch-Briefen nie mit vollem Namen, sondern immer nur mit »C.« unterschrieben hatte, gab es für den Autographie-Experten keinen Zweifel – die Briefe waren echt.

Auch die amerikanischen Stempel auf den alten Luftpostkuverts und die zum Teil über 40 Jahre alten US-Briefmarken waren zweifelsfrei keine Fälschungen.

Gerd Kröncke in Paris bekam aus München grünes Licht für die Lovestory von Charles und Bitusch – und für die leidenschaftliche Suche Astrids nach der Wahrheit über ihren Vater.

In sehr behutsamen Worten, ruhig im Duktus, aber dicht und packend geschrieben, erzählte Kröncke auf über 550 Zeilen die Geschichte einer großen Liebe und eines langen Schweigens, die er so begann:

»Jetzt muss es heraus, es soll endlich gesagt werden. Zu lange, so viele Jahre, hatte Astrid Bouteuil, geborene Hesshaimer, die Geschichte für sich behalten. Nun soll die Welt sie wissen, weil es doch die Liebesgeschichte ihrer Eltern ist, und Astrid will auch, dass ihre Kinder sich zum Großvater bekennen können. Sie selbst und ihre beiden Brüder hatten den Vater verheimlichen müssen. In ihren Geburtsurkunden steht ›Vater unbekannt‹, weil die Mutter ihn hatte schützen wollen. Nun ist die Mutter schon zwei Jahre tot, und Astrid ist überzeugt, sie handelt in ihrem Sinne, wenn sie die heimliche Liebe der Eltern nicht für alle Zeiten in den Tiefen der Vergessenheit versinken lässt ...«

Als die *Süddeutsche* diesen Artikel in ihrer Wochenendausgabe vom 2./3. August 2003 platzierte, die in München traditionell schon am Vorabend erschien, brach in den Redaktionen der konkurrierenden Boulevardzeitungen von *Bild*, *Abendzeitung* und *tz* die große Hektik aus.

Es mussten spätabendliche Überstunden geschoben werden, um die *SZ*-Geschichte nachzudrehen und über Nacht als neue Schlagzeilen-Story in die Samstagausgaben zu bringen. Die *AZ* titelte am 2. August recht massenwirksam: »US-Fliegerheld Charles Lindbergh: 3 uneheliche Kinder in München«.

Ein gut verkaufter Titel.

Am Erscheinungstag der Zeitungen rollte eine journalistische Invasion im Hesshaimer'schen Anwesen an der Rotkreuz-Straße in Utting an. Zufälligerweise war der *SZ-* (und der *AZ-*)Artikel gerade zu dem Zeitpunkt veröffentlicht worden, als Astrid mit ihren vier Kindern im Sommerurlaub bei ihrem Bruder Dyrk am Ammersee vor den Toren Münchens weilte. Eine ganze Armada von Reportern und Fotografen belagerte jetzt das Haus – und die im Umgang mit Massenmedien völlig unerfahrene Astrid gab bereitwillig Interviews und ließ sich mit ihren Kindern fotografieren.

Als der eher zurückhaltende Dyrk Hesshaimer einem Journalisten erzählte, den kleinen Steinhaufen im Garten hätte er einst mit seinem Vater Charles Lindbergh während eines Ausflugs ins Loisachtal gesammelt, hatte die fotografierende Zunft des Boulevard ein neues Kultobjekt gefunden. Wohl selten ist eine unprätentiöse Ansammlung von südbayerischen Flusskieseln so oft fotografiert worden.

Während die Geschichte von Lindberghs unehelichen Kindern in der deutschen Presse mit einem gewissen Hautgout des voyeuristischen Augenzwinkerns zur Kenntnis genommen wurde, reagierten die US-Medien mit großen Zweifeln und Distanz.

Alles hatte man dem einsamen Adler zugetraut, aber nicht eine heimliche Familie mit drei Kindern. Wenn diese Story bloß kein Fake war ...

Von der *New York Times* bis hin zu Provinzblättern in Minnesota war die Geschichte von »Lindbergh und der Münchner Hutmacherin« ein großes Thema.

Als Dyrk, David und Astrid auf der internationalen Pressekonferenz im Münchner Rathaus darüber sprachen, wie glücklich sie über diese Situation seien, endlich offen über ihren Vater reden zu können, ernteten sie von den amerikanischen Journalisten ungläubiges Staunen. Dass drei uneheliche Kinder vor die Presse traten, um ihren ganz privaten Stolz auf einen rührenden Vater in sehr persönlichen Schilderungen mitzuteilen, hielten manche US-Reporter für unfassbar. Die Hesshaimer-Kinder sprachen über ihr Glück und ihre familiäre Zufriedenheit – ohne einen Anteil am finanziellen Lindbergh-Erbe einzufordern und ein Interesse daran im gleichen Atemzug zu dementieren?

Waren sie naiv?

Oder taten sie nur so?

Warum waren die drei Kinder überhaupt an die Öffentlichkeit gegangen?

Es war offenbar für viele Pragmatiker schwer zu begreifen, was es für ein Kind bedeutet haben muss, mit dem Stigma aufzuwachsen »Vater unbekannt«.

Ein Vermerk, der unsichtbar haften blieb und auch in späteren Jahren immer wieder offenkundig wurde. Bei jedem Schulwechsel, bei jeder Immatrikulation, bei jeder Bewerbung, wenn Behörden oder Arbeitgeber die üblichen Fragen nach den familiären Verhältnissen stellten:

Mutter? »Brigitte Hesshaimer.«

Vater? »Unbekannt.«

Dabei war er nicht unbekannt. Er lebte. Er war da, aus Fleisch und Blut und voller Zärtlichkeit. Ein Vater, der wunderbare Pfannkuchen zubereitete, der die schönsten Einschlafgeschichten über fremde Länder und wilde Tiere erzählte, der mit den Ohren wackeln konnte und der so große Schuhe hatte, dass Astrid darin ihre Puppe zur Nacht bettete.

Ein Vater, der mit Astrid und Dyrk und später mit David ins Isartal und zu den Wasserfällen fuhr, der ihnen am Himmel den Flug des Habichts und einmal sogar den des Geiers erklärte und der bei einem Wolkenbruch die Kinder in den VW-Käfer brachte und dort auf einem kleinen Benzinkocher einen wunderbaren Bohneneintopf kochte.

Aber auch ein Vater, der so selten da war, drei oder vier Mal im Jahr und nur für ein paar Tage, und über den man auch gegenüber den Schulkameraden niemals sprechen durfte.

Die Mutter, die immer aufblühte und glücklich war, wenn er da war, die ihren Kindern die Herzlichkeit und die Toleranz vorlebte, hatte ein einziges, wirklich strenges Verbot ausgesprochen: »Redet niemals über euren Vater, sonst kommt er nie wieder!«

Selbst der Name, den die Mutter ihrem Geliebten gegenüber den drei Kindern gab, war eine Notlüge: »Careu Kent«.

Einen Mann dieses Namens hat es nie gegeben. Aber den Vater von Astrid, Dyrk und David hat es gegeben. Doch in der Großfamilie der Hesshaimers durfte darüber nicht gesprochen werden. Niemals.

Nicht einmal mit der von allen drei Kindern so geliebten Omama. Dyrk, der Älteste, hatte das innerfamiliäre Diktum »Vater unbekannt« recht souverän weggesteckt. »Ich habe darunter nie gelitten«, sagt er heute. »Für mich war mein Vater immer ein großes Vorbild wegen seiner herzlichen und kommunikativen Art. Als ich später erfuhr, dass er der berühmte Charles Lindbergh war, war ich noch mehr stolz auf ihn. Belastet hat mich das überhaupt nicht.«

David, der Jüngste, erwarb sich in der Schule damit Referenzen, wenn er von seinem Vater berichtete, der rund um die Welt flog und Wildhüter in Afrika sei: »Als ich mit 18 Jahren von meiner Mutter erfahren habe, dass ich der Sohn von Charles Lindbergh bin, hatte ich nie das Bedürfnis, darüber in der Öffentlichkeit zu sprechen. Ich habe mich sogar dabei ertappt, in einer großen Münchner Buchhandlung die ausgelegten Werke von Lindbergh nicht einmal in die Hand zu nehmen. Ich wollte sie später als gereifter Mann einmal bei einem guten Glas Rotwein am Kaminfeuer studieren. Das war's.«

Astrid, die einzige Tochter von Bitusch, war in dieser Hinsicht anders. Sie war neugierig. Als mutige Kletterin im Deutschen Alpenverein und als begeisterte Skifahrerin hatte sie ganz offensichtlich die Abenteuerlust Lindberghs geerbt, aber sie wollte auch wissen, wer ihr Vater wirklich war.

Ein Lehrer in der Schule hatte sie einmal als Adoptivkind bezeichnet. Das hatte ihr zwar wehgetan, aber vor allem ihren Ehrgeiz angestachelt. Und ihre Lust nachzufragen:

Wer war dieser »Careu Kent«?

Einmal, als Zehnjährige, war Astrid schon nahe dran, das Geheimnis ihres Vaters zu lüften. Auf dem Wohnzimmertisch fand sie eine Ausgabe des amerikanischen Magazins *Life* vom 5. Februar 1968, in dem ein Essay in englischer Sprache über den Flieger und Umweltschützer Charles Lindbergh abgedruckt war. Die Mutter riss ihr die Zeitschrift heftig aus den Händen. Viele Jahre später hat Astrid das *Life*-Heft in den versteckten Unterlagen ihrer Mutter wiedergefunden. Nur der Artikel mit dem Bild von Charles Lindbergh fehlte. Drei Seiten waren herausgerissen.

Careu Kent, so hatte Bitusch ihren Kindern erzählt, war nicht nur ein amerikanischer Schriftsteller, sondern auch ein Geologe. Und so begann Astrid nach dem Abitur am Nymphenburger Gymnasium (1981) zunächst zwei Semester Geologie an der Technischen Universität München zu studieren. Sie stöberte in der Staatsbibliothek nach dem Namen Careu Kent.

Sie fand ihn nicht. Nicht in der Abteilung Geologie und nicht in der amerikanischen Literatur.

Zu Hause hatte Astrid in einer Schublade ihrer Mutter einen ganzen Satz von Schwarzweiß-Negativen gefunden – mit Bildern ihres Vaters, von Careu Kent.

Astrid nahm die Negative an sich und entwickelte davon Papierbilder. Dann legte sie die Negative wieder zurück.

Doch nach Liverpool, wo sie ihre Freundin Gerrit öfters besuchte, schickte sie die Fotos hin, um vielleicht dort fündig zu werden. Sie durchstreifte wieder die Bibliotheken – immer auf der Suche nach Careu Kent. Doch sie fand ihn nicht. Bekannte sahen in ihm einen bekannten englischen Kommunisten und Mathematiker.

Sie nahm sich ein paar Bücher des roten Mathematikers mit und fuhr zurück nach Deutschland. Nach Frankfurt am Main, wo sie sich an der Goethe-Universität in Philosophie und Kunst eingeschrieben hatte.

Bitusch kam mit dem Auto nach Frankfurt und besuchte Astrid in ihrer Studentenbude. Dort legte ihr die Tochter ein Buch des englischen Mathematikers vor: »Ist das mein Vater, Bitusch? Ist das Careu Kent?«

Ihre Mutter musste lachen.

»Nein, das ist er nicht. Und du wirst es auch niemals herausfinden. Dein Vater und ich haben vor seinem Tod beschlossen, dass es so bleiben soll, wie es ist.«

Dann fuhr Bitusch wieder heim. Sie ließ eine ratlose, aber weiterhin neugierige Astrid zurück.

Das war 1983.

Kurz darauf meldete sich ihre Freundin Gerrit aus Liverpool bei ihr. Sie hatte mit einem Privatfoto von »Careu Kent«, das ihr Astrid gegeben hatte, nochmals nachgeforscht. Und jetzt kam das Ergebnis ihrer Recherchen: »Es kann gar keinen Zweifel geben, Astrid. Dein Vater ist Charles Lindbergh!« Gerrit gab ihr den Tipp, sich nach der Autobiografie *Stationen meines Lebens* zu erkundigen. Dort sei ein Bild von Charles Lindbergh aus dem Jahr 1973 abgedruckt.

Astrid ging in die Uni-Bibliothek und lieh sich das Buch aus. Sie entdeckte das Foto von Charles Lindbergh, das ihn in einem seiner typischen groben Baumwollhemden mit Brusttasche zeigte, die weißen Haare zum Verdecken seiner Stirnglatze sorgfältig über den Kopf gescheitelt. Dazu das charakteristische Grübchen im Kinn, das versonnene Lächeln, der klare offene Blick.

Es gab für Astrid keinen Zweifel mehr: Sie hatte ihren Vater gefunden. Lindbergh war Careu Kent. Doch wie brachte sie es ihrer Mutter bei?

Sie rief einfach an. Direkt und ohne Umschweife. Astrid erzählte Bitusch von dem Buch und dem Bild – und bat sie um eine ehrliche Antwort.

In diesem Moment fing ihre Mutter zu weinen an. Dann sagte sie: »Ja, er ist es!«

Und Bitusch erzählte Astrid vom Vermächtnis ihres Vaters, der nicht gewollt hatte, dass seine damals noch minderjährigen Kinder von seiner wahren Existenz erfahren sollten und der ihr einen Satz als Lebensweisheit mitgegeben hatte:

Life will work it out! Das Leben wird es regeln!

Dieser Satz Lindberghs ist bis heute auch das Motto von Dyrk, dem Ältesten, geblieben. Bereits vor Astrid hatte er kurz nach

Lindberghs Tod über einen Zeitungsartikel erfahren, wer sein Vater war. Und Dyrk, der Lieblingssohn von Charles Lindbergh – wahrscheinlich, weil er der Erstgeborene der drei »Hesshaimers« war –, hatte sich immer daran gehalten. Manchmal fragte er zwar bei Bitusch nach Details. Aber immer dann, wenn die Sprache auf Lindbergh kam, brach seine Mutter in Tränen aus. Dyrk respektierte diese Gefühlsausbrüche und hakte nicht weiter nach. Ihm war klar, dass Bituschs großes Geheimnis nie ewigen Bestand haben würde. Aber er handelte wie sein Vater Charles Lindbergh: *Life will work it out!*

David, der Jüngste, erfuhr als 18-Jähriger von seiner Mutter das Geheimnis von der Identität seines Vaters. Und er ließ es dabei bewenden. »Wenn mir meine Mutter mehr dazu sagen will, wird sie es irgendwann tun. Ich hatte auch nicht das Bedürfnis, Bücher meines Vaters oder Biografien über ihn zu lesen. Ich dachte mir, dazu habe ich als alter Mann noch genügend Zeit.«

Dies war der große Unterschied der beiden Brüder zu ihrer Schwester Astrid. Sie hatte längst begonnen, die Glasglocke, unter der sie seit vielen Jahren heranwuchs, behutsam zu sprengen. Doch bis dies so weit war, sollten noch einmal viele Jahre vergehen.

Der entscheidende Wendepunkt im Kampf um die Wahrheit über die heimliche Liebe von Brigitte Hesshaimer und Charles Lindbergh kam für Astrid in den Jahren 1998 und 1999. Den Anlass gaben Hänseleien in der Schule, denen Charlie und Isabelle ausgesetzt waren, als sie gesagt hatten, Charles Lindbergh sei ihr Großvater. An dieser Stelle erfolgte ihr erster Schulterschluss mit dem älteren Bruder Dyrk. Er hatte erfahren, dass die Aussagen seiner Patentochter Isabelle, als sie in der Schule von ihrem Großvater Charles Lindbergh erzählt hatte, in Frage gestellt worden waren. »Von da an stand für mich fest, dass es so nicht weitergehen konnte«, sagt er heute. »Ich beschloss, den Kampf um die Wahrheit unserer Abstammung zur gemeinsamen Angelegenheit der Geschwister zu machen. Das habe ich auch meiner Mutter gesagt. Aber ich habe auch respektiert, dass sie mich bat, bis zu ihrem Tod damit zu warten.«

Astrid blieb der Motor im Kampf um die Wahrheit.

Der größte Einschnitt für sie war das Erscheinen des mit dem Pulitzer-Preis ausgezeichneten Buches von A. Scott Berg über Charles Lindbergh (1998), das von Anne Morrow als offizielle Biografie autorisiert worden war. Sie las das englische Original Anfang 1999 – und war bitter enttäuscht. Auch diese Biografie – mittlerweile die vierzehnte auf dem anglo-amerikanischen Markt – enthielt keine Zeile über die deutschen Kinder und Lindberghs Liebe zu Bitusch. Außerdem störte sie die Darstellung Lindberghs als gefühlskalter Familientyrann und emotionsloser Fliegerheld.

Ihr Entschluss, den sie danach mit Dyrk und David abgesprochen hatte, stand fest: Die wahre Geschichte von Charles Lindbergh musste endlich geschrieben werden.

Die Großfamilie Hesshaimer in Deutschland und der Schweiz fand diesen Plan der drei Geschwister nicht akzeptabel. David erinnert sich: »Besonders meine Tante Marietta, die Schwester von Bitusch, wollte unter allen Umständen die Offenlegung des Familiengeheimnisses verhindern.« Marietta Hesshaimer, die bekanntlich selbst ein intimes Verhältnis zu Lindbergh unterhalten und ihm zwei Söhne geschenkt hatte, bestand auf absoluter Einhaltung von Verschwiegenheit und *secrecy*.

Als David mit Marietta über dieses heikle Familienthema reden wollte, erhielt er die Antwort: »Deine Mutter hat Valeska den Mann ausgespannt. Weißt du das?« Und David antwortete: »Ja, ich weiß. Aber dann hast du meiner Mutter den Mann ausgespannt.« Danach war eisiges Schweigen.

Auch andere Verwandte und Freunde beschworen die Hesshaimer-Geschwister, von einem solchen Projekt sofort Abstand zu nehmen.

Die Dramaturgie der Ereignisse erreichte einen neuen Höhepunkt.

In den Weihnachtsferien 1998/99 kam Astrid mit ihren Kindern zum Ferienbesuch zu ihrer Mutter ins elterliche Haus an den Ammersee.

Um ihre gehbehinderte Mutter zu unterstützen, half Astrid beim Um- und Ausräumen des mütterlichen Hutmacherateliers im ersten Stock des Hesshaimer'schen Anwesens in der Rotkreuz-Straße in Utting am Ammersee.

Dabei stieß sie auf ein neues Geheimnis.

In einer Zimmerecke fand Astrid einen schwarzen Müllsack, der mit einer roten Schleife zusammengebunden war. Sie wollte die Plastiktüte nicht unbesehen in die Mülltonne werfen und öffnete die Schleife. Was sie fand, verschlug ihr den Atem.

Durcheinander geschüttelt waren in dem Müllsack rund 150 Luftpostbriefe gesammelt. Alle frankiert und handschriftlich an »Brigitte Hesshaimer, Germany« adressiert – an die jeweiligen Wohnorte von Bitusch in den letzten 21 Jahren: Agnesstraße in München-Schwabing, Edelweißweg in Geretsried, Rotkreuz-Straße in Utting.

Astrid nahm einige der blassblauen Briefe aus den Umschlägen, die alle mit »*Dear Brigitte*« oder »*Dear Bitusch*« begannen und mit dem Kürzel »*C.*« endeten.

Minutenlang starrte Astrid auf die blauen Briefe und den schwarzen Müllsack. Sie konnte, sie wollte nicht mehr weiterlesen. Sie wusste sofort, was sie hier gefunden hatte: Die heimliche, 17 Jahre lange Liebeskorrespondenz ihres Vaters, Charles Lindbergh, an seine Bitusch, ihre Mutter.

Brigitte Hesshaimer hatte alle Briefe wie ein verliebter Teenager auch noch 25 Jahre nach dem Tod ihres über alles geliebten Mannes aufbewahrt.

In diesem Moment wusste Astrid intuitiv, dass sie diese Briefe retten musste. Bitusch würde sonst ihr Geheimnis mit ins Grab nehmen und die Briefe vorher vernichten.

Das Drama wurde zur Tragödie.

Astrid sagte ihrer Mutter nichts von ihrem brisanten Fund, steckte den Müllsack mit den Liebesbriefen in ihre Reisetasche und verließ einige Tage später mit den Kindern das Haus am Ammersee und kehrte nach Longjumeau bei Paris zurück.

In der Zwischenzeit hatte Bitusch gemerkt, dass ihr als Müllsack getarntes Lindbergh-Archiv weg war. Sie rief völlig aufgelöst bei Astrid an, ob diese bei der Aufräumaktion in Utting vielleicht einen schwarzen Plastikbeutel mit roter Schleife versehentlich der Müllabfuhr übergeben hätte.

Astrid schenkte ihrer Mutter jetzt reinen Wein ein: Sie habe die Briefe nach Frankreich mitgenommen, um sie vor einer Vernichtung zu schützen.

Bitusch war empört und griff jetzt zu juristischen Mitteln. Sie verlangte von den Geschwistern, die Briefe zurückzugeben. Doch zum gerichtlichen Finale kam es nicht.

Dyrk, der Diplomat unter den Geschwistern, hatte seine Mutter beschworen, es nicht zum Äußersten, also einer Klage oder einem Prozess, kommen zu lassen, und gleichzeitig auf Astrid eingewirkt, von einer Publizierung der Briefe abzusehen.

So kam es zum Friedensschluss in der Hesshaimer-Familie. Es wurde vereinbart, bis zum Tod der Mutter an keinerlei Veröffentlichungen zu arbeiten. Bitusch wiederum erklärte ihren Kindern: »Wenn ihr unbedingt unser Geheimnis lüften wollt, dann tut es. Aber wartet, bis ich gegangen bin.« Dorthin, wo sie hoffte, ihren Charles für immer wiederzusehen.

Am 7. September 2001 starb die krebskranke Brigitte Hesshaimer im Alter von 75 Jahren an den Folgen eines Schlaganfalls. »Sie verließ diese Welt«, wie sich David erinnerte, »als glücklicher Mensch.«

War es Zufall oder Schicksal?

Im selben Jahr wie Bitusch starb in den USA auch Anne Morrow Lindbergh im Alter von 94 Jahren. Zwei Frauen, die denselben Mann geliebt und die sich doch nie kennen gelernt hatten.

Ein Jahr nach dem Tod von Bitusch setzten Astrid, Dyrk und David ihr gemeinsames Vorhaben, die Wahrheit über ihre Herkunft und das große Geheimnis der Liebe ihrer Mutter zu Charles Lindbergh zu enthüllen, in die Tat um und kontaktierten die *Süddeutsche Zeitung* – gegen den Willen der Verwandtschaft.

Im Herbst 2003, kurz nach dem Paukenschlag der internationalen Pressekonferenz im Münchner Rathaus, fand heimlich, still und leise ein erstes deutsch-amerikanisches Familientreffen statt. Einer der Lindbergh-Enkel aus den USA, Morgan Lindbergh, war nach Europa gekommen, um Astrid, Dyrk und David kennen zu lernen.

Von Paris aus fuhr er mit David nach München, um dort eine Speichelprobe abzugeben, die im Rechtsmedizinischen Institut der Universität München mit den bereits hinterlegten Proben der drei Hesshaimer-Geschwister verglichen wurde.

Das Ergebnis dieses DNA-Tests gab der Ordinarius für Rechtsmedizin, Professor Dr. Wolfgang Eisenmenger, im November 2003 offiziell bekannt: »Astrid, Dyrk und David Hesshaimer sind ohne jeden Zweifel die leiblichen Kinder von Charles Lindbergh.«

Ein über mehr als drei Jahrzehnte lang gehütetes Familiengeheimnis war damit wissenschaftlich bestätigt worden.

18   The Plot against America –
The Plot against Lindbergh

»Fear presides over these memories, a perpetual fear.«
(»Angst regiert diese Erinnerungen, eine ständige Angst.«)

Mit diesen Worten eröffnete Amerikas berühmtester Gegenwartsschriftsteller und aktueller Literatur-Nobelpreis-Kandidat Philip Roth seinen Bestseller-Roman des Jahres 2004: *The Plot against America*.

Bereits der Einband des knapp 400 Seiten umfassenden Werks des Pulitzer- und Franz-Kafka-Preisträgers zeigt, wo's langgeht. Er ist in der Farbe der Nazi-Braunhemden gehalten und wird geziert von der grünen US-1-Cent-Briefmarke, auf die ein schwarzes Hakenkreuz gedruckt ist. (In der englischen Deutschland-Edition wurde das Hakenkreuz diskret durch ein Andreas-Kreuz ersetzt.)

Der Roman, im Stile der modern gewordenen historischen Fiktion des »Was wäre, wenn ...« gehalten, schildert aus der Sicht eines damals siebenjährigen jüdischen Jungen aus New Jersey, der zufälligerweise Philip Roth heißt und wie der reale Philip Roth im Jahr von Adolf Hitlers nationalsozialistischer Machtergreifung 1933 geboren wurde, die faschistische Machtergreifung in den USA durch den republikanischen Präsidenten Charles Lindbergh. Der unpolitische Atlantikflieger mutiert literarisch zum amerikanischen Nazi-Gauleiter.

Historische Grundlage des *Plot against America* ist das Jahr 1940, als die von Lindbergh repräsentierte Anti-Kriegs-Bewegung »America First« nach einer damaligen Meinungsumfrage des demoskopischen Instituts »Gallup« rund 80 Prozent der Amerikaner hinter sich wusste, die gegen einen Eintritt der Vereinigten Staaten in den von Hitler-Deutschland angezettelten Zweiten Weltkrieg votierten.

Die mit Hitler-Deutschland verbündeten »Achsenmächte« Italien und Japan hatten die Gunst der Stunde, den deutschen Überfall auf Polen, genutzt, um ihrerseits zu brutalen Kriegsabenteuern in Nordafrika und Asien überzugehen.

Der Faschismus marschierte weltweit.

Die in Amerika weit verbreitete Grundstimmung war, das eigene Land zwar sicherheitshalber aufzurüsten, aber nicht zu intervenieren – außer im Falle eines Angriffs auf die Vereinigten Staaten.

Politischer Ausdruck dieser überwältigenden Majorität war die Bewegung »America First«, der sich Charles Lindbergh als Redner und Protagonist angeschlossen hatte – ohne jemals Mitglied zu sein. Lindbergh repräsentierte damals nicht nur die Mehrheit, sondern eine große Koalition aus Demokraten und Republikanern, Pazifisten und Sozialisten, konservativen Mittelwestenern und progressiven jüdischen Intellektuellen der Ostküste.

Explizite Faschisten wie der mit den Nazis sympathisierende »Bund der Freunde des Neuen Deutschland« – die so genannten Bundisten – oder bekennende Antisemiten wie der Industrielle Henry Ford und der spätere Präsident des Internationalen Olympischen Komitees (IOC), Avery Brundage, wurden bei »America First« ausgeschlossen.

So weit die Realität.

Bei Philip Roth liest sich das etwas anders.

Beim Nominierungsparteitag der Republikaner in Philadelphia fliegt der Nationalheld Lindbergh im selbst gesteuerten Einsitzer über den Parteikonvent und landet, umjubelt von fanatisierten Massen, direkt neben der Parteitagshalle. In der Abstimmung schlägt er alle Konkurrenten und im anschließenden Wahlkampf um die Präsidentschaft der Vereinigten Staaten von Amerika erringt er einen sensationellen Erdrutschsieg über den amtierenden

Regierungschef der Demokratischen Partei, Franklin D. Roosevelt.

Mit Lindbergh ändern sich das politische Klima und die liberale Kultur der USA fundamental. Er macht den ebenfalls bei »America First« aktiven demokratischen Senator Burton K. Wheeler – im realen Leben ein antinazistischer Neutralist – zu seinem Stellvertreter, der sich im Schatten Lindberghs zum faschistischen Diktator aufschwingt und die ersten Judenpogrome lanciert.

Lindbergh selbst unterzeichnet unterwürfig zwei Friedensabkommen der USA mit Hitler-Deutschland und Japan, die den faschistischen Achsenmächten freie Hand lassen.

In der amerikanischen Innenpolitik wird mit der Umsiedlung der jüdischen Bevölkerung begonnen, bei der es besonders in den Staaten des Mittelwestens zu Übergriffen und Morden bis hin zu systematischen Pogromen kommt.

Der kleine Philip Roth – im Roman des jetzt 71-jährigen Philip Roth – muss erleben, wie auch seine eigene jüdische Mutter dabei getötet wird. Doch irgendwann ist der Lindbergh-Faschismus vorbei: Der legendäre Flieger besteigt eine Maschine à la *Spirit of St. Louis* – und wird nie mehr gesehen.

Der antisemitische Spuk geht zu Ende, der Demokrat Roosevelt übernimmt die Präsidentschaft, und die USA ziehen erfolgreich gegen Hitler-Deutschland in den Krieg.

Und Lindbergh, die Nazi-Marionette, warum hat er es so wild getrieben in Amerika?

Philip Roth hat auch darauf eine Antwort: Die Entführung von Lindberghs Sohn Charles junior im Jahre 1932 wurde nicht von kriminellen Kidnappern inszeniert. Nein, die Nazis waren es. Sie töteten ihn auch nicht, sondern brachten den kleinen Lindbergh nach Deutschland, wo er nach der Machtergreifung der Nazis zum Vorzeige-Arier der Hitler-Jugend wurde: groß, schlank, blond und blauäugig – ganz der Papa. »Nazi-Doctors« – so Philip Roth – überwachten die Reifung des kleinen Charles. Natürlich am Obersalzberg in Berchtesgaden.

Genau dort, im privaten Hauptquartier des »Führers«, dürfen Charles Lindbergh und Anne Morrow, die Eltern des entführten

Jung-Nazis, ihren Sohn im Rahmen eines Deutschlandaufenthalts besuchen. Aber Heinrich Himmler, der Chef der SS, erklärt ihnen, dass die Eltern ihren Sohn nur lebend wiedersehen werden, wenn Charles Lindbergh ab sofort alle Befehle der Nazis ausführen würde.

Seine zukünftige Funktion sei die des »Gauleiters von Amerika« in Form der US-Präsidentschafts-Kandidatur. Seine Reden dafür schreibt das NS-Propagandaministerium, zum Teil Joseph Goebbels persönlich, natürlich in englischer Übersetzung. Lindbergh und Anne Morrow lassen sich erpressen und das Schicksal nimmt seinen Lauf.

Mit den bekannten Konsequenzen: Faschismus, Antisemitismus und Judenpogrome in den USA. Bis Lindbergh nicht mehr kann oder will – und als einsamer Adler in den Freitod fliegt.

So weit Roth' *The Plot against America.*

Zurück bleiben eine abstruse Nazi-Obsession und der eingebildete Lindbergh-Faschismus aus der Feder (oder dem Computer) des Erfolgsautors Philip Roth, dessen jüdische Urangst vor einem neuen Holocaust jeden wohlmeinenden Kritiker oder überzeugten Antifaschisten davon abgehalten hatte, zu schreiben, was zu schreiben wäre: Roth' Plot des *Plot against America* ist grober Unfug und seine Lindbergh-Darstellung ist historischer Rufmord.

Nun könnte man es dabei belassen, dass ein amerikanischer Schriftsteller, einer der wichtigsten der Gegenwartsliteratur, ein schlechtes Buch geschrieben hat.

Das kommt vor.

Doch es geht nicht um Literaturkritik.

Philip Roth hat sich bewusst eines Rufmordes bedient, den die öffentliche Meinung in den USA, angeführt von der *New York Times*, seit Jahrzehnten kultiviert und den die deutsche Publizistik seit Jahrzehnten immer wieder abgekupfert hat.

Es sind die ideologischen Termini, nach denen es sich bei Lindbergh um einen »Nazi-Sympathisanten« und einen »Juden-Feind« handle.

Als Philip Roth' *The Plot against America* im Spätherbst 2004 in den USA erschien, gab es kaum ein deutsches Feuilleton, von der *FAZ* bis zur *taz*, das dieses Buch nicht rezensiert hätte, obwohl es in deutscher Übersetzung noch gar nicht auf dem Markt war. Die Besprechungen schwankten zwischen euphorisch und bedenklich, aber in einem Punkt waren sich die Literaturkritiker einig: Charles Lindbergh war als reale Person ein »Hitler-Freund« und ein »Antisemit«. Da schien Roth richtig zu liegen. Es bedurfte dafür nicht einmal einer Beweisführung.

Schublade auf – Schublade zu.

Doch historische Falschmeldungen werden auch in feuilletonistischen Formulierungskünsten nicht richtiger. Die Realität bleibt auf der Strecke.

Genau darum geht es aber.

Der amerikanische Isolationismus hat eine lange Tradition in der Geschichte der Vereinigten Staaten. Das Eingreifen der USA in den Ersten Weltkrieg unter der Präsidentschaft von Woodrow Wilson bedeutete insofern einen Bruch mit dieser Tradition.

Das historisch-politische Erdbeben, das dieser Kurswechsel im Nachhinein auslöste, war erheblich. Bereits kurz nach Ende des Ersten Weltkriegs begannen renommierte US-Historiker, die vorher den Interventionismus – also den Kriegseintritt der USA – verteidigt oder gefordert hatten, mit einer Korrektur ihrer Positionen.

Harry Elmer Barnes, einstmals ein überzeugter »Kriegs-Historiker«, kam zu dem Schluss, die USA seien von den Alliierten unter Federführung Englands und den eigenen Auslandsdiplomaten schlichtweg getäuscht und in den Weltkrieg gezwungen worden.

Ein anderer Historiker, Charles Transill, vertrat die Position, der Kriegseintritt der USA sei nicht nur ein Fehler gewesen, sondern die Frage sei nur noch, wie es den drei entscheidenden Gruppen – Banken und Rüstungsindustrie, Wilson-Administration und britischem Geheimdienst – gelungen war, das Land in den Krieg zu ziehen.

Franklin D. Roosevelt, 32. Präsident der USA (1933 bis 1945), führte Amerika in den Krieg gegen Deutschland und Japan. Er war ein erbitterter Gegner von Charles Lindbergh.

Vom alten Lindbergh, dem »Bolschewiken« C. A., sprach zwar niemand mehr, aber seine Tiraden gegen die »finsteren Mächte« des Big Business und des britischen Intelligence Service feierten posthum eine grandiose Wiederauferstehung.

Als selbst konservative US-Historiker wie H. S. Commager oder Charles Beard zu den so genannten Revisionisten überliefen, also jenen Geschichtswissenschaftlern Amerikas, die den Kriegs-Interventionismus und die These von der deutschen Alleinschuld explizit in Frage stellten, brachen in der öffentlichen (und veröffentlichten) Meinung Amerikas die Dämme.

Der Amerikanist Gerd Raeithel kam zu dem Schluss, dass Ende der 1930er-Jahre – also kurz vor Ausbruch des Zweiten Weltkriegs – zwei Drittel der Amerikaner den Kriegs-Interventionismus ablehnten und der Meinung waren, die USA seien auf die Interessen der Großbanken und Großbritanniens hereingefallen.

Hinzu kam, dass viele Historiker eine scharfe Kritik an der europäischen Nachkriegsordnung der Alliierten übten, die durch horrende Reparationsforderungen zum Bankrott der demokratischen Weimarer Republik in Deutschland und zum Sieg des Nazi-Faschismus geführt hatten.

Diese Vorgeschichte war konstitutiver Bestandteil jener gewaltigen Mehrheitsströmung gegen einen neuerlichen Kriegseintritt, die 1940 zur Gründung von »America First« führte – der Massenbewegung des Isolationismus.

Charles Lindbergh, der Sohn eines antikapitalistischen und kriegskritischen Vaters, sympathisierte wie viele Amerikaner aus allen politischen Lagern mit dieser Bewegung. Die Regierung des Demokraten Franklin D. Roosevelt, per Verfassung zur Neutralität verpflichtet, aber in engstem Kontakt zur britischen Regierung unter Winston Churchill stehend, sah dies mit größter Besorgnis.

Charles Lindbergh war zwar kein Politiker, aber er war ein Volksheld. Als Agitator für den traditionellen amerikanischen Isolationismus war er ein Populist – und damit eine Gefahr für die längst vollzogene Option der regierenden politischen Klasse der USA: den Eintritt des Landes in den Krieg gegen Hitler-Deutschland.

Wer aber war die politische Klasse der USA?

Gab es so etwas im *melting pot* des Einwandererstaates Amerika überhaupt?

Dieses Thema zählt bis zum heutigen Tag zu den großen Tabus in der ältesten Demokratie der westlichen Welt. Klassenherrschaft gilt noch heute als soziologischer Begriff des »alten Europa« – aber nicht für die USA. Eine Fiktion.

Der amerikanische Staat wird spätestens seit dem 20. Jahrhundert regiert und kontrolliert vom monopolkapitalistisch organisierten Big Business und politisch von einer weißen, protestantischen und angelsächsisch orientierten Wohlstandselite – der »WASP«. Die Abkürzung steht für *White, Anglo-Saxon, Protestant.*

Die Katholiken – zum Beispiel die Kennedys – und europäische Einwanderergruppen wie die Franzosen, Italiener, Iren, Skandinavier oder Deutschen kommen mit Abstand danach, sind aber als Teil der so genannten weißen Rasse akzeptiert.

Dahinter rangieren die Osteuropäer.

Die Juden – obwohl ökonomisch und kulturell in vielen Führungspositionen – bleiben in den USA als misstrauisch beäugte »Ghetto-Gruppe« drittklassig. Man braucht sie, aber man liebt sie nicht.

Danach kommen die *underdogs* der Latinos, der Asiaten, der Indianer und – auf der untersten Stufe – der *Afro-Americans*, bis vor kurzem noch als Neger oder Nigger diffamiert. Dieses Schlusslicht haben sie in jüngster Zeit – nach den Terroranschlägen vom 11. September 2001 – an die Muslime, die Araber und die Palästinenser abgegeben.

Auffallend daran ist, dass die amerikanische Klassenstruktur seit den Gründerjahren der USA nicht – wie im oft belächelten »Old Europe« – sozial geprägt ist (à la Karl Marx: Großkapital, Mittelstand, Arbeiterklasse), sondern rassistisch determiniert.

Der britischen Regierung war die Indifferenz des amerikanischen Mulitkulti-Staates bei gleichzeitiger Dominanz der WASP-Elite immer klar gewesen – im Ersten wie im Zweiten Weltkrieg. Sie hat deshalb entsprechend Einfluss genommen auf die jeweilige Regierung, sowohl nach 1914 auf Woodrow Wilson als auch nach 1939 auf Franklin D. Roosevelt. Beides Regierungen der WASP-Elite.

Der alte englische Stratege Winston Churchill hat es in seinen bekannt drastischen Worten ausgedrückt, wie sein Sohn Randolph in den Memoiren schrieb: »How can we beat the bastards? I shall drag the United States in!« (»Wie können wir die [Nazi-] Bastarde besiegen? Ich werde die USA mit hineinziehen.«)

Von Beginn des Zweiten Weltkriegs an intervenierte die Dachorganisation der britischen Geheimdienste, British Security Coordination (BSC), massiv in den USA, um die öffentliche Meinung, die gegen einen Kriegseintritt war, umzudrehen.

Präsident Franklin D. Roosevelt, der offiziell der Neutralität verpflichtet war, aber engstens mit der britischen Regierung kooperierte, sah in Zusammenarbeit mit dem BSC seine Hauptaufgabe darin, die Majorität der Isolationsbewegung und von »America First« zu brechen.

Als bekannt wurde, dass Charles Lindbergh, der Nationalheld, die Absicht hatte, im Radio gegen einen Kriegseintritt der USA zu sprechen, wurde ihm ein offizieller Regierungseintritt unterbreitet: Präsident Roosevelt bot ihm den Posten des US-Luftfahrtministers in seinem Kabinett an. Aber: Keine Unterstützung des Isolationismus!

Charles Lindbergh, der bäuerlich-skandinavische Sturkopf, lehnte ab. Ganz in der Tradition seines rebellischen Vaters und seines schwedischen Großvaters.

Er wurde – obwohl unpolitisch und unerfahren – zur Galionsfigur von »America First«. Und damit zur Gefahr für Roosevelts (noch) geheimen Kriegskurs und die Interessen Großbritanniens.

Der geniale Chefspion der British Security Coordination, Sir William Stephenson, der sämtliche Aktionen der englischen Geheimdienste MI-5, MI-6 und SIS koordinierte, gab die »Formel 3« aus:

1. Neben der Demokratischen Partei mit Präsident Roosevelt an der Spitze sollte für die nächsten US-Präsidentschaftswahlen 1940 auch bei den traditionell isolationistischen Republikanern ein »Kriegskandidat« an der Spitze stehen.

2. Die Führung von »America First«, speziell deren Aushängeschild Charles Lindbergh, musste als »unamerikanisch«, »deutschfreundlich« und »pro-nazistisch« desavouiert werden.

3. Amerika brauchte einen Kriegsgrund, um in den Zweiten Weltkrieg eintreten zu können.

Der amerikanische Historiker Thomas E. Mahl hat über die Strategie Churchills und die britischen Undercover-Aktionen in den USA zwischen 1939 und 1944 das viel beachtete Sachbuch *Desperate Deception* (erschienen 1998 in Großbritannien und den USA) vorgelegt, das sich wie ein Polit-Thriller liest. Mahl weist nach, dass Churchills (historisch richtige) Strategie vollständig aufging.

Nur zu welchem Preis?

Das Bauernopfer des heimlichen Anti-Nazi-Bündnisses zwischen Churchill und Roosevelt war – Charles Lindbergh. Dessen

*Lindbergh erhält während seines Deutschlandbesuchs 1936 von
Hermann Göring ein Ehrenschwert der deutschen Luftwaffe überreicht.
Ganz links im Bild: Anne Morrow Lindbergh.*

populistisch äußerst wirksames Auftreten gegen einen Kriegseintritt – wohlgemerkt: eine strategisch falsche, aber historisch le-
gitime amerikanische Option – wurde als »unamerikanisch« und
»Nazi-freundlich« diffamiert.

Der Grund dafür war genauso billig wie spektakulär: Lindbergh hatte im Rahmen eines Deutschlandbesuchs 1938 während
eines Dinners in der amerikanischen Botschaft von Hermann
Göring eine Medaille für den historischen Atlantikflug bekommen, die er in seine Hosentasche gesteckt hatte. Dieses »Verdienstkreuz Deutscher Adler«, dessen etwaige Ablehnung durch
Lindbergh – wie US-Botschafter Hugh Wilson hinterher sagte –
eine »diplomatische Katastrophe« gewesen wäre, wurde jetzt zur
Katastrophe für Lindbergh (siehe Kapitel 12).

Das in der pro-britischen US-Presse immer wieder gedruckte
Foto von der Ordensüberreichung Görings an Lindbergh sollte
suggerieren: Hier wurde ein Verräter des demokratischen Amerika belobigt.

Lindbergh, gerade noch als Minister-Kandidat für das demokratische Kabinett Roosevelt vorgeschlagen, war jetzt als »America First«-Protagonist zum Abschuss freigegeben. Innenminister Harold Ickes, der Scharfmacher der Roosevelt-Administration, bezeichnete den Beinahe-Kabinettskollegen plötzlich als »Nazi-Freund« und »Ritter vom deutschen Adler«. Roosevelt bemühte den Jargon des amerikanischen Bürgerkriegs und nannte Lindbergh einen »Copperhead«, also einen Überläufer zum Feind. Bis heute in den USA ein Totschlag-Argument.

Die Strategie der Roosevelt-Regierung und der British Security Coordination ging auch gegenüber der Republikanischen Partei auf. Der führende Sprecher der Isolationisten, Senator Arthur H. Vandenberg, hatte plötzlich seine Meinung geändert und war einem Kriegseintritt der USA nicht mehr abgeneigt. Wie Thomas E. Mahl nachweist, hatten sich drei bezaubernde Damen des britischen Geheimdienstes unter Anleitung der Agentin Betty Thorpe Pack, Deckname »Cynthia«, dem leiblichen Wohl des republikanischen Hardliners angenommen, der dann plötzlich ganz weich wurde und seiner Partei als »America First«-Kandidat nicht mehr zur Verfügung stehen wollte.

»Cynthias« englische Biografin Mary S. Lovell hat die Qualitäten der Agentin so zusammengefasst: »She singled out top men and seduced them.« Frei übersetzt: »Sie hat sich die Top-Männer ausgesucht und sie dann verführt.«

Mit Konsequenzen: Auf dem republikanischen Parteikonvent 1940 in Philadelphia wurde der bis dato völlig chancenlose Wendell Willkie, ein ehemaliger Demokrat, unter einer bis heute ungeklärten Mehrheitsentscheidung zum Präsidentschaftskandidaten nominiert.

Der US-Star-Publizist H. L. Mencken kommentierte süffisant: »Ich bin fest davon überzeugt, dass Willkies Nominierung vom Heiligen Geist höchstpersönlich vorgenommen wurde.« Willkie war Gegner von »America First« und Befürworter einer interventionistischen Politik. Jener Parteikonvent ist in den USA als der »bizarrste und überraschendste Parteitag der Republikaner« in die Geschichte eingegangen.

Fakt war jedenfalls: Punkt 1 der »Formel 3« des BSC-Bosses Sir Stephenson war aufgegangen. Egal, ob Roosevelt oder Willkie – der künftige Präsident der USA war bereit, das Land in den Krieg zu führen. Der Vollständigkeit halber sei gesagt, dass Roosevelt als erster und bisher einziger Präsident in der Geschichte der Vereinigten Staaten sich über die Beschränkung auf zwei Amtsperioden hinwegsetzte und 1940 erneut, zum dritten Mal in Serie, das Rennen machte und wieder Präsident der USA wurde – wie auch vier Jahre später nochmals.

Auch Punkt 2 des geheimen Aktionsplans war bald realisiert. Und daran hatte Charles Lindbergh, der unfreiwillige Hauptfeind von Roosevelt und der BSC, zu einem nicht unwesentlichen Anteil selbst Schuld. Auf einer Massenkundgebung in Des Moines im Staate Iowa am 11. September 1941 – es sollte Lindberghs persönliches *Nine Eleven* werden – hatte der wie immer beratungsresistente »einsame Adler«, entgegen eindringlichen Warnungen seiner Ehefrau Anne Morrow, mit den Engländern und ihrem Geheimdienst, der Roosevelt-Regierung und dem Großkapital sowie den Juden und ihrer Medienmacht jene drei Gruppierungen benannt, die seiner Meinung nach die USA in einen Krieg führen wollten.

Was Lindbergh getrieben hatte, die jüdischen Intellektuellen und Filmproduzenten auf die Anklagebank der Kriegstreiber zu setzen, wird für immer sein Geheimnis bleiben. Auch wenn Lindbergh in seiner Rede einschränkte: »Es ist nicht schwer zu verstehen, warum die Juden den Sturz Nazi-Deutschlands herbeiwünschen. Die Verfolgungen, die sie erlitten haben, würde jede Rasse zum erbitterten Feind machen. Niemand mit einem Gespür für die Würde des Menschen kann die Verfolgung der Juden in Deutschland dulden. Meine Freunde und ich ganz sicher nicht. Aber niemand mit Verantwortungsgefühl und Weitblick kann sich heute ihre Kriegsbefürwortungspolitik ansehen, ohne die Gefahren dieser Politik zu erkennen, sowohl für uns als auch für sie selbst. Anstatt sich für den Krieg stark zu machen, sollten die jüdischen Gruppen in diesem Land auf jede erdenkliche Weise dagegen eintreten, da sie zu den Ersten gehören werden, die seine Konsequenzen zu spüren bekommen ... Einige wenige weitblickende Juden erkennen das und wenden sich gegen eine Intervention. Aber die Mehrheit tut es nicht. Die größte Gefahr für dieses Land liegt in ihrem großen Besitz und ihrem Einfluss auf Film, Presse, Rundfunk und Regierung.«

Was Lindbergh hier machte, war nicht nur ein unsinniger Angriff auf die (angebliche) Medienmacht der Juden in Amerika, es war eine (ungewollte) Ausgrenzung der Juden als Teil der multikulturellen Einheit der Vereinigten Staaten.

Faktisch lag Lindbergh, im Unterschied zu seinen Anklagepunkten 1 und 3, falsch, da die amerikanischen Juden in der Frage eines Kriegseintritts äußerst gespalten waren und es keinerlei Presse- oder Medienkampagnen gegen den Isolationismus gab, die von »jüdischen Verlegern« inszeniert worden wären.

Wer nach dieser Rede von Des Moines isoliert war, war Lindbergh selbst. Ausgerechnet er, der Freund Harry Guggenheims und vieler anderer prominenter jüdischer Intellektueller und Industrieller, hatte sich agitatorisch auf ein politisches Glatteis begeben, auf dem er ziemlich platt ausgerutscht war.

Lindberghs nachträgliche Erklärungsversuche, er habe niemals eine grundsätzliche Kritik an den Juden Amerikas üben wollen und er habe die Nazi-Politik gegen die Juden von Anfang an verabscheut, halfen ihm nichts.

Jetzt war er dort, wo ihn die Regierungspropaganda immer haben wollte: in der Ecke des Antisemitismus. Erst der Orden von Göring, jetzt die Rede von Des Moines – Lindbergh, der Nazi-Freund.

Der amerikanische Linksintellektuelle und Erfolgsautor Gore Vidal hat in einem Essay im *Times Literary Supplement (TLS)* vom Oktober 1998 die ganze Aufregung um Lindberghs Rede wieder in die Niederungen der Realität gebracht. Lindbergh, so schrieb Gore Vidal, war nie in seinem Leben ein Nazi oder ein Antisemit. »Er war nichts anderes als ein klassischer Isolationist aus dem Mittelwesten, repräsentativ für die Mehrheit im Lande.«

Ein Isolationist, wie damals der begeisterte (und immer treu verbundene) Lindbergh-Fan John F. Kennedy, einer Dynastie der

Demokratischen Partei entstammend und später der 35. Präsident der USA, der als Elite-Student von Harvard und Stanford dem »America First Committee« beitrat. Wie so viele Mitglieder der Demokraten oder Anhänger der Sozialistischen Partei von Norman Thomas, übrigens neben Lindbergh einer der Protagonisten der Anti-Kriegs-Bewegung.

Kein Mensch würde heute einen John F. Kennedy oder einen Norman Thomas in die Nähe des Nazismus rücken. Und niemand würde all jene amerikanischen Sportler, die 1936 in Berlin von Adolf Hitler oder seiner Entourage die olympischen Medaillen umgehängt bekamen, zur Rückgabe dieser »Nazi-Auszeichnung« auffordern.

Auch Franklin D. Roosevelt ist nie dafür kritisiert worden, dass die USA die diplomatischen Beziehungen zu Hitler-Deutschland nicht eingefroren oder abgebrochen haben nach den »Nürnberger Rassengesetzen«, die aus Juden Menschen zweiter Klasse machten, oder nach den gewalttätigen Exzessen der so genannten Reichspogromnacht, als in Deutschland die Synagogen brannten und jüdische Geschäftsleute vom Mob gelyncht wurden.

Die öffentliche Hinrichtung Lindberghs wegen einiger dummer und falscher Sätze in Des Moines/Iowa hatte mit politischem Moralismus überhaupt nichts zu tun. Hier wurde ein Programm exekutiert, das Winston Churchill für Roosevelt aufgesetzt hatte. Die Galionsfigur der Anti-Kriegs-Bewegung war jetzt als »Nazi-Freund« und »Antisemit« desavouiert.

Es fehlte nur noch Programmpunkt 3 im Szenario für den Kriegseintritt der Vereinigten Staaten.

Am 7. Dezember 1941 überfielen von Flugzeugträgern gestartete Einheiten der japanischen Luftwaffe die amerikanische Kriegsflotte in Pearl Harbor. Daraufhin traten die USA in den Zweiten Weltkrieg ein.

In deutschen Geschichtsbüchern wird bis heute die Legende vom »Angriff aus dem Nichts« erzählt, von einem beispiellosen Aggressionsakt Japans. Die neuere amerikanische Geschichtsschreibung liest sich anders. Bereits zwei Monate vor dem japanischen Angriff war es dem amerikanischen Geheimdienst gelungen, den japanischen Militärcode zu knacken. Die USA wussten von jetzt an über jede einzelne geplante Aktion der japanischen Imperialisten bestens Bescheid.

Auch über den geplanten Angriff auf Pearl Harbor. Überraschenderweise liefen die modernsten US-Kriegsschiffe kurz vor dem japanischen Überfall aus. Die Logistik der Aggression war dem amerikanischen Geheimdienst bekannt, doch es wurde niemand gewarnt. Die US-Admiräle Kimmel und Richardson haben später schwere Vorwürfe gegen Präsident Roosevelt erhoben, er habe den Überfall auf Pearl Harbor provoziert, um einen Kriegsgrund zu finden.

Der neueste Stand der US-Militärhistoriographie ist der, dass die US-Regierung von der Aggression wusste und bewusst nichts dagegen unternahm. Mit Pearl Harbor war der *definite threat*, also die unmittelbare Bedrohung des Vaterlandes, gegeben. Amerika zog in den Krieg gegen die Achsenmächte Japan, Italien und Deutschland.

Und Lindbergh?

Er meldete sich sofort freiwillig als Pilot – wurde aber auf Veranlassung Roosevelts als »Defätist« abgelehnt. Trotzdem kam Lindbergh als »ziviler Berater« an die Pazifikfront und flog 50 lebensgefährliche Bombereinsätze.

Handelte so ein »Faschisten-Freund«?

Unmittelbar nach Kriegsende wurde Lindbergh im Auftrag der Truman-Regierung – Roosevelt war kurz zuvor gestorben – nach Deutschland geschickt, um für die US-Regierung den Stand der deutschen Luftfahrt- und Raketenforschung auszukundschaften. Und um deutsche Wissenschaftler und Ingenieure für die USA zu gewinnen.

Arbeitete so ein »Nazi-Sympathisant«?

Später ernannte Präsident Dwight D. Eisenhower den Piloten Charles Lindbergh zum Brigade-General und zu seinem persönlichen Berater.

Ausgerechnet einen »Hitler-Freund«?

Charles Lindbergh als Kampfflieger im Südpazifik (Mai 1944).

Dabei hatte Lindbergh aus Protest gegen die antikommunistischen und antijüdischen Berufsverbote der McCarthy-Ära bei den US-Präsidentschaftswahlen 1952 für den Demokraten Adlai Stevenson (und gegen Eisenhower) gestimmt.

Wählte so ein Antisemit und Antidemokrat?

In seinem 1948 erschienenen Buch *Of Flight and Life* (deutscher Titel: *Vom Fliegen und vom Leben*) hatte Lindbergh längst seine persönliche Abrechnung mit dem Nazismus, dem Antisemitismus und dem Totalitarismus vollzogen. Allerdings auch mit den selbst erlebten Kriegsverbrechen der USA an der Pazifikfront und den Atombombenabwürfen der US-Luftwaffe über Hiroshima und Nagasaki.

Er blieb ein unbequemer Mensch.

Vor allem einer, der begriffen hatte, wie Politik funktionierte. Er war jetzt der dritte Lindbergh in Serie, dem die Politik zum Verhängnis geworden war. Seinem Großvater, einem progressiven Sozialreformer, waren in Schweden die bürgerlichen Ehrenrechte aberkannt worden. Sein Vater, ein antikapitalistischer Neutralist, war zum Schluss als »Wirrkopf und Bolschewik« öffentlich zum Abschuss freigegeben.

Und er selbst? Er hatte Amerika immer gedient – aber auch gegen die herrschende Klasse opponiert, die ihn dann als »Nazi« und »Antisemiten« ausgespuckt hatte. Ihn, den einstigen Helden.

Lindberghs zweiter Flug über den Atlantik, nach 1945, hat auch damit zu tun. Es war der Aufbruch eines verbitterten Mannes, der in den USA ein Opfer der Kriegspropaganda war und der trotzdem in Europa für sein Land arbeiten wollte.

Allein. Zuverlässig. Unerkannt.

Und der in Deutschland eine neue Liebe fand. Mehr noch: der europäische Lindbergh, der drei neue Familien mit sieben Kindern gründete.

Der aber darüber hinaus – lange vor Gründung von »Greenpeace« und den »Grünen« – erkannte, dass der westliche Industrialismus und die hemmungslose Ausbeutung der Rohstoffe und der Dritten Welt einen Kollaps des gesamten Öko-Systems und des Planeten Erde herbeiführen würden. Der einstige Technikfanatiker hatte die Grenzen, vor allem die Gefahren der Technologie für die Menschheit erkannt. Dem ökologischen Visionär war jetzt – am Ende und in der Bilanz seines Lebens – ein lebender Vogel wichtiger als ein Überschallflugzeug.

Dies ist die Wahrheit über Charles Lindbergh.

Über jenen Lindbergh, der noch 30 Jahre nach seinem Tod für Philip Roth und sein Buch *The Plot against America* als faschistisches Abziehbild herhalten musste.

In der amerikanischen Geschichte taucht seit fast 200 Jahren immer wieder eine Comic-Figur auf, der berühmte *Uncle Sam*. Ein spitzbärtiger Spießbürger mit Sternenbanner und Zylinderhut, der mit stechendem Blick und ausgestrecktem Zeigefinger ganz staatsoffiziell als militärischer Rekrutierungswerber auf Plakaten und in Annoncen verbissen fordert: *»I want you for U.S.-Army!«*

Dem unverdächtigen Nonkonformisten, Bush-Kritiker und Amerikaner Gore Vidal ist dazu etwas ganz anderes eingefallen, als er in seinem Lindbergh-Essay *Der Adler am Boden* vorschlug, jenen alten Spießer gegen einen mutigen Flieger auszutauschen:

»Einstweilen mag es ein erfreuliches Geschenk ans neue Jahrhundert und Jahrtausend sein, wenn man die abschätzige Karikatur von 1812, die einen verschlagenen und tückischen Uncle Sam zeigt, durch Lindbergh ersetzte, als das Beste, was wir vermutlich hervorbringen werden in der Heldenlinie, amerikanische Abteilung.«

Dem ist nichts mehr hinzuzufügen.
Der Adler am Boden?
Er fliegt wieder.

Epilog

IM FRÜHSOMMER 2004 BESUCHTE DIE JÜNGSTE AMERI-
kanische Lindbergh-Tochter, Reeve Morrow Lindbergh (gleichzeitig die Präsidentin der »Charles A. Lindbergh and Anne
Morrow Lindbergh Foundation«) ohne jegliche Presse- und Me-
dienpräsenz ihre sieben europäischen Geschwister in Frankreich,
Deutschland und der Schweiz.

Reeve traf sich mit Astrid, Dyrk und David, mit den zwei Söh-
nen von Marietta und mit den beiden Kindern von Valeska. Es
waren Begegnungen von großer Herzlichkeit und gegenseitiger
Anerkennung.

30 Jahre nach dem Tod des einsamen Adlers haben sich seine
Kinder diesseits und jenseits des Atlantiks umarmt – in Liebe zu
ihrem gemeinsamen Vater, der jenen Ozean als erster Mensch der
Welt 77 Jahre vorher im Alleingang überflogen hatte.

Ein schöneres Finale hätte sich nicht einmal ein Hollywood-Re-
gisseur ausdenken können: Der Kampf um die Wahrheit in einer
deutschen Familie führte zum Happyend einer weltweiten Lovestory.

Bibliografie

Im Folgenden sind die wichtigsten Werke von Charles A. Lindbergh und Anne Morrow Lindbergh aufgelistet. Die Reihenfolge der Bücher orientiert sich nach deren Erscheinen auf dem US-amerikanischen Markt.

CHARLES A. LINDBERGH:

Wir zwei – Im Flugzeug über den Atlantik
(Amerikanischer Originaltitel: *We – The Famous Flier's Own Story of his Life and Transatlantic Flight*)
F. A. Brockhaus Verlag, Leipzig

The Culture of Organs (mit Dr. Alexis Carrel)
Verlag P. B. Hoeber, New York

Vom Fliegen und vom Leben *(Of Flight and Life)*
Holle-Verlag, Darmstadt 1952

Mein Flug über den Ozean *(The Spirit of St. Louis)*
Ausgezeichnet mit dem Pulitzer-Preis
S. Fischer Verlag, Berlin/Frankfurt 1957

Kriegstagebuch 1938–1945
(The Wartime Journals of Charles A. Lindbergh)
Verlag Fritz Molden, Wien–München–Zürich 1972

Stationen meines Lebens *(Autobiography of Values)*
Verlag Fritz Molden, Wien–München–Zürich–New York 1980

361

ANNE MORROW LINDBERGH:

North to the Orient
Verlag Harcourt, Brace and Company, New York

The Wave of Future
Verlag Harcourt, Brace and Company, New York

Wind an vielen Küsten
(Amerikanischer Originaltitel: *Listen: The Wind*)
Piper Verlag, München 1956

Die Gefährtin *(The Steep Ascent)*
Rainer Wunderlich Verlag, Tübingen/Stuttgart 1956

Muscheln in meiner Hand *(Gift from the Sea)*
Piper Verlag, München 1955

Trage mich über die Flut *(The Unicorn and Other Poems)*
Piper Verlag, München 1957

Die Hochzeit *(Dearly Beloved)*
Piper Verlag, München 1962

Die Erde leuchtet *(Earth Shine)*
Piper Verlag, München 1970

Bring mir das Einhorn – Jahre meiner Jugend
(1922–1928) *(Bring me a Unicorn)*
Piper Verlag, München 1972

Stunden von Gold, Stunden von Blei –
Jahre der Prüfung (1929–1932)
(Hour of Gold, Hour of Lead)
Piper Verlag, München 1973

Verschlossene Räume, offene Türen – Jahre der Besinnung
(1932–1935) *(Locked Rooms and Open Doors)*
Piper Verlag, München 1975

Blume und Nessel – Jahre in Europa (1936–1939)
(The Flower and the Nettle)
Piper Verlag, München 1984

Welt ohne Frieden – Tagebücher und Briefe (1939–1944)
(War Within and Without)
Ausgezeichnet mit dem Pulitzer-Preis
Piper Verlag, München 1986

Personenregister

Die kursiv gesetzten Seitenangaben beziehen sich auf die Bildunterschriften.

Bildnachweis

195: picture-alliance / dpa; **Seite 199:** Lindbergh Picture Collection. Manuscripts & Archives, Yale University Library; **Seite 203:** Lindbergh Picture Collection. Manuscripts & Archives, Yale University Library; **Seite 208:** Lindbergh Picture Collection. Manuscripts & Archives, Yale University Library; **Seite 213:** Lindbergh Picture Collection. Manuscripts & Archives, Yale University Library; **Seite 221:** SV-Bilderdienst/Scherl; **Seite 226:** picture-alliance / dpa; **Seite 230:** Lindbergh Picture Collection. Manuscripts & Archives, Yale University Library; **Seite 235:** SV-Bilderdienst/Scherl; **Seite 244:** Lindbergh Picture Collection. Manuscripts & Archives, Yale University Library; **Seite 247:** Lindbergh Picture Collection. Manuscripts & Archives, Yale University Library; **Seite 249:** Lindbergh Picture Collection. Manuscripts & Archives, Yale University Library; **Seite 256:** Lindbergh Picture Collection. Manuscripts & Archives, Yale University Library; **Seite 260:** Lindbergh Picture Collection. Manuscripts & Archives, Yale University Library; **Seite 261:** Lindbergh Picture Collection. Manuscripts & Archives, Yale University Library; **Seite 270:** Lindbergh Picture Collection. Manuscripts & Archives, Yale University Library; **Seite 272:** Lindbergh Picture Collection. Manuscripts & Archives, Yale University Library; **Seite 275:** Lindbergh Picture Collection. Manuscripts & Archives, Yale University Library; **Seite 280:** Astrid Bouteuil, Dyrk Hesshaimer und David Hesshaimer; **Seite 285:** Lindbergh Picture Collection. Manuscripts & Archives, Yale University Library; **Seite 287:** Lindbergh Picture Collection. Manuscripts & Archives, Yale University Library; **Seite 289:** Lindbergh Picture Collection. Manuscripts & Archives, Yale University Library; **Seite 294:** Astrid Bouteuil, Dyrk Hesshaimer und David Hesshaimer; **Seite 299:** Astrid Bouteuil, Dyrk Hesshaimer und David Hesshaimer; **Seite 301:** Astrid Bouteuil, Dyrk Hesshaimer und David Hesshaimer; **Seite 311:** Lindbergh Picture Collection. Manuscripts & Archives, Yale University Library; **Seite 312:** Lindbergh Picture Collection. Manuscripts & Archives, Yale University Library; **Seite 317:** Astrid Bouteuil; **Seite 321:** Astrid Bouteuil, Dyrk Hesshaimer und David Hesshaimer; **Seite 345:** akg-images; **Seite 349:** SV-Bilderdienst/Scherl; **Seite 355:** Lindbergh Picture Collection. Manuscripts & Archives, Yale University Library

Farbbildteil:

Seite 1: Lindbergh Picture Collection. Manuscripts & Archives, Yale University Library; **Seite 2 oben:** ullstein - ullstein bild; **Seite 2 unten:** Lindbergh Picture Collection. Manuscripts & Archives, Yale University Library; **Seite 3:** Lindbergh Picture Collection. Manuscripts & Archives, Yale University Library; **Seite 4 oben:** Lindbergh Picture Collection. Manuscripts & Archives, Yale University Library; **Seite 4 unten:** Lindbergh Picture Collection. Manuscripts & Archives, Yale University Library; **Seite 5 oben:** Lindbergh Picture Collection. Manuscripts & Archives, Yale University Library; **Seite 5 unten:** Lindbergh Picture Collection. Manuscripts & Archives, Yale University Library; **Seite 6 oben:** Lindbergh Picture Collection. Manuscripts & Archives, Yale University Library; **Seite 6 unten:** Lindbergh Picture Collection. Manuscripts & Archives, Yale University Library; **Seite 7 oben:** Sigi Hengstenberg, München; **Seite 7 unten:** Guido Krzikowski, München; **Seite 8:** Guido Krzikowski, München